# ANNE DA ILHA

Lucy Maud Montgomery

www.editorapedaletra.com.br
(11) 3733-0404 / 3687-7198

Projeto gráfico: **Quatria Comunicação**

Equipe editorial
**Felipe Fiuza** — Capa
**Felipe Fiuza** — Diagramação
**Karina Regina dos Santos Pereira** — Tradução
**Shirley Sodré** — Revisão

Tradução integral da obra *Anne da Ilha*,
de Lucy Maud Montgomery
Título original: *Anne of the Island*

**Dados Internacionais de Catalogação na Publicação (CIP)**
**Angélica Ilacqua CRB-8/7057**

Montgomery, Lucy Maud
Anne da ilha / Lucy Maud Montgomery ; tradução de Karina. -- Brasil : Pé da Letra, 2020.
220 p. : il.

**ISBN 978-65-5888-005-9**
**Título original: Anne of the island**

1. Literatura infantojuvenil **infantil** I. Título II. Karina

20-3491 CDD **028.5**

**Índices para catálogo sistemático:**

1. Literatura infantojuvenil

# ANNE DA ILHA

Lucy Maud Montgomery

PE da letra

## CAPÍTULO I

# A sombra da mudança

"A colheita acabou e o verão se foi", citou Anne Shirley, olhando através dos campos colhidos sonhadoramente. Ela e Diana Barry tinham colhido maçãs no pomar de Green Gables, mas agora estavam descansando do trabalho em um canto ensolarado, onde frotas aéreas de pétalas de cardo pairavam nas asas de um vento ainda doce com o aroma das samambaias da Floresta Assombrada.

Mas tudo na paisagem ao redor delas lembrava o outono. O mar estava rugindo traiçoeiramente à distância, os campos estavam nus e secos, devorados por varas-de-ouro, o vale do riacho abaixo de Green Gables transbordando com ásteres de púrpura etéreo, e o Lago das Águas Brilhantes estava azul, azul, azul; não o azul mutável da primavera, nem o azul pálido do verão, mas um azul-claro, constante, sereno, como se a água tivesse passado todos os humores e tensões da emoção e tivesse se acalmado em uma tranquilidade de inquebráveis sonhos caprichosos.

"Foi um bom verão", disse Diana, girando o novo anel em sua mão esquerda com um sorriso. "E o casamento da Srta. Lavendar pareceu ter vindo para coroá-lo. Imagino que o Sr. e a Sra. Irving estejam na costa do pacífico agora."

"Parece que eles já se foram por tempo suficiente para dar a volta ao mundo", suspirou Anne.

"Não acredito que faz apenas uma semana que eles se casaram. Tudo mudou. Quão solitário o presbitério parece com a partida da Srta. Lavendar e do Sr. e da Sra. Allan, com todas as cortinas cerradas! Passei por lá ontem à noite e senti como se ele tivesse morrido."

"Nunca teremos outro pastor tão bom quanto o Sr. Allan", disse Diana, com uma convicção melancólica. "Imagino que teremos todos os tipos de candidatos neste inverno, e nenhuma pregação em metade dos domingos. E com você e Gilbert longe, vai ser terrivelmente chato."

"Fred vai estar aqui", insinuou Anne, astuta.

"Quando a Sra. Lynde vai se mudar?", perguntou Diana, como se não tivesse ouvido o comentário de Anne.

"Amanhã. Fico feliz por ela estar vindo, mas vai ser outra mudança. Marilla e eu tiramos tudo do quarto de hóspedes ontem. Sabe, odiei fazer isso. Claro, foi uma bobagem, mas pareceu como se estivéssemos cometendo um sacrilégio. Aquele velho quarto de hóspedes sempre pareceu um santuário para mim. Quando eu era criança, achava que era o quarto mais maravilhoso do mundo. Você se lembra do desejo incontrolável que eu tinha de dormir na cama de um quarto de hóspedes, mas não no quarto de hóspedes de Green Gables. Oh, não, ali jamais! Teria sido terrível demais, eu não poderia pregar o olho de tanta admiração. Eu nunca ANDEI por aquele quarto quando Marilla me mandava ir até lá para cumprir alguma tarefa, não, de verdade, eu ia na ponta dos pés e prendia a respiração, como se estivesse na igreja, e me sentia aliviada quando saía de lá. Os quadros de George Whitefield e do Duque de Wellington estavam pendurados lá, um de cada lado do espelho, e eles me encaravam de um jeito tão sério durante todo o tempo que eu ficava lá, especialmente se eu ousasse espiar o espelho, que era o único da casa que não distorcia um pouco o meu rosto. Eu sempre me perguntei como Marilla ousava limpar aquele quarto. E agora não só está limpo, como também está completamente vazio. George Whitefield e o Duque foram rebaixados ao corredor do andar de cima. 'Assim termina a glória deste mundo'", concluiu Anne, com uma risada onde havia uma pequena nota de arrependimento. Nunca é agradável ter nossos velhos santuários profanados, mesmo quando nós já o superamos.

"Vou ficar tão solitária quando você se for", lamentou Diana pela centésima vez. "E pensar que você vai semana que vem!"

"Mas ainda estamos juntas", disse Anne alegremente. "Não devemos deixar a semana que vem nos roubar a alegria desta semana. Eu mesma odeio pensar que estou indo... eu e meu lar somos tão bons amigos. Nem me fale de se sentir solitária! Eu que deveria lamentar. VOCÊ vai ficar aqui com todos os seus velhos amigos. E Fred! Já eu estarei no meio de estranhos, sem conhecer uma alma sequer!"

"EXCETO Gilbert! E Charlie Sloane", disse Diana, imitando a ênfase e a astúcia de Anne.

"Charlie Sloane vai servir de grande conforto, com certeza", concordou Anne sarcasticamente, diante do que ambas as irresponsáveis donzelas começaram a rir. Diana sabia exatamente o que Anne pensava de Charlie Sloane, mas apesar diversas conversas confidenciais, ela não sabia exatamente o que Anne pensava de Gilbert Blythe. Para dizer a verdade, a própria Anne não sabia.

"Os meninos podem estar indo para o outro lado de Kingsport, até onde eu sei", Anne continuou. "Estou feliz por estar indo para Redmond, e tenho certeza de que vou gostar de lá depois de um tempo. Mas pelas primeiras semanas, sei que não vou gostar. Não vou ter o conforto de esperar ansiosamente pelo fim de semana para visitar meu lar, como tinha quando fui para a Queen's. O Natal vai parecer a mil anos de distância."

"Tudo está mudando, ou prestes a mudar", disse Diana tristemente. "Tenho a sensação de que as coisas nunca mais vão ser as mesmas, Anne."

"Chegamos ao ponto que os caminhos se saparam, imagino", disse Anne pensativamente. "Tínhamos que chegar aqui. Você acha, Diana, que ser adulto é mesmo tão bom quando costumávamos imaginar que seria quando éramos crianças?"

"Não sei... Há ALGUMAS coisas boas nisso", respondeu Diana, acariciando novamente seu anel com aquele pequeno sorriso que sempre tinha o efeito de fazer Anne se sentir subitamente deixada de lado e inexperiente. "Mas há tantas coisas confusas também. Às vezes eu sinto como se ser adulta apenas me assustasse, e aí eu daria tudo para voltar a ser uma menininha."

"Imagino que com o tempo vamos nos acostumar a ser adultas", disse Anne alegremente. "Aos poucos, não vão surgir tantas coisas inesperadas, embora, no fim das contas, imagino que sejam as coisas inesperadas que dão graça à vida. Temos 18 anos, Diana. Em dois anos, teremos 20. Quando eu tinha 10 anos, pensava que 20 anos eram uma idade muito madura. Em um piscar de olhos, você vai ser uma matrona sóbria de meia idade, e eu serei a gentil e velha solteirona Tia Anne, vindo visitá-la nas férias. Sempre vai manter um cantinho para mim, não vai, Di querida? Não o quarto de hóspedes, é claro, velhas solteironas não podem esperar o quarto de hóspedes, e serei 'humilde como Uriah Heep, e satisfeita com um cubículo embaixo do alpendre e longe do salão'."

"Você fala cada bobagem, Anne", riu Diana. "Você vai se casar com alguém esplêndido, lindo e rico, e nenhum quarto de hóspedes em Avonlea será maravilhoso o suficiente para você, e vai torcer o nariz para todos os seus amigos da juventude."

"Isso seria uma pena; meu nariz é bem bonito, mas acho que torcê-lo iria estragá-lo", disse Anne, dando batidinhas em seu formoso nariz. "Não possuo tantos traços bons assim, a ponto de poder me dar ao luxo de estragar os que tenho. Então, mesmo se eu me casar com o Rei das Ilhas Canibais, prometo que não vou torcer meu nariz para você, Diana."

Com outra risada alegre, as meninas se separaram, Diana para voltar ao Pomar Slope, e Anne para andar até o correio. Ela encontrou uma carta esperando por ela ali, e quando Gilbert Blythe a alcançou na ponte sobre o Lago das Águas Brilhantes, ela estava brilhando de empolgação.

"Priscilla Grant também está indo para Redmond", ela exclamou. "Não é esplêndido? Eu esperava que ela fosse, mas não pensei que o pai dela fosse consentir. Mas ele permitiu e vamos começar juntas. Sinto que posso enfrentar um exército com estandartes, ou todos os professores de Redmond em formação de batalha, com uma colega como Priscilla ao meu lado."

"Acho que vamos gostar de Kingsport", disse Gilbert. "É uma bela cidade antiga, me disseram, e tem o parque natural mais bonito do mundo. Eu ouvi que a paisagem lá é magnífica."

"Eu me pergunto se vai ser, se pode ser, mais bonito que isso", murmurou Anne, olhando ao seu redor com os olhos amorosos e arrebatados daqueles para quem o "lar" sempre será o lugar mais adorável do mundo, independentemente das terras mais belas que possam existir sob estrelas estrangeiras.

Eles estavam inclinados na ponte da velha lagoa, bebendo profundamente do encanto do anoitecer, exatamente no lugar em que Anne havia escalado para escapar de afundar com o bote no dia em que Elaine flutuou até Camelot. A bela cor púrpura do pôr do sol ainda manchava o céu oeste, mas a lua estava se erguendo e a água se estendia como um grande sonho prateado em sua luz. A recordação tecia um feitiço doce e sutil sobre as duas jovens criaturas.

"Você está muito quieta, Anne", disse Gilbert, enfim.

"Tenho medo de falar ou de me mexer por medo de que toda essa beleza maravilhosa desapareça como um silêncio partido", sussurrou Anne.

De repente, Gilbert pousou sua mão sobre a esguia mão branca pousada sobre guarda-corpo da ponte. Seus olhos cor de avelã se aprofundaram na escuridão, seus lábios ainda de menino se abriram para dizer algo sobre o sonho e a esperança que emocionavam sua alma. Mas Anne tirou sua mão e virou-se rapidamente. O feitiço do anoitecer partiu-se para ela.

"Preciso ir para casa", ela exclamou, com um descaso exagerado. "Marilla teve uma dor de cabeça hoje à tarde e tenho certeza de que os gêmeos devem estar aprontando alguma travessura terrível a esta altura. Eu não devia ter ficado tanto tempo longe."

Ela conversou ininterrupta e inconsequentemente até alcançarem a estrada de Green Gables. O pobre Gilbert mal teve chance de dizer uma palavra sequer. Anne sentiu-se aliviada quando se despediram. Havia uma nova e secreta autoconsciência em seu coração em relação a Gilbert, desde o fugaz momento da revelação no jardim da Cabana do Eco. Algo estranho havia invadido o velho, perfeito e escolar companheirismo, algo que ameaçava estragá-lo.

"Nunca tinha me sentido feliz de ver Gilbert ir embora antes", ela pensou, meio ressentida, meio triste, enquanto andava sozinha para casa pela estrada. "Nossa amizade ficará arruinada se ele continuar com essa bobagem. Ela não deve ser destruída. Não vou deixar. Oh, POR QUE os meninos não podem apenas ser sensatos!"

Anne tinha uma dúvida desconfortável de que não era estritamente "sensato" que ela ainda sentisse em sua mão o toque morno da mão de Gilbert, tão distintamente quanto tinha sentido pelo breve segundo em que ele a havia colocado ali. E ainda menos sensato que a sensação estivesse longe de ser desagradável, muito diferente daquela que havia seguido uma demonstração semelhante da parte de Charlie Sloane, quando ela estava sentada durante uma dança com ele em uma festa em White Sands três noites atrás. Anne tremeu por causa da lembrança desagradável. Mas todos os problemas relacionados a galãs apaixonados desapareceram de sua mente quando entrou na atmosfera caseira e pouco sentimental da cozinha de Green Gables, onde um menino de 8 anos estava chorando copiosamente no sofá.

"Qual o problema, Davy?", perguntou Anne, pegando o menino nos braços. "Onde estão Marilla e Dora?"

"Marilla está colocando Dora na cama", soluçou Davy, "e estou chorando porque Dora caiu dos degraus do porão, de cabeça para baixo, e ralou todo o nariz, e..."

"Oh, bem, não chore por isso, querido. Claro, você está triste por ela, mas chorar não vai ajudar. Ela vai estar bem amanhã. Chorar nunca ajuda ninguém, Davyzinho, e..."

"Não estou chorando porque ela caiu no porão", disse Davy, interrompendo o discurso bem intencionado de Anne com uma amargura crescente. "Estou chorando porque não estava lá para vê-la cair. Parece que estou sempre perdendo toda a diversão."

"Oh, Davy!" Anne sufocou um grito pecaminoso de risada. "Você chama de diversão ver a pobre Dora cair dos degraus e se machucar?"

"Ela não se machucou MUITO", disse Davy, desafiadoramente. "Claro que se ela tivesse morrido eu ficaria muito triste, Anne. Mas os Keith não morrem tão fácil assim. São como os Blewett, eu acho. Herb Blewett caiu do palheiro na quarta-feira passada, rolou pela calha até a baia do estábulo, onde eles tinham um cavalo selvagem assustador e zangado, e rolou bem embaixo dos cascos dele. E ainda assim saiu vivo, só com três ossos quebrados. A Sra. Lynde diz que existem pessoas que não se podem matar nem com um machado. A Sra. Lynde vem para cá amanhã, Anne?"

"Sim, Davy, e espero que você seja sempre muito bom e gentil com ela."

"Vou ser bom e gentil. Mas ela vai me colocar na cama à noite, Anne?"

"Talvez. Por quê?"

"Porque", disse Davy, muito decidido, "se ela fizer isso, não vou fazer minhas orações na frente dela como faço com você, Anne."

"Por que não?"

"Porque não acho que seria bom conversar com Deus na frente de estranhos, Anne. Dora pode fazer as dela para a Sra. Lynde se quiser, mas EU não vou. Vou esperar ela sair para fazer. Não vai ter problema, Anne?"

"Sim, se você tiver certeza de que não vai se esquecer de fazê-las, Davyzinho."

"Oh, não vou me esquecer, pode apostar. Acho que fazer minhas orações é muito divertido. Mas não vai ser tão divertido fazer sozinho quanto é com você. Queria que você ficasse em casa, Anne. Não sei por que você quer ir embora e nos abandonar."

"Não é exatamente que eu QUEIRA, Davy, mas sinto que preciso ir."

"Se você não quer ir, não precisa. Você já é crescida. Quando eu tiver crescido, não vou fazer nada que não queira fazer, Anne."

"A vida inteira, Davy, você vai acabar fazendo coisas que não quer fazer."

"Não vou", disse Davy categoricamente. "Você vai ver! Tenho que fazer coisas que não quero fazer agora porque você e Marilla me mandam para a cama se eu não fizer. Mas quando crescer, não vão poder fazer isso, e não vai ter ninguém para me dizer para não fazer as coisas. Como vou me divertir! Diga, Anne, Milty Boulter disse que a mãe dele fala que você está indo para a faculdade para ver se fisga um homem. Você está, Anne? Queria saber."

Por um segundo, Anne queimou com ressentimento. Depois, ela riu, lembrando-se que a vulgaridade crua dos pensamentos e do discurso da Sra. Boulter não podiam lhe fazer mal.

"Não, Davy, não vou. Eu estou indo estudar, crescer e aprender muitas coisas."

"Que coisas?"

"Sapatos, velas e cera para lacres.
E repolhos e reis",
Citou Anne.

"Mas se você QUISESSE fisgar um homem, como faria isso? Queria saber", insistiu Davy, para quem o assunto evidentemente possuía uma certa fascinação.

'É melhor você perguntar à Sra. Boulter", disse Anne sem pensar. "Acho que é capaz de ela saber mais sobre o processo do que eu."

"Vou perguntar da próxima vez que for lá", disse Davy seriamente.

"Davy! Ai de você!", exclamou Anne, percebendo seu erro.

"Mas você acabou de me mandar fazer isso", protestou Davy irritado.

"Já está na hora de você ir para a cama", decretou Anne para se livrar da confusão.

Depois que Davy foi para a cama, Anne vagou até a Ilha Victoria e sentou-se lá sozinha, protegida pelo tecido fino do brilho do luar, enquanto a água ria em volta dela em um dueto do riacho com o vento. Anne sempre tinha amado aquele riacho. Ela tinha tecido muitos sonhos sobre suas águas brilhantes em dias passados. Ela esqueceu os jovens apaixonados, os discursos maliciosos dos vizinhos e todos os problemas de sua existência de garota. Em sua imaginação, ela velejou por mares lendários que banhavam os litorais distantes das "distantes terras encantadas", onde jaziam Atlantis e Elysium, com a estrela vespertina como guia, até a terra do Desejo do Coração. E ela era mais rica naqueles sonhos do que em realidade, pois as coisas que vemos passam, mas as coisas invisíveis são eternas.

## CAPÍTULO II
# Guirlandas de outono

A semana seguinte correu rapidamente, repleta de inúmeras "últimas coisas", como Anne as chamava. Despedidas tinham que ser feitas e recebidas, sendo agradáveis ou não, fossem os visitantes ou visitados calorosamente simpáticos com as esperanças de Anne, ou pensassem que ela estava muito arrogante por estar indo para a faculdade e que era seu dever "colocá-la em seu devido lugar".

A SMVA deu uma festa de despedida em honra de Anne e Gilbert em uma tarde na casa de Josie Pye, escolhendo aquele lugar, em parte porque a casa do Sr. Pye era grande e conveniente, e também porque se suspeitava fortemente que as meninas Pye perderiam qualquer interesse no assunto se sua oferta da casa para a festa não fosse aceita. Foi um momento muito agradável, pois as meninas Pye eram graciosas, e não disseram nem fizeram nada para prejudicar a harmonia da ocasião, o que não estava de acordo com seus hábitos. Josie estava excepcionalmente amigável, tanto que até comentou condescendentemente com Anne:

"Seu vestido novo lhe cai muito bem, Anne. Realmente, você parece QUASE BONITA nele."

"Que gentileza sua dizer isso", respondeu Anne, com olhos risonhos. Seu senso de humor estava se desenvolvendo, e os discursos que a teriam machucado aos 14 anos estavam se tornando meramente fonte de diversão agora. Josie suspeitou que Anne estava rindo dela atrás daqueles olhos travessos, mas ela se contentou em sussurrar para Gertie, enquanto desciam, que Anne Shirley ficaria se exibindo ainda mais agora que estava indo para a faculdade — todos veriam!

Toda a "velha guarda" estava lá, cheia de alegria, entusiasmo, juventude e despreocupação. Diana Barry, rosada e com covinhas, acompanhada pelo fiel Fred; Jane Andrews, arrumada, sensível e simples; Ruby Gillis, parecendo ainda mais linda e luminosa com uma blusa de seda cor de creme, com gerânios vermelhos em seu cabelo dourado; Gilbert Blythe e Charlie Sloane, ambos tentando ficar tão perto da evasiva Anne quanto possível; Carrie Sloane, parecendo pálida e melancólica porque, assim se dizia, seu pai não permitia que Oliver Kimball chegasse perto de sua casa; Moody Spurgeon MacPherson, cujo rosto redondo e orelhas desagradáveis estavam mais redondos e desagradáveis do que nunca; e Billy Andrews, que ficou sentado num canto a tarde inteira, ria quando alguém falava com ele, e observava Anne Shirley com um sorriso de prazer em seu semblante largo e sardento.

Anne havia ficado sabendo da festa com antecedência, mas não tinha ficado sabendo que ela e Gilbert seriam, como fundadores da Sociedade, presenteados com um "discurso" e "símbolos de respeito" — no caso dela um volume das peças de Shakespeare; no de Gilbert, uma caneta-tinteiro. Ela ficou tão arrebatada pela surpresa e satisfeita pelas belas coisas ditas no discurso, lido no tom mais solene e ministerial de Moody Spurgeon, que as lágrimas quase afogaram o brilho de seus grandes olhos cinzentos. Ela tinha trabalhado duro e fielmente para a

SMVA, e aqueceu seu coração saber que os membros apreciavam seus esforços tão sinceramente. E foram todos tão gentis, amigáveis e alegres — até as meninas Pye tiveram seus méritos. Naquele momento Anne amava o mundo inteiro.

Ela aproveitou a tarde tremendamente, mas o fim praticamente estragou tudo. Gilbert novamente cometeu o erro de dizer algo sentimental para ela enquanto jantavam na varanda enluarada, e Anne, para puni-lo, foi graciosa com Charlie Sloane e permitiu que ele a acompanhasse até em casa. Ela descobriu, entretanto, que a vingança não magoa ninguém tanto quanto aquele que tenta infringi-la. Gilbert foi embora etereamente com Ruby Gillis, e Anne podia ouvi-los rindo e falando alegremente enquanto perambulavam pelo ar calmo e fresco do outono. Eles estavam evidentemente se divertindo muito, enquanto ela estava horrivelmente entediada com Charlie Sloane, que falava sem parar, e nunca, nem por acidente, dizia alguma coisa que valia a pena ouvir. Anne respondia com um vago e ocasional "sim" ou não", e pensava em como Ruby estava bonita naquela noite, como os olhos de Charlie estavam esbugalhados sob o luar — ainda pior que sob a luz do dia — e que o mundo, de alguma forma, não era um lugar tão bom quanto ela tinha acreditado que era mais cedo naquela tarde.

"Estou apenas cansada, esse é o meu problema", ela disse, quando gratamente encontrou-se sozinha em seu próprio quarto. E ela honestamente acreditava que era. Mas um certo jorro de felicidade, como se de alguma fonte secreta e desconhecida, borbulhou em seu coração na tarde seguinte, quando viu Gilbert descendo pela Floresta Assombrada e atravessando a velha ponte de madeira com aquele seu passo firme e ligeiro. Então, Gilbert não passaria aquela última tarde com Ruby Gillis no fim das contas!

"Você parece cansada, Anne", ele disse.

"Estou cansada e, pior ainda, estou desiludida. Estou cansada porque estive fazendo as malas e costurando o dia inteiro. Mas estou desiludida porque seis mulheres estiveram aqui para se despedir de mim, e cada uma das seis deu um jeito de dizer algo que pareceu tirar toda a cor da vida e deixá-la tão cinzenta, sombria e sem graça quanto uma manhã de Novembro."

"Velhas rancorosas!", esse foi o comentário elegante de Gilbert.

"Oh, não, não eram", disse Anne seriamente. "Esse é o problema. Se elas fossem velhas rancorosas, eu não teria me importado com elas. Mas elas eram todas almas boas, gentis e maternais, que gostam de mim e de quem eu gosto, e é por isso que o que elas disseram, ou deram a entender, teve um peso tão excessivo em mim. Elas me deixaram ver que achavam que eu era louca por ir para Redmond e tentar obter um diploma, e desde então eu tenho me perguntado se não sou mesmo. A Sra. Peter Sloane suspirou e disse que esperava que minha força durasse até eu terminar, e imediatamente me vi vítima de uma crise nervosa ao fim do meu terceiro ano. A Sra. Eben Wright disse que quatro anos em Redmond deviam custar muito dinheiro, e senti que era completamente imperdoável da minha parte desperdiçar o dinheiro de Marilla e o meu próprio em uma tolice dessas. A Sra. Jasper Bell disse que esperava que eu não deixasse a faculdade me estragar, como fez com algumas pessoas, e senti nos meus ossos que ao fim dos meus quatro anos em Redmond eu seria a criatura mais insuportável, pensando que sabia tudo, e desprezando tudo e todos em Avonlea. A Sra. Elisha Wright disse que entendia que as garotas de Redmond, especialmente aquelas que pertenciam a Kingsport, eram terrivelmente "finas e metidas", e que ela imaginava que eu não me sentiria muito confortável entre elas, e vi a mim mesma como uma menina do interior esnobada, desajeitada e humilhada, me arrastando pelos corredores clássicos de Redmond usando botas de caubói."

Anne finalizou com uma risada e um suspiro misturou-se a ela. Com sua natureza sensível, toda reprovação tinha peso, até mesmo a reprovação de pessoas cujas opiniões ela pouco respeitava. Por enquanto, a vida não tinha sabor, e a ambição havia desaparecido como um sopro em uma vela.

"Você certamente não se importa com o que elas dizem", protestou Gilbert. "Você sabe exatamente quão estreita é a visão de mundo delas, ainda que sejam criaturas excelentes. Fazer qualquer coisa que ELAS nunca fizeram é uma maldição. Você é a primeira garota de Avonlea a ir para a faculdade, e você sabe que todos os pioneiros são considerados vítimas da loucura."

"Oh, eu sei. Mas SENTIR é muito diferente de SABER. Meu bom senso me diz tudo o que você pode dizer, mas às vezes o bom senso não tem nenhum poder sobre mim. O mau senso toma posse da minha alma. Realmente, depois que a Sra. Elisha foi embora, eu mal tive vontade de terminar de fazer as malas."

"Você só está cansada, Anne. Vamos, esqueça tudo e venha dar uma volta comigo, um passeio pelo bosque depois do pântano. Deve ter algo ali que quero lhe mostrar."

"Deve ter?! Você não sabe se está lá?"

"Não, eu apenas sei que deveria estar, pois foi algo que vi lá na primavera. Vamos. Vamos fingir que somos duas crianças novamente e vamos na direção do vento."

Eles foram alegremente adiante. Anne, lembrando-se das situações desagradáveis da tarde anterior, foi muito gentil com Gilbert, e ele, que estava aprendendo a sabedoria, teve o cuidado de não ser nada além do que o camarada da escola novamente. A Sra. Lynde e Marilla viam a cena da janela da cozinha.

"Vão ser um casal algum dia", disse a Sra. Lynde, aprovando.

Marilla encolheu-se de leve. Em seu coração, ela esperava que fossem, mas era contrário à sua natureza ouvir o assunto falado do jeito direto e fofoqueiro da Sra. Lynde.

"Eles ainda são só crianças", ela disse brevemente.

A Sra. Lynde riu de bom humor.

"Anne tem 18 anos, eu estava casada com essa idade. Nós, os velhos, Marilla, estamos acostumados a pensar que as crianças nunca crescem, isso sim. Anne é uma jovem mulher e Gilbert é um homem, e ele idolatra o chão que ela pisa, como qualquer um pode ver. Ele é um belo rapaz, e Anne não poderia se sair melhor. Espero que ela não coloque nenhuma bobagem romântica na cabeça em Redmond. Eu não aprovo escolas mistas e nunca aprovei, isso sim. Eu acredito", concluiu a Sra. Lynde solenemente, "que os alunos de tais faculdades nunca façam muito mais que flertar."

"Eles devem estudar um pouco", disse Marilla, com um sorriso.

"Bem pouco", fungou a Sra. Rachel. "Entretanto, acho que Anne vai estudar. Ela nunca foi de flertar. Mas ela não aprecia o verdadeiro valor de Gilbert, isso sim. Oh, eu conheço as meninas! Charlie Sloane também está louco por ela, mas eu jamais a aconselharia a se casar com um Sloane. Os Sloane são pessoas boas, honestas e respeitáveis, é claro. Mas, no fim das contas, ainda são SLOANE."

Marilla assentiu. Para alguém de fora, a declaração de que "Sloane eram Sloane" poderia não ser muito esclarecedora, mas ela entendeu. Toda vila tem uma família daquelas: podem ser pessoas boas, honestas e respeitáveis, mas eram SLOANE e assim permaneceriam, ainda que falassem a língua dos homens e dos anjos.

Gilbert e Anne, alegremente inconscientes de que seu futuro estava sendo decidido pela Sra. Rachel, estavam perambulando através das sombras da Floresta Assombrada. Mais adiante, as colinas das plantações estavam se aquecendo sob o brilho âmbar do pôr do sol, sob um céu pálido e aéreo de rosa e azul. Os bosques de espruces distantes estavam reluzindo em bronze, e suas longas sombras limitavam os prados altos. Mas ao redor, um ventinho cantava entre as franjas dos espruces, e nele estava a nota do outono.

"Esta floresta está realmente assombrada agora, por lembranças antigas", disse Anne, parando para colher um ramo de samambaia, tingido *por uma brancura de cera pela geada. "Me parece que as menininhas que Diana e eu costumávamos ser ainda brincam aqui e sentam-se nas Borbulhas da Dríade no crepúsculo, encontrando-se com os fantasmas. Você sabe, nunca consigo subir esse caminho ao anoitecer sem sentir um pouco do velho calafrio e terror? Havia um fantasma especialmente terrível que criamos — o fantasma da criança assassinada que se esgueirava por trás de você e colocava seus dedos gelados em cima dos seus. Confesso que, até hoje, não consigo evitar imaginar seus passinhos furtivos atrás de mim quando venho aqui depois do anoitecer. Não tenho medo da Dama Branca, do homem sem cabeça ou dos esqueletos, mas gostaria de nunca ter imaginado aquele bebê fantasma. Como Marilla e a Sra. Barry ficaram bravas por causa desse assunto", concluiu Anne com uma risada de reminiscência.

O bosque ao redor do pântano estava cheio de paisagens púrpuras, trançadas com teias de aranha. Passando a plantação sombria de espruces retorcidos e um vale ensolarado e rodeado de bordos, eles encontraram o "algo" que Gilbert estava procurando.

"Ah, aqui está", ele disse com satisfação.

"Uma macieira, e tão longe aqui atrás!", exclamou Anne, encantada.

"Sim, uma autêntica macieira carregando maçãs também, bem aqui no meio dos pinheiros e das faias, a uma milha de qualquer pomar. Eu estive aqui um dia na primavera e a encontrei, toda branca com flores. Então, decidi voltar aqui de novo no outono e ver se tinha maçãs. Veja, está carregada. E elas parecem boas, amarronzadas como as maçãs russet, mas com um lado vermelho escuro. A maioria dos frutos silvestres são verdes e pouco atraentes."

"Imagino que tenha crescido há anos de alguma semente plantada pelo destino", disse Anne sonhadoramente. "E como cresceu e se manteve aqui sozinha entre estranhos, tão corajosa e determinada!"

"Aqui está uma árvore caída com uma almofada de musgo. Sente-se, Anne, ela vai servir como um trono da floresta. Vou subir para pegar algumas maçãs. Elas crescem alto, a árvore teve que se esticar até a luz do sol."

As maçãs se provaram deliciosas. Embaixo da casca amarronzada havia uma polpa branca e fresca, vagamente riscada de vermelho, e além de seu próprio gosto de maçã, elas tinham um certo sabor silvestre e delicioso que nenhuma maçã de pomar poderia possuir.

"A maçã fatal do Éden não poderia ter tido um gosto mais raro", comentou Anne. "Mas está na hora de irmos para casa. Veja, estava anoitecendo três minutos atrás e agora a lua já está no céu. Que pena não termos pegado o momento da transformação. Mas tais momentos nunca são capturados, eu imagino."

"Vamos dar a volta no pântano e ir para casa pela Estrada dos Amantes. Ainda está se sentindo desiludida como estava antes, Anne?"

"Eu não. Aquelas maçãs foram como maná para uma alma faminta. Sinto que vou amar Redmond e ter quatro anos esplêndidos lá."

"E depois desses quatro anos, o quê?"

"Oh, existe outra curva na estrada depois disso", respondeu Anne. "Não faço ideia do que vem depois, e não quero saber. É melhor não saber."

A Estrada dos Amantes era um lugar adorável naquela noite, calmo, leve e misteriosamente iluminado pelo pálido brilho do luar. Eles passearam por ali em um silêncio agradável e amigável, nenhum deles se dando ao trabalho de falar.

"Como tudo seria bom e simples se Gilbert fosse sempre como foi hoje à tarde", refletiu Anne.

Gilbert estava olhando para Anne, enquanto ela andava. Em seu vestido leve, com sua delicadeza esbelta, ela o fez pensar em uma íris branca.

"Me pergunto se algum dia vou conseguir fazê-la gostar de mim", ele pensou, com uma dor pela falta de confiança.

## CAPÍTULO III
# Cumprimentos e despedidas

Charlie Sloane, Gilbert Blythe e Anne Shirley partiram de Avonlea na segunda-feira seguinte pela manhã. Anne havia desejado um belo dia. Diana deveria levá-la até a estação e elas queriam que aquilo, seu último passeio por algum tempo, fosse agradável. Mas quando Anne foi para a cama no domingo à noite, o vento leste estava gemendo em volta de Green Gables com uma profecia ameaçadora que se realizou pela manhã. Anne acordou com gotas de chuva batendo contra sua janela e sombreando a superfície cinzenta da lagoa com anéis cada vez mais largos. As colinas e o mar estavam ocultos pela névoa, e o mundo inteiro parecia sombrio e deprimente. Anne vestiu-se no amanhecer cinzento e desanimado, pois era preciso chegar cedo para pegar o trem. Ela lutou contra as lágrimas que insistiam em se formar em seus olhos contra sua vontade. Ela estava deixando o lar que era tão querido para ela, e algo lhe dizia que o estava deixando para sempre, exceto como refúgio de férias. As coisas nunca mais seriam as mesmas: voltar para as férias não seria morar ali. E, oh, como tudo era tão querido e amado — aquela pequena varanda branca, sagrada em seus sonhos de menina, a velha Rainha Branca na janela, o riacho no bosque, as Borbulhas da Dríade, a Floresta Assombrada, a Estrada dos Amantes — todos os mil e um queridos lugares onde as memórias dos anos que se passaram permaneciam. Ela poderia ser realmente feliz em algum outro lugar?

O café da manhã em Green Gables naquela amanhã foi uma refeição triste. Davy, provavelmente pela primeira vez em sua vida, não conseguia comer, mas estava descaradamente em prantos em cima de seu mingau. Ninguém mais parecia ter muito apetite, exceto Dora, que fazia suas porções desaparecem confortavelmente. Dora, como a imortal e prudente Charlotte, que "continuou cortando o pão com manteiga" enquanto o corpo delirante de seu amante era carregado diante dela, era uma daquelas afortunadas criaturas que raramente são perturbadas por alguma coisa. Mesmo às oito, foi preciso muito para perturbar a placidez de Dora. Ela sentia muito por Anne estar indo embora, é claro, mas isso era razão para que deixasse de apreciar um ovo cozido com torrada? De jeito nenhum. E, vendo que Davy não conseguia comer o dele, Dora comeu por ele.

Exatamente na hora certa, Diana apareceu com o cavalo e a charrete, seu rosto rosado brilhando sobre a capa de chuva. As despedidas teriam que ser feitas ali de alguma forma. A Sra. Lynde veio de seus cômodos para dar um abraço caloroso em Anne e avisá-la para tomar cuidado com a saúde, seja lá o que fizesse. Marilla, brusca e sem lágrimas, apertou a bochecha de Anne e disse que imaginava que eles teriam notícias dela depois que se ajeitasse lá. Um observador casual poderia ter concluído que a partida de Anne importava muito pouco para ela, a menos que o tal observador calhasse de dar uma boa olhada nos olhos dela. Dora beijou Anne educadamente e espremeu para fora duas pequenas lágrimas decorosas, mas Davy, que estava chorando no degrau da varanda de trás desde que eles se levantaram da mesa, recusou-se a despedir-se de qualquer jeito. Quando viu Anne vindo em sua direção, ele ficou de pé num salto, correu escada acima e escondeu-se em um armário de roupas, do qual não saiu mais. Seus uivos abafados foram os últimos sons que Anne ouviu enquanto saía de Green Gables.

Choveu torrencialmente por todo o caminho até Bright River, onde ficava a estação para onde eles tinham que ir, já que o ramo da linha de trem de Carmody não se conectava ao trem que levava ao porto. Charlie e Gilbert estavam na plataforma da estação quando elas chegaram lá e o trem estava apitando. Anne teve tempo apenas para pegar seu bilhete, despachar sua mala, dizer um adeus apressado para Diana e correr para embarcar. Ela queria que eles pudessem voltar com Diana para Avonlea, ela sabia que morreriam de saudades de casa. E, oh, se apenas aquela chuva deprimente parasse de cair como se o mundo inteiro estivesse derramando lágrimas pelo verão que desapareceu e pelas alegrias que se foram! Nem a presença de Gilbert trouxe algum conforto a ela, pois Charlie Sloane também estava lá e a presença de um Sloane só podia ser tolerada com tempo bom. Era absolutamente insuportável na chuva.

Mas quando o barco saiu para o porto de Charlottetown, as coisas começaram a ficar melhores. A chuva parou e o sol começou a brilhar dourado aqui e ali entres as rendas das nuvens, polindo os mares cinzentos com um brilho bronzeado, e acendendo as brumas que cobriam o litoral vermelho da ilha com faíscas de ouro que davam presságios de um belo dia, depois de tudo. Além disso, Charlie Sloane ficou enjoado tão rapidamente que precisou descer, e Anne e Gilbert ficaram sozinhos no convés.

"Fico muito feliz por todos os Sloane ficarem enjoados assim que entram na água", pensou Anne, impiedosa. "Tenho certeza de que não poderia dar meu olhar de despedida para a 'velha terra' com Charlie parado ali fingindo olhar sentimentalmente para ela também."

"Bem, estamos fora", comentou Gilbert sem sentimentalismo.

"Sim, eu me sinto como 'Childe Harold' de Byron... apenas não é realmente a minha 'terra natal' que estou observando", disse Anne, piscando seus olhos cinzentos vigorosamente. "A Nova Escócia é que é isso, eu imagino. Mas a terra natal de uma pessoa é a terra que ela mais ama, e para a mim é a boa e velha ilha P.E. Não consigo acreditar que nem sempre vivi aqui. Aqueles onze anos antes de eu vir parecem um sonho ruim. Faz sete anos desde que atravessei neste barco, a tarde em que a Sra. Spencer me trouxe de Hopetown. Posso me ver com aquele vestido de sarja velho e horrível e aquele chapéu de palha desbotado, e como aquele litoral vermelho da ilha brilhou no sol. Agora, estou cruzando o estreito novamente. Oh, Gilbert, tomara que eu goste de Redmond e Kingsport, mas tenho certeza de que não vou gostar!"

"Onde foi parar toda a sua filosofia, Anne?"

"Está toda submersa embaixo de uma grande e avassaladora onda de solidão e saudades de casa. Eu esperei três anos para ir para Redmond, e agora estou indo... e gostaria de não estar indo! Deixe para lá! Devo ficar alegre e filosófica de novo depois de um bom choro. Eu PRECISO ter isso, 'para me aliviar', e vou ter que esperar até chegar na cama da pensão hoje à noite, seja lá onde for, para poder fazer isso. Então, Anne será ela mesma novamente. Eu me pergunto se Davy já saiu do armário."

Eram nove horas quando o trem deles chegou a Kingsport e eles se encontraram no brilho azul-esbranquiçado da estação lotada. Anne sentiu-se terrivelmente desorientada, mas um momento depois ela foi agarrada por Priscilla Grant, que tinha chegado a Kingsport no sábado.

"Aqui está você, amada! E imagino que esteja tão cansada quanto eu estava quando cheguei aqui no sábado à noite."

"Cansada! Priscilla, nem me fale. Cansada, imatura, caipira e com cerca de 10 anos de idade. Tenha a misericórdia de levar sua pobre amiga quebrada para algum lugar onde ela possa ouvir os próprios pensamentos."

"Vou levar você para a nossa pensão. Tem um carro esperando lá fora."

"É uma bênção você estar aqui, Prissy. Se não estivesse, acho que ficaria apenas sentada na minha mala, aqui e agora, e derramaria lágrimas amargas. Que conforto um rosto familiar é numa imensidão gritante de estranhos!"

"Aquele ali é Gilbert Blythe, Anne? Como ele cresceu no último ano! Ele era só um menino quando eu estava lecionando em Carmody. E é claro que aquele é Charlie Sloane. ELE não mudou, não poderia! Ele tinha essa mesma cara quando nasceu, e vai ter essa cara quando tiver 80 anos. Por aqui, querida. Estaremos em casa em vinte minutos."

"Em casa!", gemeu Anne. "Você quer dizer que ficaremos em alguma pensão horrível, em um quarto pequeno ainda mais horrível, com vista para os fundos de um quintal sujo."

"Não é uma pensão horrível, Annezinha. Aqui está nosso carro. Suba, o motorista vai pegar sua mala. Oh, sim, a pensão... é realmente um belo lugar do seu tipo, como você vai admitir amanhã de manhã quando uma boa noite de sono tiver feito sua tristeza passar. É uma casa grande, antiga e de pedra cinzenta na Rua St. John, a apenas uma boa e rápida caminhada de Redmond. Costumava ser a residência de pessoas ricas, mas a moda abandonou a Rua St. John e suas casas agora apenas sonham com dias melhores. Elas são tão grandes que as pessoas morando nelas precisam aceitar hóspedes apenas para enchê-las. Pelo menos, essa é a razão que nossas senhorias usam, muito ansiosas para nos convencer. Elas são excelentes, Anne, nossas senhorias, quero dizer."

"Quantas são?"

"Duas. Srta. Hannah Harvey e Srta. Ada Harvey. Elas nasceram gêmeas cinquenta anos atrás."

"Parece que não consigo me livrar de gêmeos", sorriu Anne. "Aonde quer que eu vá, eles me confrontam."

"Oh, elas não são gêmeas agora, querida. Depois de chegarem à idade de 30 anos, nunca mais foram gêmeas novamente. A Srta. Hanna envelheceu, não muito graciosamente, e a Srta. Ada continuou com 30 anos, ainda menos graciosamente. Não sei se a Srta. Hannah consegue sorrir ou não, nunca a peguei fazendo isso até agora, mas a Srta. Ada sorri o tempo inteiro e isso é ainda pior. Entretanto, elas são almas boas e gentis e aceitam hóspedes todos os anos porque a alma econômica da Srta. Hannah não consegue suportar 'desperdiçar espaço na casa', não porque elas precisem ou tenham que fazer isso, como a Srta. Ada já me disse sete vezes desde sábado à noite. Quanto aos nossos quartos, admito que são quartos pequenos e o meu tem mesmo vista para o quintal. O seu quarto é na frente e tem vista para o velho cemitério St. John, que é do outro lado da rua."

"Isso parece horripilante", estremeceu Anne. "Acho que eu preferiria ter a vista do quintal."

"Oh, não, não preferiria. Espere e verá. O velho St. John é um belo lugar. Tem sido um cemitério por tanto tempo que já deixou de ser um e se tornou um dos pontos turísticos de Kingsport. Eu passeei por ele ontem para fazer um exercício agradável. Há um grande muro de pedra e uma fileira enorme de árvores em volta dele, fileiras de árvores no meio e lápides velhas muito interessantes, com as inscrições mais interessantes e pitorescas. Você vai até lá para estudar, Anne, você vai ver só. Claro, ninguém é enterrado ali agora. Mas há alguns anos, eles ergueram um lindo monumento em memória dos soldados da Nova Escócia que pereceram na Guerra da Crimeia. É bem na frente dos portões de entrada e há 'oportunidade para a imaginação', como você costumava dizer. Aqui está sua mala, enfim, e os meninos estão vindo desejar boa noite. Preciso mesmo apertar a mão de Charlie Sloane, Anne? As mãos dele estão sempre tão frias e dão uma sensação estranha. Precisamos pedir a eles para nos visitar de vez em quando. A Srta. Hannah me contou seriamente que poderíamos receber 'jovens cavalheiros visitantes' por duas tardes na semana, se eles fossem embora em uma hora decente, e a Srta. Ada me pediu, sorrindo, para, por favor, me certificar de que eles não se sentassem em suas lindas almofadas. Eu prometi cuidar disso, pois Deus sabe onde mais eles PODEM se sentar, a menos que se sentem no chão, já que há almofadas em TUDO. A Srta. Ada tem até uma elaborada de crochê em cima do piano."

Anne estava rindo àquela altura. A conversa alegre de Priscilla teve o efeito desejado de animá-la. A saudade de casa desapareceu naquele instante, e não retornou com força total nem mesmo quando ela finalmente encontrou-se sozinha em seu pequeno quarto. Ela foi até a janela e olhou para fora. A rua lá embaixo estava escura e silenciosa. Do outro lado, a lua estava brilhando sobre as árvores no velho St. John, atrás da grande cabeça escura do leão no monumento. Anne se perguntou se teria sido naquela mesma manhã que ela partiu de Green Gables. Ela sentia a longa passagem do tempo que um dia de mudanças e viagens causam.

"Imagino que esta mesma lua esteja observando Green Gables agora", ela refletiu. "Mas não vou pensar nisso — é aí que fica a saudade de casa. Não vou nem mesmo ter meu bom choro. Vou adiá-lo para um momento mais conveniente, e agora vou calma e sensatamente para a cama dormir."

## CAPÍTULO IV

# A dama de abril

Kingsport é uma cidade velha e pitoresca, datando dos primeiros dias coloniais, e envolta em sua atmosfera antiga, como uma velha e elegante dama em trajes da moda de sua juventude. Aqui e ali, ela brota em modernidade, mas em seu coração ainda está intacta: é cheia de curiosas relíquias e cercada pelo romance de muitas lendas do passado. Um dia já tinha sido uma mera estação de fronteira no limite da região selvagem, e aqueles foram os dias em que os índios impediram que a vida dos habitantes fosse monótona. Depois, cresceu para se tornar o pomo da discórdia entre os britânicos e os franceses, sendo ocupada ora por uns, ora pelos outros, emergindo de cada ocupação com uma cicatriz nova de nações em combate marcada nela.

Ela tinha em seu parque uma torre Martello, autografada por turistas de todos os lados, um velho forte francês desmantelado nas colinas além da cidade, e diversos canhões antiquados em suas praças públicas. Havia outros pontos históricos também, que podiam ser caçados pelos curiosos, e nenhum dos quais era mais pitoresco e encantador que o velho cemitério St. John no centro da cidade, com ruas de casas silenciosas e antiquadas em dois lados, e avenidas movimentadas, agitadas e modernas nos outros. Cada cidadão de Kingsport sentia uma emoção de orgulho possessivo pelo velho St. John, pois, se ele tivesse alguma pretensão sequer, teria um ancestral enterrado ali, com uma placa estranha e torta em cima de sua cabeça, ou ainda espalhada de modo protetor sobre o túmulo, onde todos os fatos principais de sua história estariam registrados. Para a maior parte, nenhuma grande arte ou habilidade estavam distribuídas naquelas velhas lápides. O maior número era de pedra nativa cinza ou marrom grosseiramente esculpida, e apenas em alguns casos havia alguma tentativa de ornamentação. Algumas eram adornadas com esqueletos e ossos cruzados, e essa decoração cinzenta era frequentemente pareada com a cabeça de um querubim. Muitas estavam prostradas e em ruínas. Os dentes do tempo tinham roído quase todas, até algumas inscrições terem sido completamente apagadas, e outras podendo ser decifradas apenas com dificuldade. O cemitério era muito cheio e florido, pois era cercado e atravessado por fileiras de elmos e salgueiros, embaixo das sombras dos quais os adormecidos deveriam deitar-se sem pesadelos, coroados para sempre pelos ventos e pelas folhas sobre eles, imperturbados pelo clamor do tráfego logo abaixo.

Anne deu o primeiro de muitos passeios no velho St. John na tarde seguinte. Ela e Priscilla tinham ido para Redmond pela manhã e se registrado como alunas, depois do que não havia mais nada para fazer naquele dia. As meninas fizeram sua fuga alegremente, pois não era empolgante estarem cercadas por multidões de estranhos, a maioria dos quais tinham uma aparência bastante esquisita, como se não soubessem bem a que lugar pertenciam.

Os "novatos" permaneciam em grupos soltos de dois ou três, olhando de esguelha uns para os outros; os "novos", mais sábios em seu momento e geração, tinham se juntado na grande escadaria do salão de entrada, onde estavam gritando de alegria com todo o vigor de seus jovens pulmões, como uma espécie de desafio aos seus tradicionais inimigos, os veteranos, alguns dos quais estavam rondando arrogantemente o lugar, parecendo devidamente desdenhosos dos "bebês de fraldas" na escada. Gilbert e Charlie não estavam em nenhum lugar à vista.

"Mal pensava eu que chegaria o dia em que ficaria feliz de ver um Sloane", disse Priscilla, enquanto elas cruzavam o campus, "mas eu daria boas-vindas aos olhos esbugalhados de Charlie quase em êxtase. Pelo menos, seriam olhos familiares."

"Oh", suspirou Anne. "Não consigo descrever como me senti quando estava em pé ali, esperando minha vez de ser registrada, tão insignificante quanto a menor gota em um gigantesco balde. Já é ruim o suficiente se sentir insignificante, mas é insuportável ter gravado em sua alma que você nunca, nunca será nada além de insignificante, e é assim que eu me senti, como se fosse invisível a olho nu e alguns daqueles veteranos fossem pisar em mim. Eu sabia que iria para o meu túmulo sem lágrimas, sem honras e sem cantos."

"Espere até o ano que vem", confortou Priscilla. "Então vamos ser capazes de parecer tão entediadas e sofisticadas quanto qualquer outro veterano. Não há dúvida de que é terrível se sentir insignificante, mas acho que é melhor do que se sentir tão grande e desajeitada como me senti, como se estivesse espalhada por toda Redmond. Foi assim que me senti, talvez porque eu seja uns cinco centímetros mais alta que qualquer outra pessoa da multidão. Eu não tive medo de um veterano passar por cima de mim, eu tive medo de me confundirem com um elefante ou uma amostra de morador da ilha que cresceu demais por se alimentar de batatas."

"Acho que o problema é que não podemos perdoar a grande Redmond por não ser a pequena Queen's", disse Anne, juntando ao seu redor os restos de sua velha filosofia alegre para cobrir a nudez de seu espírito. "Quando deixamos a Queen's, conhecíamos todo mundo e tínhamos nosso próprio lugar. Imagino que estivemos inconscientemente esperando assumir a vida em Redmond exatamente onde a deixamos na Queen's, e agora sentimos como se o chão tivesse desaparecido debaixo de nossos pés. Fico grata pelo fato de nem a Sra. Lynde, nem a Sra. Elisha Wright saberem agora, ou ficarem sabendo algum dia, meu atual estado de espírito. Elas exultariam dizendo 'eu avisei', e ficariam convencidas de que era o começo do fim. Enquanto se trata apenas do fim do começo."

"Exatamente. Isso tem mais jeito de Anne. Em pouco tempo, estaremos acostumadas e seremos conhecidas, e tudo ficará bem. Anne, você notou a menina que estava sozinha em pé na porta do vestiário a manhã inteira — a menina bonita de olhos castanhos e boca torta?"

"Sim, notei. Eu a notei particularmente porque ela parecia a única criatura que APARENTAVA estar tão solitária e sem amigos quanto EU ME SENTIA. Eu tinha VOCÊ, mas ela não tinha ninguém."

"Acho que ela também está bastante solitária. Já a vi muitas vezes se mover como se fosse vir falar conosco, mas nunca fez isso, muito tímida, imagino. Gostaria que ela viesse. Se eu não tivesse me sentido tanto quanto o elefante já mencionado, teria ido falar com ela. Mas não consegui me arrastar através daquele grande salão com todos os meninos uivando nas escadas. Ela foi a novata mais bonita que eu vi hoje, mas provavelmente o favorecimento é enganoso e mesmo a beleza é em vão no primeiro dia em Redmond", concluiu Priscilla com uma risada.

"Vou para o velho St. John depois do almoço", disse Anne. "Não sei se aquele cemitério é um lugar muito bom para se animar, mas parece o único lugar acessível onde há árvores, e preciso ter árvores. Vou sentar em uma daquelas velhas placas e imaginar que estou no bosque de Avonlea."

Entretanto, Anne não fez aquilo, pois encontrou interesse suficiente no velho St. John para manter seus olhos bem abertos. Elas passaram pelos portões de entrada, através dos arcos simples e maciços de pedra, sobrepostos pelo grande leão da Inglaterra.

*"'E em Inkerman, o espinheiro selvagem está sangrento,*
*E aquelas alturas soturnas daqui em diante ficarão famosas na história'",*

citou Anne, olhando com emoção. Elas se encontraram em um lugar escuro, fresco e verde onde os ventos gostavam de sussurrar. Para cima e para baixo dos corredores gramados elas vagaram, lendo os pitorescos e volumosos epitáfios, entalhados em uma época em que havia mais lazer que na nossa própria.

"'Aqui jaz o corpo de Albert Crawford, Esq.'", leu Anne de uma placa velha e cinzenta, "'por muitos anos Mantenedor da Ordenança de Sua Majestade em Kingsport. Ele serviu o Exército até a paz, em 1763, quando se retirou para tratar da saúde. Ele era um oficial corajoso, o melhor dos maridos, o melhor dos pais, o melhor dos amigos. Ele morreu em 29 de outubro de 1792, aos 84 anos.' Aqui está um epitáfio para você, Prissy. Certamente existe alguma 'oportunidade para imaginação' nele. Como uma vida dessas deve ter sido cheia de aventura! E quanto às suas qualidades pessoais, tenho certeza de que a capacidade humana de fazer elogios fúnebres não poderia ir mais longe. Eu me pergunto se eles lhe disseram que era todas essas melhores coisas quando estava vivo."

"Aqui está outra", disse Priscilla. "Ouça:

'Em memória de Alexandres Ross, que morreu em 22 de setembro de 1840, aos 43 anos. Este tributo foi erguido como prova do afeto de quem ele serviu fielmente por 27 anos, considerado como amigo, merecendo plena confiança e afeição.'"

"Um epitáfio muito bom", comentou Anne pensativamente. "Eu não desejaria um melhor. Somos todos servos de algum tipo, e se o fato de sermos leais puder ser verdadeiramente inscrito em nossas lápides, nada mais precisa ser acrescentado. Aqui está uma triste pedrinha cinzenta, Prissy: 'em memória da criança preferida'. E aqui outra 'erguida em memória daquele que está enterrado em outro lugar'. Eu me pergunto onde está esse túmulo desconhecido. Realmente, Pris, os cemitérios de hoje nunca serão tão interessantes quanto este. Você estava certa. Vou vir sempre aqui. Já amo este lugar. Vejo que não estamos sozinhas aqui, tem uma menina no fim desta avenida."

"Sim, e acredito que seja a mesma menina que vimos em Redmond hoje de manhã. Eu a estive observando por cinco minutos. Ela começou a subir a avenida exatamente meia dúzia de vezes, e meia dúzia de vezes ela se virou e voltou. Ou ela é terrivelmente tímida ou tem algo pesando na consciência. Vamos encontrá-la. É mais fácil conhecer alguém em um cemitério que em Redmond, eu acho."

Elas andaram pela galeria longa e gramada em direção à desconhecida, que estava sentada em uma placa cinzenta embaixo de um enorme salgueiro. Ela era certamente muito bonita, com um tipo de beleza vívido, irregular e fascinante. Havia um brilho de nozes castanhas em seu cabelo acetinado e uma luminosidade madura em suas bochechas redondas. Seus olhos eram grandes, castanhos e aveludados, embaixo de sobrancelhas escuras estranhamente pontudas, e sua boca torta era de um vermelho rosado. Ela vestia um traje marrom com dois sapatinhos elegantes saindo debaixo dele, e seu chapéu de palha cor-de-rosa, trançado com papoulas douradas, tinha um ar indefinível e inconfundível de que pertencia à "criação" de um artista em chapelaria. Priscilla de repente ficou dolorosamente consciente de que seu próprio chapéu tinha sido enfeitado pelo chapeleiro da loja da vila, e Anne perguntou-se desconfortavelmente se a blusa que ela mesma tinha feito, e que a Sra.

Lynde havia ajustado, parecia MUITO caipira e caseira em comparação com o elegante traje da desconhecida. Por um momento, ambas as meninas tiveram vontade de voltar atrás.

Mas elas já tinham parado e virado em direção à placa cinzenta. Era tarde demais para recuar, pois a menina de olhos castanhos evidentemente tinha concluído que elas tinham vindo falar com ela. Instantaneamente, ela ficou em pé e veio em frente com uma mão estendida e um sorriso alegre e amigável em que não parecia haver sombra de timidez ou consciência pesada.

"Oh, quero saber quem vocês duas são", ela exclamou, ansiosa. "Estou MORRENDO de vontade de descobrir. Vi vocês em Redmond hoje de manhã. Digam, não foi HORRÍVEL lá? Por um momento, desejei ter ficado em casa e me casado."

Anne e Priscilla ambas caíram em uma risada incontrolável por aquela conclusão inesperada. A menina de olhos castanhos riu também.

"Eu desejei mesmo. Eu PODERIA ter feito isso, sabe. Venham, vamos todas nos sentar neste túmulo e nos apresentar. Não vai ser difícil. Sei que vamos nos adorar, soube assim que as vi em Redmond hoje de manhã. Eu quis tanto vir aqui e abraçar vocês duas."

"Por que não fez isso?", perguntou Priscilla.

"Porque eu simplesmente não consegui me decidir a fazer isso. Nunca consigo me decidir sobre nada sozinha, sempre fico aflita pela indecisão. Assim que decido fazer algo, sinto em meus ossos que o outro caminho seria o correto. É uma desgraça terrível, mas nasci desse jeito e não adianta me culpar por isso, como algumas pessoas fazem. Então, não conseguia me decidir a vir falar com vocês, por mais que quisesse."

"Nós achamos que você fosse muito tímida", disse Anne.

"Não, não, querida. Timidez não está entre os muitos defeitos — ou virtudes — de Philippa Gordon — Phil para abreviar. Podem me chamar de Phil agora mesmo. Agora, quais são os seus nomes?"

"Ela é Priscilla Grant", disse Anne, apontando.

"E ELA é Anne Shirley", disse Priscilla, apontando de volta.

"E somos da Ilha", as duas disseram juntas.

"Eu vim de Bolingbroke, Nova Escócia", disse Philippa.

"Bolingbroke!", exclamou Anne. "Ora, é onde eu nasci!"

"Você está falando sério? Ora, isso faz de você uma 'nariz azul' no fim das contas."

"Não faz, não", retrucou Anne. "Não foi Dan O'Connel que disse que se um homem nascesse em um estábulo isso não fazia dele um cavalo? Sou da ilha até os ossos."

"Bem, fico feliz por você ter nascido em Bolingbroke de qualquer forma. Meio que nos torna vizinhas, não? E gosto disso, porque quando eu lhe contar segredos, não vai ser como se estivesse contando a uma estranha. Preciso contá-los. Não consigo guardar segredos, nem adianta tentar. Esse é o meu pior defeito, esse e a indecisão, como já falei. Vocês acreditam? Levei meia hora para decidir que chapéu usar quando estava vindo aqui! AQUI, para um cemitério! Primeiro, pensei no meu marrom com a pena, mas assim que o coloquei, pensei que este chapéu rosa com a aba mole seria mais atraente. Quando eu o prendi no lugar, decidi que gostava mais do marrom. Enfim, coloquei os dois bem próximos em cima da cama, fechei os olhos e espetei com um alfinete de chapéu. O alfinete espetou o chapéu rosa, então eu o coloquei. É atraente, não é? Digam, o que acham da minha aparência?"

Depois daquele pedido ingênuo, feito em um tom perfeitamente sério, Priscilla riu de novo. Mas Anne disse, apertando impulsivamente a mão de Philippa:

"Nós achamos hoje de manhã que você era a menina mais bonita que vimos em Redmond."

A boca torta de Philippa abriu-se em um sorriso fascinante e igualmente torto com pequenos dentes muito brancos.

"Eu mesma pensei isso", foi a surpreendente declaração que se seguiu, "mas queria a opinião de outra pessoa para reforçar a minha. Não consigo decidir nem sobre a minha própria aparência. Imediatamente depois de decidir que sou bonita, começo a sentir miseravelmente que não sou. Além disso, tenho uma velha tia avó terrível que está sempre me dizendo, com um suspiro triste, 'Você era um bebê tão bonito. É estranho como as crianças mudam quando crescem.' Eu amo minhas tias, mas detesto minhas tias-avós. Por favor, me digam com frequência que sou bonita, se não se importarem. Eu me sinto muito mais confortável quando consigo acreditar que sou bonita. E serei tão amável com vocês quanto quiserem que eu seja, isso eu POSSO ser, com uma consciência limpa."

"Obrigada", riu Anne. "mas Priscilla e eu estamos tão firmemente convencidas de nossas próprias aparências que não precisamos de nenhuma garantia quanto a elas, então, não precisa se preocupar."

"Oh, você está rindo de mim. Sei que pensa que sou abominavelmente vaidosa, mas não sou. Não há nem um pingo de vaidade em mim. E nunca dou elogios de má vontade para outras garotas quando elas os merecem. Fico tão feliz por conhecer vocês duas. Eu cheguei no sábado e quase morri de saudades de casa desde então. É um sentimento horrível, não é? Em Bolingbroke eu sou uma pessoa importante, e em Kingsport não sou ninguém! Houve momentos em que conseguia sentir minha alma ficando de um delicado tom azul. Onde vocês estão ficando?"

"Rua St. John, número trinta e oito."

"Ainda melhor. Eu fico bem na esquina, na Rua Wallace. Mas não gosto da minha pensão. É soturna e solitária e o meu quarto tem vista para um quintal horroroso. É o lugar mais feio do mundo. E quanto aos gatos... bem, certamente TODOS os gatos de Kingsport não podem se reunir lá à noite, mas com certeza metade deles faz isso. Adoro gatos em tapetes, cochilando em frente a um fogo bom e agradável, mas gatos em quintais à meia-noite são animais totalmente diferentes. Na primeira noite que passei aqui, chorei a noite toda, e os gatos também. Você deveria ter visto meu nariz na manhã seguinte. Como eu desejei nunca ter saído de casa!"

"Não sei como você conseguiu se decidir a vir para Redmond afinal, se é mesmo uma pessoa tão indecisa", disse a divertida Priscilla.

"Deus abençoe você, querida, eu não consegui. Foi meu pai que quis que eu viesse para cá. Ele estava obcecado com isso, por que, eu não sei. Parece perfeitamente ridículo pensar em mim estudando para obter um diploma de bacharelado, não é? Não que eu não seja capaz, é claro. Tenho um monte de inteligência."

"Oh!", disse Priscilla vagamente.

"Sim. Mas dá muito trabalho usá-la. E bacharéis são criaturas tão instruídas, dignas, sábias e solenes, devem ser. Não, EU não queria vir para Redmond. Só fiz isso para agradar meu pai. Ele é TÃO chato. Além disso, eu sabia que se ficasse em casa, teria que me casar. Minha mãe queria isso, decididamente. Minha mãe é muito decidida. Mas eu realmente odiei a ideia de me casar tão cedo. Eu quero me divertir muito antes de sossegar. E, ainda que a ideia de eu ser bacharel seja ridícula, a ideia de me tornar uma velha mulher casada é ainda mais absurda, não é? Tenho apenas 18 anos. Não, concluí que preferia vir para Redmond a me casar. Além disso, como eu poderia decidir com qual homem me casar?"

"Havia tantos assim?", riu Anne.

"Um monte. Os garotos gostam muito de mim, gostam mesmo. Mas apenas dois importavam. O resto era jovem demais e pobre demais. E devo me casar com um homem rico, sabe."

"Por quê?"

"Querida, você não poderia ME imaginar sendo esposa de um homem pobre, poderia? Não consigo fazer nada de útil e sou MUITO extravagante. Oh, não, meu marido deve ter muito dinheiro. Então, ficou reduzido àqueles dois. Mas não conseguiria decidir mais facilmente entre dois do que entre duzentos. Eu sabia perfeitamente que, se escolhesse um, me arrependeria pelo resto da vida de não ter me casado com o outro."

"Você não amava nenhum deles?", perguntou Anne, um pouco hesitante. Não era fácil para ela falar com uma desconhecida sobre o grande mistério e a transformação da vida.

"Senhor, não. EU não poderia amar ninguém. Não faz parte de mim. Além disso, eu não gostaria. Estar apaixonada faz de você uma perfeita escrava, EU acho. E daria ao homem um grande poder de machucá-la. Eu teria medo. Não, não, Alec e Alonzo são dois meninos adoráveis, e gosto tanto dos dois que realmente não sei de qual gosto mais. Esse é o problema. Alec é mais bonito, é claro, e eu simplesmente não poderia me casar com um homem que não fosse bonito. Ele tem um bom temperamento também, e tem um cabelo preto e encaracolado adorável.

Ele é perfeito demais, não creio que gostaria de um marido perfeito, alguém em quem nunca conseguiria encontrar um defeito."

"Então, por que não se casar com Alonzo?", perguntou Priscilla com ar de seriedade.

"Pense em se casar com alguém com um nome desses!", disse Phil sofridamente. "Eu não acredito que poderia suportar. Mas ele tem um nariz clássico, e seria um conforto ter um nariz na família com o qual contar. Não posso contar com o meu. Até agora, está no padrão Gordon, mas tenho medo de ele desenvolver tendências Byrne quando eu ficar mais velha. Eu o examino todos os dias ansiosamente para me certificar de que ainda é Gordon. Minha mãe era uma Byrne e tem um nariz Byrne no mais alto grau. Esperem para ver. Eu adoro narizes bonitos. O seu é muito bonito, Anne Shirley. O nariz de Alonzo quase virou a balança a seu favor. Mas ALONZO! Não, eu não poderia decidir. Se eu pudesse ter feito o que fiz com os chapéus — colocá-los um do lado do outro, fechar os olhos e espetar um com alfinete — teria sido bem fácil."

"Como Alec e Alonzo se sentiram quando você foi embora?", questionou Priscilla.

"Oh, eles ainda têm esperança. Eu disse que eles teriam que esperar até eu poder me decidir. Eles estão bem dispostos a esperar. Ambos me idolatram, sabe. Enquanto isso, pretendo me divertir. Espero ter muitos pretendentes em Redmond. Não posso ficar feliz se não tiver, sabe. Mas vocês não acham que os calouros são assustadoramente sem graça? Eu vi só um realmente bonito entre eles. Ele foi embora antes de vocês chegarem. Eu ouvi o colega dele chamá-lo de Gilbert. O colega dele tinha uns olhos que se esbugalhavam ASSIM. Mas vocês já estão indo, meninas? Não vão ainda."

"Acho que devemos", disse Anne, bastante fria. "Está ficando tarde e tenho trabalho a fazer."

"Mas vocês duas vão vir me ver, não vão?", perguntou Philippa, levantando-se e colocando um braço ao redor de cada uma. "E me deixar ir ver vocês. Eu quero ser sua amiga. Gostei tanto de vocês duas. E ainda não enojei vocês com a minha frivolidade, não é?"

"Ainda não", riu Anne, respondendo ao aperto de Phil com o retorno da cordialidade.

"Porque não sou tão tola quanto pareço na superfície, sabe. Vocês apenas aceitem Philippa Gordon, como Deus a fez, com todos os seus defeitos, e acredito que vão gostar dela. Esse cemitério não é um lugar adorável? Eu adoraria ser enterrada aqui. Aqui está um túmulo que eu não tinha visto antes, este na grade de ferro. Oh, meninas, vejam... a pedra diz que é o túmulo de um marinheiro que foi morto numa briga entre a Shannon e a Chesapeake. Apenas imaginem!"

Anne parou em frente à grade e olhou para a pedra gasta, com os pulsos eletrizados pela empolgação repentina. O velho cemitério, com grandes árvores e longos corredores de sombras, desapareceu de sua vista. Em vez disso, ela viu o Porto de Kingsport de cerca de um século atrás. Da névoa, surgiu lentamente uma grande fragata, brilhante com a bandeira da Inglaterra. Atrás dela estava uma outra, com uma forma calma e heroica, embrulhada em sua própria bandeira estrelada, estirada no convés — o galante Lawrence. O dedo do tempo havia virado suas páginas, e ali estava a Shannon velejando triunfalmente pela baia com a Chesapeake como seu prêmio.

"Volte, Anne Shirley, volte", riu Philippa, puxando o braço dela. "Você estava a cem anos de distância. Volte."

Anne voltou com um suspiro. Seus olhos estavam brilhando suavemente.

"Sempre amei essa velha história", ela disse, "e embora os ingleses tenham obtido aquela vitória, acho que é por causa do corajoso e vencido comandante que eu a amo. Este túmulo parece deixá-la tão próxima e torná-la tão real. Este pobre marinheiro tinha apenas 18 anos. Ele 'morreu de feridas desesperadas recebidas em galante atividade', diz seu epitáfio. É o que um soldado teria desejado."

Antes de se virar, Anne desprendeu o pequeno buquê de amores-perfeitos púrpuras que estava usando e o deixou cair suavemente no túmulo do rapaz que havia perecido no grande duelo em alto mar.

"Bem, o que acha de nossa nova amiga?", perguntou Priscilla, quando Phil as deixou.

"Gosto dela. Há algo muito amável nela, apesar de todas as suas bobagens. Acredito que, como ela mesma diz, ela não seja tão tola quanto parece. Ela é um querido e adorável bebê, e não sei se algum dia vai crescer."

"Também gosto dela", disse Priscilla, decidida. "Ela fala tanto sobre garotos quanto Ruby Gillis. Mas sempre me irrita ou me enoja ouvir Ruby, enquanto só quis rir de boa vontade de Phil. Agora, qual o motivo disso?"

"Há uma diferença", disse Anne pensativamente. "Acho que é porque Ruby é mesmo tão CONSCIENTE dos garotos. Ela brinca com o amor. Além disso, você sente, quando ela está se gabando de seus pretendentes, que está fazendo isso para esfregar na sua cara que você não tem tantos quanto ela. Agora, quando Phil fala dos seus, parece que está só falando de colegas. Ela realmente vê os meninos como bons camaradas, e fica satisfeita quando tem dúzias deles marcando território, simplesmente porque gosta de ser popular e ser considerada popular. Mesmo Alec e Alonzo — nunca vou conseguir pensar nesses dois nomes separadamente depois disso — são para ela apenas dois amigos que querem que ela brinque com eles pela vida. Fico feliz por termos conhecido Phil, e fico feliz por termos ido até o velho Sr. John. Acredito que plantei uma minúscula raiz da alma no solo de Kingsport hoje à tarde. Espero que sim. Odeio me sentir transplantada."

## CAPÍTULO V
# Cartas de casa

Pelas três semanas seguintes, Anne e Priscilla continuaram sentindo-se estranhas em uma terra estranha. Então, de repente, tudo pareceu ter foco — Redmond, professores, classes, alunos, aulas, eventos sociais. A vida tornou-se homogênea de novo, em vez de ser composta de fragmentos soltos. Os calouros, em vez de serem uma coleção de indivíduos independentes, encontraram-se em uma classe, com um espírito de classe, um grito de classe, interesses de classe, antipatias de classe e ambições de classe. Eles ganharam o dia na "Corrida da Arte" anual contra os veteranos e, dessa forma, conquistaram o respeito de todas as classes, e uma enorme opinião autoconfiante de si mesmos. Por três anos, os veteranos haviam vencido a "corrida", e a vitória daquele ano destacada no estandarte dos calouros foi atribuída ao comando estratégico de Gilbert Blythe, que dirigiu a campanha e originou certas táticas novas que desmoralizaram os veteranos e levaram os calouros ao triunfo. Como recompensa pelo mérito, ele foi eleito presidente da Classe de Calouros, uma posição de honra e responsabilidade — do ponto de vista dos calouros, pelo menos — cobiçada por muitos. Ele também foi convidado para se juntar aos Lambs — linguagem de Redmond para Lamba Theta —, uma honra raramente dada a um calouro. Como prova de iniciação preparatória, ele teve que desfilar pelas principais avenidas de Kingsport por um dia inteiro usando um chapéu feminino e um avental de cozinha de chita decorado com flores. Isso ele fez alegremente, tirando o chapéu com uma graça cortês quando encontrava garotas que conhecia. Charlie Sloane, que não tinha sido convidado para se juntar aos Lambs, disse a Anne que não via como Blythe poderia fazer aquilo e que ELE, de sua parte, jamais se humilharia tanto.

"Imagine Charlie Sloane em um avental de chita e um chapéu daqueles", riu Priscilla. "Ele ficaria parecendo exatamente com a sua velha avó Sloane. Agora, Gilbert estava parecendo tão homem quanto em seus devidos trajes."

Anne e Priscilla viram-se no centro da vida social de Redmond. Isso ter acontecido tão depressa foi devido em grande parte a Philippa Gordon. Philippa era filha de um homem rico e bem conhecido, e pertencia a uma antiga e exclusiva família de "nariz azul". Isso, combinado a sua beleza e charme — um charme reconhecido por todos que a conheciam — prontamente abriu os portões de todos os grupinhos, clubes e classes em Redmond para ela; e aonde ela ia, Anne e Priscilla iam também. Phil "adorava" Anne e Priscilla, especialmente Anne. Ela era uma alma leal, livre de qualquer forma de esnobismo. "Ame a mim, ame meus amigos", parecia ser seu lema inconsciente. Sem esforço, ela as levou para seu círculo cada vez maior de conhecidos, e as duas meninas de Avonlea viram seu caminho social em Redmond tornar-se muito fácil e agradável, para inveja e admiração das outras calouras, que, sem o patrocínio de Philippa, estavam fadadas a permanecer à margem das coisas durante o primeiro ano de faculdade.

Para Anne e Priscilla, com visão mais séria da vida, Phil continuou sendo o bebê engraçado e amável do primeiro encontro. Ainda assim, como ela mesma dizia, tinha "um monte" de inteligência. Quando ou onde ela encontrava tempo para estudar era um mistério, pois parecia ser sempre solicitada para algum tipo de "diversão" e suas tardes em casa estavam repletas de visitantes. Ela tinha todos os "pretendentes" que seu coração poderia desejar, pois nove em cada dez calouros e boa parte de todas as outras classes eram rivais disputando seus sorrisos. Ela ficava ingenuamente deliciada com isso e alegremente recontava cada nova conquista a Anne e Priscilla, com comentários que teriam feito com que as orelhas do azarado amante queimassem furiosamente.

"Alec e Alonzo ainda não parecem ter nenhum rival sério", comentou Anne, provocando.

"Nenhum", concordou Philippa. "Escrevo para os dois toda semana e conto a eles tudo sobre meus jovens homens aqui. Tenho certeza de que devem achar engraçado. Mas, é claro, não posso ter aquele de quem eu mais gosto. Gilbert Blythe não presta a menor atenção em mim, exceto para me olhar como se eu fosse uma bela gatinha que ele gostaria de acariciar. Sei até bem demais qual o motivo. Eu lhe devo um ressentimento, Rainha Anne. Eu realmente devia odiá-la, mas em vez disso, eu a amo loucamente, e fico infeliz se não a vejo todos os dias. Você é diferente de qualquer outra garota que já conheci antes. Quando você me olha de um certo modo, sinto que criaturinha mais insignificante e frívola eu sou, e desejo ser melhor, mais sábia e mais forte. E, então, faço boas resoluções; mas o primeiro rapaz bonito que vem na minha direção tira todas elas da minha cabeça. A vida na faculdade não é magnífica? É tão engraçado pensar que eu a odiava no primeiro dia. Mas se não tivesse odiado, talvez nunca tivesse conhecido vocês. Anne, por favor, me diga de novo que gosta um pouquinho de mim. Estou ansiosa para ouvir."

"Gosto muito de você, e acho que você é uma gatinha querida, doce, adorável, aveludada e sem garras", riu Anne, "mas não vejo como você tem tempo de aprender suas lições."

Phil deve ter encontrado tempo, pois conseguia se sair bem em todas as aulas de seu ano. Até mesmo o velho e rabugento professor de matemática, que odiava a educação mista, e tinha se oposto amargamente à admissão delas a Redmond, não conseguia abatê-la. Ela liderava as calouras em todas as matérias, exceto em Inglês, onde Anne Shirley a deixava bem para trás. A própria Anne achou os estudos do ano de caloura muito fáceis, graças, em parte, ao trabalho contínuo que ela e Gilbert tinham feito durante aqueles dois anos em Avonlea. Isso lhe permitiu ter mais tempo para uma vida social, o que ela aproveitou plenamente. Mas nem por um momento ela se esqueceu de Avonlea e seus amigos lá. Para ela, os momentos mais alegres de cada semana eram aqueles em que as cartas chegavam de casa. Assim que as primeiras cartas chegaram, ela começou a pensar que poderia gostar de Kingsport ou se sentir em casa ali. Antes disso, Avonlea tinha parecido estar a milhares de quilômetros de distância; aquelas cartas a traziam para perto e ligavam a velha vida à nova de um jeito tão próximo que começaram a parecer uma só, em vez de duas existências irremediavelmente segregadas. A primeira leva continha seis cartas, de Jane Andrews, Ruby Gillis, Diana Barry, Marilla, Sra. Lynde e Davy. A de Jane era uma produção em placa de cobre, com cada "t" perfeitamente cortado e cada "i' com seu pingo perfeitamente colocado, e nenhuma frase interessante nela. Em nenhum momento ela mencionou a escola, sobre a qual Anne estava ansiosa para ouvir; em nenhum momento ela respondeu alguma das perguntas que Anne tinha feito em sua carta. Mas ela contou a Anne quantos metros de renda ela tinha tricotado, o tipo de clima que havia em Avonlea, como ela pretendia fazer seu novo vestido e o jeito que se sentia quando sua cabeça doía. Ruby Gillis escreveu uma epístola em borbotões, deplorando a ausência de Anne e garantindo que todos sentiam terrivelmente a falta dela, perguntando como os "rapazes" de Redmond eram e enchendo o restante com as próprias experiências angustiantes com seus numerosos admiradores. Era uma carta tola e inofensiva, e Anne teria rido dela se não fosse pela observação. "Gilbert parece estar aproveitando Redmond, a julgar pelas cartas dele", escreveu Ruby. "Não acho que Charlie esteja aproveitando tanto."

Então, Gilbert estava escrevendo para Ruby! Muito bem. Ele tinha todo o direito de fazer aquilo, é claro. Apenas(!!) Anne não sabia que Ruby tinha escrito a primeira carta e que Gilbert a havia respondido por mera cortesia. Ela largou a carta de Ruby de lado desdenhosamente. Mas foi necessária toda a epístola refrescante, cheia de notícias e encantadora de Diana para banir a ferida da observação de Ruby. A carta de Diana continha um pouco demais sobre Fred, fora isso, estava coroada e recheada de itens de interesse, e Anne quase se sentiu de volta a Avonlea enquanto a lia. A de Marilla foi uma epístola bastante formal e sem cor, severamente livre de fofocas e emoção. Ainda assim, de alguma forma, transmitiu a Anne um pouquinho da vida simples e sadia em Green Gables, com seu sabor de paz antiga, e o amor inabalável e permanente que existia lá para ela. A carta da Sra. Lynde estava cheia de notícias da igreja. Tendo dividido o trabalho doméstico, a Srta. Lynde tinha mais tempo do que nunca para se dedicar aos assuntos da igreja e havia se atirado neles de corpo e alma. Ela estava naquele momento muito agitada por causa das pobres "provisões" que estavam recebendo no púlpito vago de Avonlea.

"Não acredito que exista nada além de tolos se tornando pastores hoje em dia", ela escreveu amargamente. "Que candidatos nos mandaram, e que pregações eles fazem! Metade delas não é verdade e, o que é pior, não parece ser da doutrina. O que temos agora é o pior de todos. Ele basicamente pega um texto e prega sobre outra coisa. E diz que não acredita que todos os que não creem estão perdidos para sempre. Que ideia! Se não estiverem, todo o dinheiro dado às Missões Estrangeiras terá sido em vão, isso sim! Na noite do domingo passado, ele anunciou que no domingo seguinte pregaria sobre a cabeça de machado que nadou. Acho que é melhor ele se restringir à Bíblia e deixar os assuntos sensacionalistas em paz. As coisas chegaram a um belo estado se um pastor não consegue encontrar o suficiente na Bíblia Sagrada para pregar, isso sim. Que igreja você frequenta, Anne? Espero que esteja indo regularmente. As pessoas costumam ficar tão descuidadas sobre ir à igreja quando estão longe de casa e sei que alunos da faculdade são grandes pecadores nesse quesito. Soube que muitos deles estudam suas lições no domingo. Espero que nunca se rebaixe a esse nível, Anne. Lembre-se de como foi criada. E tenha cuidado com os amigos que fizer. Nunca se sabe que tipo de criaturas existem na faculdade. Externamente podem parecer sepulcros caiados de branco, e internamente lobos vorazes, isso sim. É melhor não ter nada a dizer a nenhum jovem que não seja da Ilha.

"Esqueci de lhe dizer o que aconteceu no dia em que o pastor nos visitou. Foi a coisa mais engraçada que já vi. Eu disse a Marilla: 'se Anne estivesse aqui, ela não teria rido?'. Até Marilla riu. Você sabe que ele é um homenzinho muito baixo e gordo de pernas tortas. Bem, aquele velho porco do Sr. Harrison — o grande e alto — tinha vindo até aqui naquele dia de novo e invadiu o jardim, entrou na varanda dos fundos, sem nosso conhecimento, e foi quando o pastor apareceu na porta. Ele deu um belo pulo para sair, mas não havia por onde fugir, exceto entre as pernas tortas. Então, por ali ele foi e, sendo o porco tão grande e o pastor tão pequeno, ele tirou os pés do pastor do chão e o levou embora. O chapéu dele foi para um lado e a bengala para outro, assim que Marilla e eu chegamos à porta. Nunca vou esquecer o olhar dele. E aquele pobre porco quase morreu de susto. Nunca mais vou conseguir ler aquela passagem da Bíblia sobre os suínos que se atiraram enlouquecidamente do precipício em direção ao mar sem ver o porco do Sr. Harrison correndo colina abaixo com aquele pastor. Imagino que o porco tenha pensado que tinha o Velho Menino em suas costas e não ele. Fiquei grata pelos gêmeos não estarem por perto. Não teria sido a coisa certa para eles ver um pastor em uma situação tão indigna. Logo antes de se aproximar do riacho, o pastor pulou ou caiu. O porco correu pelo riacho como louco e para cima pelo bosque. Marilla e eu corremos para ajudar o pastor a se levantar e escovar seu casaco. Ele não se machucou, mas estava furioso. Ele parecia pensar que Marilla e eu éramos responsáveis por tudo, embora tenhamos lhe dito que o porco não nos pertencia e que tinha nos importunado pelo verão inteiro. Além disso, por que ele entrou pela porta dos fundos? Nunca pegaríamos o Sr. Allan fazendo isso. Vai demorar um bom tempo até conseguirmos um homem como o Sr. Allan. Mas há males que vêm para o bem. Nunca mais vimos um casco ou pelo daquele porco desde então, e acredito que nunca mais veremos.

"As coisas estão bem quietas em Avonlea. Não acho Green Gables tão solitária quanto eu esperava. Acho que vou começar outra colcha de linha de algodão neste inverno. A Sra. Silas Sloane tem um modelo de folhas de maçã novo que é muito bonito.

"Quando sinto que preciso de alguma animação, leio os julgamentos dos assassinatos do jornal de Boston que a minha sobrinha me manda. Não costumava fazer isso, mas eles são realmente interessantes. Os Estados Unidos devem ser um lugar terrível. Espero que você nunca vá para lá, Anne. O jeito que as meninas vagam pela terra agora é algo terrível. Sempre me faz pensar em Satanás no livro de Jó, indo e voltando, para cima e para baixo. Não creio que Deus tivesse essa intenção, isso sim.

"Davy tem sito muito bom desde que você se foi. Um dia ele foi ruim e Marilla o puniu fazendo-o vestir o avental de Dora por um dia inteiro. Depois ele cortou todos os aventais de Dora. Eu bati nele por isso, e ele foi e perseguiu meu galo até a morte.

"Os MacPherson se mudaram para a minha casa. Ela é uma ótima dona de casa e muito detalhista. Ela arrancou todos os meus lírios porque disse que eles fazem o jardim parecer desarrumado. Thomas plantou os lírios quando nos casamos. O marido dela parece ser um bom homem, mas ela não consegue deixar de ser uma velha solteirona, isso sim.

"Não estude muito e lembre-se de colocar suas roupas de inverno assim que o tempo esfriar. Marilla se preocupa muito com você, mas eu disse a ela que você tem mais bom senso do que imaginei que teria um dia, e que você vai se sair bem."

A carta de Davy mergulhou em queixas desde o início.

"Querida anne, por favor escreva e diga a Marilla para não me amarrar na ponte quando eu for pescar os meninos tiram sarro de mim quando ela faz isso. É muito solitário sem você aqui mas muito divertido na escola. Jane andrews é muito mais brava que você. Eu assustei a sra. lynde com a minha lanterna na noite passada. Ela ficou muito brava e ficou brava porque persegui o galo velho dela pelo quintal até ele cair morto. Eu não quis fazer ele cair morto. O que fez ele morrer, anne, queria saber. A sra. lynde jogou ele no chiqueiro ela podia ter vendido ele para o sr. blair. O sr. blair está dando 50 dinheiros por bons galos mortos agora. Eu ouvi a sra. lynde pedir para o pastor rezar por ela. O que ela fez que foi tão ruim, anne, queria saber. Tenho uma pipa com uma rabiola magnífica, anne. Milty bolter me contou uma bela história na escola ontem. É verdade. O velho Joe Mosey e Leon estavam jogando cartas numa noite na semana passada na floresta. As cartas estavam num banco e um grande homem negro maior que as árvores veio e agarrou as cartas e o banco e desapareceu com um barulho de trovão. Aposto que eles ficaram assustados. Milty diz que o homem negro era o velho harry. Era ele, anne, queria saber. O sr. kimball em spenservale está muito doente e vai ter que ir para o hospital. Por favor me dê licença para perguntar para marilla se escrevi direito. Marilla disse que é para o asilo que ele tem que ir não o outro lugar. Ele acha que tem uma cobra dentro dele. Como é ter uma cobra dentro de você, anne. Queria saber. A sra. lawrence bell também está doente. A sra. lynde diz que o problema dela é que pensa demais no que tem dentro dela."

"Eu me pergunto", disse Anne, enquanto dobrava suas cartas, "o que a Sra. Lynde pensaria de Philippa."

## CAPÍTULO VI
# No parque

"O que vocês vão fazer hoje, meninas?", perguntou Philippa, surgindo no quarto de Anne em uma tarde de sábado.

"Nós vamos caminhar no parque", respondeu Anne. "Eu devia ficar e terminar minha blusa. Mas não poderia costurar em um dia como este. Tem algo no ar que entra no meu sangue e carrega uma certa glória para a minha alma. Meus dedos se contrairiam e eu faria uma costura torta. Então, vamos ao parque e aos pinheiros."

"O 'nós' inclui mais alguém além de você e Priscilla?"

"Sim, inclui Gilbert e Charlie, e ficaremos muito felizes se incluir você também."

“Mas”, disse Philippa dolorosamente, “se eu for, ficarei segurando vela e essa será uma nova experiência para Philippa Gordon.”

“Bem, novas experiências são edificantes. Venha e será capaz de simpatizar com todas as pobres almas que precisam segurar vela com frequência. Mas onde estão todas as vítimas?”

“Oh, estava cansada de todos elas e simplesmente não podia ser incomodada por nenhuma delas hoje. Além disso, estive me sentindo um pouco triste — só um pouquinho. Não é sério o suficiente para nada mais grave. Escrevi para Alec e Alonzo na semana passada. Coloquei as cartas em envelopes e enderecei a eles, mas não as selei. Naquela noite algo engraçado aconteceu. Isso é, Alec acharia engraçado, mas Alonzo não. Eu estava com pressa, então tirei a carta de Alec — assim eu pensei — do envelope e incluí uma observação. Depois enviei ambas as cartas. Recebi a resposta de Alonzo hoje de manhã. Meninas, eu coloquei aquela observação na carta dele e ele estava furioso. Claro, ele vai superar — e não me importo se não superar —, mas estragou o meu dia. Então pensei em vir aqui para vocês, queridas, me animarem. Depois que a temporada de futebol começar, não vou ter mais tardes de sábado livres. Adoro futebol. Tenho o boné e o suéter mais maravilhosos, listrados com as cores de Redmond, para usar nos jogos. Com certeza, longe daqui vou parecer um poste de barbearia ambulante. Você soube que o seu Gilbert foi eleito capitão do time de futebol dos calouros?”

“Sim, ele nos contou na noite passada”, disse Priscilla, vendo que a indignada Anne não responderia. “Ele e Charlie estiveram aqui. Sabíamos que eles estavam vindo, então cuidadosamente tiramos de vista e de alcance todas as almofadas da Srta. Ada. Aquela toda elaborada com o bordado em relevo eu larguei no chão, no canto atrás da cadeira onde ela estava. Pensei que estaria segura ali. Mas quem poderia acreditar? Charlie Sloane foi até aquela cadeira, notou a almofada atrás dela, pescou-a solenemente e sentou-se nela a tarde inteira. Que desastre a almofada ficou! A pobre Srta. Ada me perguntou hoje, ainda sorrindo, mas, oh, com tanta reprovação, por que eu tinha permitido que se sentassem nela. Eu disse que não tinha permitido — que foi um caso de predestinação associado à presença de um Sloane e que não fui páreo para as duas coisas juntas."

"As almofadas da Srta. Ada estão realmente me dando nos nervos", disse Anne. "Ela terminou mais duas na semana passada, cheias e bordadas até não poderem mais. Não havendo absolutamente um lugar sequer sem almofadas para colocá-las, ela as colocou apoiadas na parede da escadaria. Elas caem o tempo inteiro e, se subimos ou descemos as escadas no escuro, caímos em cima delas. Domingo passado, quando o Dr. Davis fez uma oração por todos aqueles expostos aos perigos do mar, eu acrescentei em pensamento 'e por todos aqueles que vivem em casas onde almofadas são amadas não de forma sábia, mas excessivamente!'. Aí está! Estamos prontos, e vejo os meninos vindo pelo velho St. John. Vai vir com a gente, Phil?"

"Vou, se puder andar com Priscilla e Charlie. Isso será segurar vela a um nível suportável. Aquele seu Gilbert é um querido, Anne, mas por que ele anda tanto com o esbugalhado?"

Anne enrijeceu. Ela não gostava tanto de Charlie Sloane; mas ele era de Avonlea, então, ninguém de fora tinha direito de rir dele.

"Charlie e Gilbert sempre foram amigos", ela disse friamente. "Charlie é um bom garoto. Ele não deve ser culpado pelos seus olhos."

"Não me diga isso! Ele deve ser! Ele deve ter feito algo terrível em uma existência anterior para ser punido com aqueles olhos. Pris e eu vamos nos divertir muito com ele hoje à tarde. Vamos zombar dele na cara dele e ele nem vai suspeitar."

Sem dúvida, "as P's abandonadas", como Anne as chamava, prosseguiram com suas intenções amigáveis. Mas Sloane era abençoadamente ignorante; ele pensava que era um belo rapaz por estar passeando com duas garotas como aquelas, especialmente Philippa Gordon, a mais bonita da classe. Aquilo certamente deveria impressionar Anne. Ela veria que algumas pessoas o apreciavam pelo seu verdadeiro valor.

Gilbert e Anne ficaram um pouco atrás dos outros, aproveitando a calma e tranquila beleza da tarde de outono embaixo dos pinheiros do parque, na estrada que subia e se retorcia ao redor da margem do porto.

"O silêncio aqui é como uma oração, não é?", disse Anne, com o rosto voltado para o céu brilhante acima. "Como amo os pinheiros! Eles parecem perfurar profundamente com suas raízes o romance de todas as eras. É tão reconfortante caminhar agora e depois ter uma boa conversa com eles. Sempre me sinto tão feliz aqui."

*"'E assim na solidão das montanhas vencidas*
*Como por algum divino encanto,*
*Suas preocupações caíram como agulhas sacudidas*
*Do pinheiro em pranto'",*

citou Gilbert.

"Eles fazem nossas pequenas ambições parecer tão insignificantes, não fazem, Anne?"

"Acho que se algum grande sofrimento me acometer, eu viria até os pinheiros para receber conforto", disse Anne sonhadoramente.

"Espero que nenhum grande sofrimento acometa você, Anne", disse Gilbert, que não conseguia conectar a ideia de sofrimento à criatura vívida e alegre a seu lado, inconsciente do fato de que aqueles que conseguem sobrevoar as maiores alturas também podem cair das maiores quedas, e que as personalidades que se divertem mais intensamente também são aquelas que sofrem mais drasticamente.

"Mas deve acontecer... algum dia", refletiu Anne. "A vida parece uma taça de glória segurada perto dos meus lábios agora. Mas deve haver algo de amargo nela... como existe em todas as taças. Algum dia deve chegar minha vez de provar isso. Bem, espero ser forte e corajosa para encarar. E espero que não chegue por minha própria culpa. Você se lembra do que o Dr. Davis disse na última tarde de domingo, que os sofrimentos que Deus nos mandava traziam conforto e força com eles, enquanto os sofrimentos que nos trazíamos a nós mesmos, por meio de insensatez ou maldade, eram os mais difíceis de tolerar? Mas não devemos falar em sofrimento em uma tarde como esta. Ela foi feita para a pura alegria de viver, não é?"

"Se dependesse de mim, nada além de felicidade e prazer existiria na sua vida, Anne", disse Gilbert naquele tom que significava "perigo iminente".

"Então, você seria muito imprudente", respondeu Anne rapidamente. "Tenho certeza de que nenhuma vida pode ser propriamente desenvolvida e completa sem um pouco de provação e sofrimento, embora eu imagine que seja apenas quando estamos bem confortáveis é que conseguimos a admitir isso. Vamos. Os outros já chegaram ao pavilhão e estão acenando para nós."

Todos eles sentaram-se no pequeno pavilhão para assistir ao pôr do sol de outono, vermelho como o fogo e de um dourado pálido. À sua esquerda estava Kingsport, seus telhados e torres sombreados por um manto de fumaça violeta. À sua direta estava o porto, tomando tons rosados e acobreados ao se estender sob o pôr do sol. Diante deles, a água brilhava, suave como cetim e prateada, e, mais além, a Ilha William pairava de dentro da bruma, protegendo a cidade como um robusto buldogue. A luz de seu farol brilhava através da bruma como uma estrela fatal e era respondida por outra no horizonte ao longe.

"Vocês já viram um lugar com uma aparência tão marcante?", perguntou Philippa. "Não quero a Ilha William em particular, mas tenho certeza de que não poderia tê-la se quisesse. Vejam aquela sentinela no forte, bem ao lado da bandeira. Ele não parece ter saído direto de um romance?"

"Falando em romance", disse Priscilla, "estivemos procurando urzes, mas, é claro, não conseguimos encontrar nenhuma. Já passou a época delas, eu acho."

"Urzes!", exclamou Anne. "Urzes não crescem na América, crescem?"

"Crescem em apenas duas áreas do continente inteiro", disse Phil, "uma bem aqui no parque, e outra em algum lugar da Nova Escócia, eu esqueci onde. O famoso Regimento Highland, a Patrulha Negra, acampou aqui por um ano, e, quando os homens espalhavam a palha de suas camas na primavera, algumas sementes de urze criaram raízes."

"Oh, que adorável!", disse a encantada Anne.

"Vamos para casa pela Avenida Spofford", sugeriu Gilbert. "Podemos ver as 'lindas casas onde habitam os nobres abastados'. A Avenida Spofford é a melhor rua residencial de Kingsport. Ninguém pode construir nela a menos que seja milionário."

"Oh, sim", disse Phil. "Há um lugarzinho simplesmente incrível que quero lhe mostrar, Anne. ELE não foi construído por um milionário. É o primeiro lugar depois que se sai do parque, e deve ter crescido enquanto a Avenida Spofford ainda era uma estrada rural. Ele cresceu mesmo, não foi construído! Eu não me importo com as casas na avenida. Elas são novas demais e cheias de vidro. Mas aquele lugarzinho é um sonho... e seu nome... esperem para ver."

Eles viram enquanto subiam a colina coberta de pinheiros, saindo do parque. Bem no topo, onde a Avenida Spofford se transformava em uma estrada simples, havia uma casinha de madeira branca com grupos de pinheiros de cada um dos lados, esticando seus braços envolvendo o telhado baixo. Estava coberta de vinhas vermelhas e douradas, através das quais suas janelas verdes espiavam. Diante dela, havia um jardinzinho cercado por um muro de pedra baixo. Embora fosse outono, o jardim ainda estava muito bonito, com flores e arbustos adoráveis, antiquados e incomuns — peônias, abrótanos, limonetes, alissos, calêndulas e crisântemos. Um pequeno muro de tijolos, no padrão espinha de peixe, ia do portão à varanda da frente. Todo o lugar parecia ter sido transplantado de alguma vila remota do interior; ainda assim, havia algo nele que fazia seu vizinho mais próximo, um grande palácio gramado de um rei do tabaco, parecer extremamente rude, espalhafatoso e de mau gosto em comparação. Como Phil disse, aquela era a diferença entre nascer e ser construído.

"É o lugar mais adorável que já vi", disse Anne, extasiada. "Ele me dá aquela velha sensação encantadora e engraçada. É mais bonito e mais pitoresco até mesmo que a casa de pedra da Srta. Lavendar."

"É o nome que quero que você observe em particular", disse Phil. "Veja, em letras brancas, em volta do arco sobre o portão. 'Casa da Patty'. Não é incrível? Especialmente nesta avenida de Pinehursts, Elmwolds e Cedarcrofts? 'Casa da Patty'! Eu adorei."

"Você faz alguma ideia de quem seja Patty?", perguntou Priscilla.

"Descobri que Patty Spofford é o nome da dona, uma velha dama. Ela mora ali com sua sobrinha, e elas moram lá há centenas de anos, mais ou menos, talvez um pouco menos, Anne. O exagero é meramente um voo da imaginação poética. Soube que o pessoal rico tentou comprar o lugar várias vezes — ele realmente vale uma pequena fortuna agora —, mas 'Patty' se recusa a vendê-lo de qualquer forma. E há um pomar de maçãs atrás da casa em vez de um quintal, vocês vão vê-lo quando passarmos por lá, um verdadeiro pomar de maçãs na Avenida Spofford!"

"Vou sonhar com a 'Casa da Patty' hoje à noite", disse Anne. "Ora, sinto como se pertencesse a ela. Eu imagino se, por acaso, algum dia vamos ver a parte de dentro."

"Não é provável", disse Priscilla.

Anne sorriu misteriosamente.

"Não, não é provável, mas acredito que vai acontecer. Tenho um sentimento estranho, assustador e arrepiante — pode chamar de pressentimento, se quiser — de que a Casa da Patty e eu ainda vamos nos conhecer melhor."

## CAPÍTULO VII
# De volta para casa

Aquelas três primeiras semanas em Redmond haviam parecido longas, mas o resto do semestre voou nas asas do vento. Antes que percebessem, os alunos de Redmond se viram nas garras dos exames de Natal, saindo deles mais ou menos triunfais. A honra de liderar as classes de calouros oscilava entre Anne, Gilbert e Philippa; Priscilla se saiu muito bem; Charlie Sloane passou raspando respeitavelmente e comportou-se complacentemente como se tivesse sido o primeiro em tudo.

"Mal posso acreditar que a esta hora amanhã vou estar em Green Gables", disse Anne uma noite antes da partida. "Mas vou estar. E você, Phil, vai estar em Bolingbroke com Alec e Alonzo."

"Estou ansiosa para vê-los", admitiu Phil, mordiscando um chocolate. "Eles são mesmo garotos muito queridos, sabe. Não vão faltar danças, passeios e farras em geral. Nunca a perdoarei, Rainha Anne, por não passar as férias comigo."

"'Nunca' significa três dias para você, Phil. Foi muita gentileza sua me convidar, e eu adoraria ir para Bolingbroke algum dia. Mas não posso ir neste ano, eu PRECISO ir para casa. Você não sabe como meu coração espera por isso."

"Você não vai se divertir muito", disse Phil desdenhosamente. "Vão fazer uma festinha no grupo de costura, imagino; e as velhas fofoqueiras vão falar de você na sua frente e nas suas costas. Você vai morrer de solidão, criança."

"Em Avonlea?", disse Anne, muito divertida.

"Agora, se viesse comigo, você se divertiria maravilhosamente. Bolingbroke ficaria maluca com você, Rainha Anne, com seu cabelo e seu estilo e, oh, tudo! Você é tão DIFERENTE. Você seria um sucesso, e eu me deleitaria na glória refletida, 'não a rosa, mas perto da rosa'. Venha logo, Anne."

"Sua imagem de triunfo social é bastante fascinante, Phil, mas vou pintar uma para compensá-la. Vou para uma velha casa de fazenda, que já foi verde, mas está desbotada agora, que fica entre pomares de maçãs. Há um riacho abaixo e um bosque de abetos mais adiante, onde eu já ouvi harpas tocadas pelos dedos da chuva e do vento. Há uma lagoa próxima que deve estar cinzenta e melancólica agora. Duas damas mais velhas estarão na casa, uma alta e magra, outra baixa e gorda; e também dois gêmeos, um que é um modelo perfeito, e o outro que a Sra. Lynde chama de 'verdadeiro terror'. Lá existe um quartinho no andar de cima sobre a varanda, onde os velhos sonhos estão pendurados, e uma grande, gorda e gloriosa cama de penas vai parecer o auge do luxo depois do colchão da pensão. O que acha da minha imagem, Phil?"

"Parece muito sem graça", disse Phil com uma careta.

"Oh, mas esqueci do item transformador", disse Anne suavemente. "Vai haver amor ali, Phil. Amor fiel e carinhoso, de um jeito que nunca vou encontrar em nenhum outro lugar no mundo, amor que está esperando por mim. Isso torna a minha imagem uma obra de arte, não? Mesmo que as cores não sejam tão brilhantes."

Phil silenciosamente se levantou, jogou sua caixa de chocolates fora, foi até Anne e colocou seus braços em volta dela.

"Anne, gostaria de ser como você", ela disse sobriamente.

Diana encontrou Anne na estação de Carmody na noite seguinte, e elas foram para casa juntas embaixo de um céu silencioso, profundo e estrelado. Green Gables tinha uma aparência muito festiva enquanto elas subiam pela estrada. Havia luzes em todas as janelas, o brilho aparecendo através da escuridão como flores de vermelho vivo balançando contra o cenário da Floresta Assombrada. E no quintal havia uma corajosa fogueira com duas pequenas e alegres figuras dançando ao redor dela, uma das quais deu um grito de outro mundo quando a charrete fez a curva embaixo dos choupos.

"Davy está dando um grito de guerra indígena", disse Diana. "O menino que o Sr. Harrison contratou ensinou a ele, e ele praticou o grito para lhe dar boas-vindas. A Sra. Lynde disse que isso deixou seus nervos em frangalhos. Ele vai de fininho por trás dela, sabe, e depois grita. Davy estava determinado a fazer uma fogueira para você também. Ele ficou empilhando gravetos por duas semanas e perturbou Marilla para deixá-lo derramar um pouco de querosene antes de colocar fogo neles. Acho que ela deixou, pelo cheiro, embora a Sra. Lynde tenha dito várias vezes que Davy explodiria a si próprio e a todos nós se ela deixasse."

Anne mal saiu da charrete e Davy estava entusiasticamente abraçando seus joelhos, ao mesmo tempo que até a própria Dora agarrava sua mão.

"Não é uma fogueira supimpa, Anne? Deixa eu mostrar a você como cutucá-la... Está vendo as faíscas? Fiz isso para você, Anne, porque fiquei tão feliz por você estar vindo para casa."

A porta da cozinha se abriu e a silhueta de Marilla ficou escura contra a luz de dentro da casa. Ela preferia encontrar Anne nas sombras, pois sentia um medo horrível de chorar de alegria — ela, a severa e reprimida Marilla, que achava que toda demonstração de emoção profunda era inconveniente. A Sra. Lynde estava atrás dela, rechonchuda, gentil e matronal, como sempre. O amor que Anne havia dito a Phil esperava por ela, cercava-a e envolvia-a em sua bênção e doçura. Nada, afinal de contas, podia se comparar aos velhos laços, aos velhos amigos e à velha Green Gables! Como os olhos de Anne estavam estrelados enquanto ela se sentava na mesa de jantar carregada, como suas bochechas estavam rosadas, como sua risada estava cristalina! E Diana também ia ficar a noite inteira. Era como nos velhos e queridos tempos! E o jogo de chá de botões de rosa enfeitava a mesa! Com Marilla, a força da natureza não poderia ir mais além.

"Imagino que você e Diana agora vão falar a noite inteira", disse Marilla sarcasticamente, enquanto as meninas subiam. Marilla era sempre sarcástica depois de trair a si mesma.

"Sim", concordou Anne alegremente, "mas vou colocar Davy na cama primeiro. Ele insiste nisso."

"Pode apostar", disse Davy, enquanto eles andavam pelo corredor. "Eu quero alguém para fazer as orações comigo de novo. Não tem graça fazer sozinho."

"Você não as faz sozinho. Deus está sempre com você para ouvi-lo."

"Bem, não posso vê-Lo", contestou Davy. "Quero fazer minhas orações para alguém que eu possa ver, mas NÃO vou fazer para a Sra. Lynde, nem para Marilla, e pronto!"

Apesar disso, quando Davy estava vestido em seu pijama de flanela cinza, ele não parecia estar com pressa para começar. Ele ficou em pé diante de Anne, apoiando-se em um pé descalço de cada vez, parecendo indeciso.

"Venha, querido, ajoelhe-se", disse Anne.

Davy enterrou sua cabeça no colo de Anne, mas não se ajoelhou.

"Anne", ele disse em uma voz abafada. "Eu não estou com vontade de rezar. Eu não sinto vontade de fazer isso faz uma semana. Eu... eu NÃO rezei na noite passada nem na noite anterior."

"Por que não, Davy?", perguntou Anne gentilmente.

"Você... você não vai ficar com raiva se eu contar?", implorou Davy.

Anne ergueu o pequeno corpo vestido de flanela cinza em seu joelho e aconchegou sua cabeça em seu braço.

"Alguma vez fico 'com raiva' quando você me conta as coisas, Davy?"

"Nã-ã-ã-o, você nunca fica. Mas você fica triste, e isso é pior. Você vai ficar muito triste depois que eu lhe contar isso, Anne, e você vai ficar com vergonha de mim, eu acho."

"Você fez alguma travessura, Davy, e é por isso que não consegue fazer suas orações?"

"Não, eu não fiz nenhuma travessura... ainda. Mas queria fazer."

"O que é, Davy?"

"Eu... eu quero dizer uma palavra feia, Anne", desabafou Davy, com um esforço desesperado. "Eu ouvi o menino que o Sr. Harrison contratou dizer semana passada e, desde então, eu quis dizer o tempo INTEIRO, mesmo quando estou fazendo minhas orações."

"Diga, então, Davy."

Davy levantou seu rosto corado com assombro.

"Mas, Anne, é uma palavra feia TERRÍVEL."

"DIGA!"

Davy olhou de novo para ela de um jeito incrédulo e depois, com uma voz baixa, disse a terrível palavra. No minuto seguinte, seu rosto estava escondido nela.

"Oh, Anne, nunca mais vou dizer isso de novo... nunca. Eu nunca vou QUERER dizer isso de novo. Eu sabia que era feia, mas não imaginava que fosse tão... tão... não imaginava que era ASSIM."

"Não, não acho que você vai querer dizer de novo, Davy, ou pensar nisso também. E eu não ficaria muito perto do menino que o Sr. Harrison contratou se fosse você."

"Ele sabe dar uns gritos de guerra supimpas", disse Davy, um pouco arrependido.

"Mas você não quer sua cabeça cheia de palavras feias, quer, Davy? Palavras que vão envenená-la e tirar tudo o que é bom e decente?"

"Não", disse Davy, com os olhos arregalados pela introspecção.

"Então, não fique perto de pessoas que as usem. E agora, você acha que consegue fazer suas orações, Davy?"

"Oh, sim", disse Davy, contorcendo-se ansiosamente para ficar de joelhos, "posso fazê-las direito agora. Não estou com medo de dizer 'se eu morrer antes de acordar' como estava quando queria dizer aquela palavra."

Provavelmente, Anne e Diana esvaziaram suas almas uma para a outra naquela noite, mas nenhum registro de suas confidências foi preservado. As duas pareciam tão frescas e com olhos tão brilhantes no café da manhã como apenas a juventude pode parecer depois de horas ilícitas de folia e confissões. Não tinha nevado até aquele instante, mas enquanto Diana cruzava a velha ponte de madeira em seu caminho para casa, os flocos brancos começaram a flutuar sobre os campos e bosques, avermelhados e cinzentos em seu sono sem sonhos. Logo as encostas e as colinas ficaram escuras e fantasmagóricas através de seu fino lenço, como se o outono pálido fosse uma dama que tivesse atirado um véu de noiva nebuloso sobre seus cabelos e estivesse esperando pelo seu noivo invernal. Então, eles tiveram um Natal branco, no fim das contas, e foi um dia muito agradável. Pela manhã, cartas e presentes chegaram da Srta. Lavendar e de Paul; Anne os abriu na animada cozinha de Green Gables, que estava repleta do que Davy, fungando em êxtase, chamava de "cheiros gostosos".

"A Srta. Lavendar e o Sr. Irving estão instalados em sua nova casa agora", relatou Anne. "Tenho certeza de que a Srta. Lavendar está perfeitamente feliz — sei pelo tom geral da carta dela —, mas há um bilhete de Charlotta, a Quarta. Ela não gosta de Boston de jeito nenhum e está morrendo de saudade de casa. A Srta. Lavendar quer que eu vá até a Cabana do Eco um dia desses, enquanto estiver em casa, acenda um fogo para arejá-la e veja se as almofadas não estão ficando mofadas. Acho que vou pedir a Diana para ir comigo na semana que vem e podemos passar a tarde com Theodora Dix. Quero ver Theodora. A propósito, Ludovic Speed ainda está indo vê-la?"

"Dizem que sim", disse Marilla, "e é provável que continue. As pessoas desistiram de esperar que aquele namoro chegue a algum lugar."

"Eu o apressaria um pouco se fosse Theodora, isso sim", disse a Sra. Lynde. E não havia a menor dúvida de que ela faria isso mesmo.

Chegaram também uns rabiscos característicos de Philippa, cheios de Alec e Alonzo, o que eles disseram e o que fizeram, e como reagiram quando a viram.

"Mas ainda não consigo decidir com qual me casar", escreveu Phil. "Eu gostaria que você tivesse vindo comigo para decidir por mim. Alguém vai ter que fazer isso. Quando vi Alec, meu coração deu um grande pulo e pensei: 'Ele deve ser o certo'. E depois, quando Alonzo veio, meu coração pulou de novo. Então, isso não é nenhum indicador, embora devesse ser, de acordo com todos os romances que já li. Agora, Anne, o SEU coração não saltaria por ninguém além do verdadeiro Príncipe Encantado, não é? Deve haver algo radicalmente errado com o meu. Mas estou me divertindo maravilhosamente. Como gostaria que você estivesse aqui! Está nevando hoje, e estou extasiada. Estava com tanto medo de termos um Natal verde, eu os abomino. Sabe, quando o Natal é um negócio cinza-amarronzado, parecendo ter sido deixado cem anos atrás e ficado de molho desde então, é chamado de Natal VERDE! Não me pergunte por quê. Como Lord Dundreary diz, 'há algumas coisas que nenhum camarada pode compreender.'

"Anne, você já entrou em um bonde e depois descobriu que não tinha nenhum dinheiro com você para pagar sua passagem? Eu já, um dia desses. Foi terrível. Eu tinha uma moeda de cinco centavos comigo quando entrei no bonde. Pensei que estivesse no bolso esquerdo do meu casaco. Quando eu me instalei confortavelmente, fui procurá-la. Não estava lá. Eu senti um arrepio. Procurei no outro bolso. Também não. Senti outro arrepio. Depois, procurei em um pequeno bolso de dentro. Tudo em vão. Tive dois arrepios de uma vez.

"Tirei minhas luvas, coloquei-as no assento e procurei nos meus bolsos novamente. Não estava lá. Eu fiquei em pé e me sacudi, depois olhei para o chão. O bonde estava cheio de gente voltando para casa da ópera e todos ficaram me encarando, mas eu não estava me importando mais com uma coisa pequena como aquela.

"Eu não conseguia encontrar o dinheiro da passagem. Conclui que devia tê-lo colocado na minha boca e engolido acidentalmente.

"Eu não sabia o que fazer. Será que o condutor, eu me perguntei, pararia o bonde e me colocaria para fora com infâmia e vergonha? Seria possível eu conseguir convencê-lo de que eu era meramente uma vítima da minha própria distração, e não uma criatura sem princípios tentando obter uma carona sob falsos pretextos? Como eu gostaria que Alec ou Alonzo estivessem lá. Mas não estavam porque eu queria que estivessem. Se eu NÃO quisesse que estivessem, todos estariam lá aos montes. E eu não conseguia decidir o que dizer ao condutor quando ele veio.

Assim que consegui formar uma frase de explicação na minha mente, senti que ninguém poderia acreditar nela e que deveria criar outra. Parecia que não havia nada a fazer além de confiar na Divina Providência, e por todo o conforto que isso me trouxe, eu poderia muito bem ter sido a velha dama que, quando ouviu do capitão durante uma tempestade que deveria colocar sua confiança no Todo-Poderoso, exclamou: 'Oh, capitão, é tão ruim assim?'

"Bem naquele instante, quando toda a esperança havia partido, e o condutor estava segurando sua caixa na direção do passageiro ao meu lado, eu de repente lembrei onde tinha colocado aquela moeda infeliz. Eu não a tinha engolido no fim das contas. Eu humildemente a pesquei do dedo indicador da minha luva e a coloquei na caixa. Eu sorri para todos e senti que o mundo era lindo."

A visita à Cabana do Eco não foi a menos prazerosa de muitos passeios prazerosos de férias. Anne e Diana foram até lá pelo velho caminho da floresta de faias, carregando uma cesta de lanches com elas. A Cabana do Eco, que tinha permanecido fechada desde o casamento da Srta. Lavendar, foi brevemente escancarada para o vento e a luz do sol mais uma vez, e a luz do fogo brilhou novamente nos pequenos quartos. O perfume do vaso de rosas da Srta. Lavendar ainda enchia o ar. Era praticamente impossível acreditar que a Srta. Lavendar não entraria naquele instante, com seus olhos castanhos repletos de boas-vindas, e que Charlotta, a Quarta, de laços azuis e sorriso largo, não surgiria na porta. Paul também parecia estar próximo, com suas fantasias de contos de fadas.

"Realmente isso faz com que eu me sinta um pouco como um fantasma revisitando os velhos vislumbres da lua", riu Anne. "Vamos sair e ver se os ecos estão em casa. Traga a velha corneta. Ainda está atrás da porta da cozinha."

Os ecos estavam em casa, acima do rio branco, tão claros e multitudinários quanto antes; e quando eles pararam de responder, as meninas trancaram a Cabana do Eco novamente e foram embora na perfeita meia hora que acompanha o rosado e o açafrão de um pôr do sol de inverno.

## CAPÍTULO VIII
# O primeiro pedido de casamento de Anne

O velho ano não foi embora em um crepúsculo verde, com um pôr do sol rosa e amarelo. Em vez disso, saiu com uma algazarra, uma explosão louca e branca. Era uma das noites em que ventos de tempestade sopravam sobre os prados congelados e os bosques negros, gemiam pelos cantos como uma criatura perdida e levavam a neve bruscamente contra as vidraças trêmulas.

"Exatamente o tipo de noite em que as pessoas gostam de se aconchegar em seus cobertores e contar suas bênçãos", disse Anne para Jane Andrews, que tinha vindo passar a tarde e ficou a noite inteira. Mas quando estavam aconchegadas em seus cobertores, no pequeno quarto de Anne, não era em suas bênçãos que Jane estava pensando.

"Anne", ela disse muito solene, "quero lhe contar uma coisa. Posso?"

Anne estava se sentindo bastante sonolenta depois da festa que Ruby Gillis tinha dado na noite anterior. Ela teria preferido dormir a ouvir as confidências de Jane, que ela tinha certeza de que seriam entediantes. Ela não tinha nenhuma suspeita profética do que estava por vir. Provavelmente Jane também estivesse noiva; os boatos diziam que Ruby Gillis estava noiva do professor de Spencervale, pelo qual se dizia que todas as garotas estavam enlouquecidas.

"Logo serei a única donzela disponível de nosso velho quarteto", pensou Anne, sonolenta. Em voz alta ela disse, "É claro."

"Anne", disse Jane, ainda mais solenemente, "o que você pensa sobre meu irmão Billy?"

Anne engasgou por causa daquela pergunta inesperada, e afundou desamparadamente em seus pensamentos. Deus do céu, o que ela pensava sobre Billy Andrews? Ela nunca tinha pensado NADA sobre ele — de rosto redondo, estúpido, perpetuamente sorrindo, o bem-humorado Billy Andrews. ALGUÉM pensava sobre Billy Andrews?

"Eu... não entendi, Jane", ela gaguejou. "O que quer dizer exatamente?"

"Você gosta de Billy?", perguntou Jane bruscamente.

"Ora, ora. Sim, gosto dele, é claro", disse Anne, ofegante, perguntando-se se estava dizendo a verdade literal. Certamente ela não DESgostava de Billy. Mas poderia a tolerância indiferente com que ela o considerava, quando ele calhava de aparecer em seu campo de visão, ser considerada positiva o suficiente para gostar? O QUE Jane estava tentando esclarecer?

"Você gostaria dele como marido?", perguntou Jane calmamente.

"Marido!" Anne estava sentada na cama, para melhor lutar com o problema de sua opinião exata sobre Billy Andrews. Naquele instante, ela caiu de volta em seus travesseiros, sem nenhum fôlego. "Marido de quem?"

"Seu, é claro", respondeu Jane. "Billy quer se casar com você. Ele sempre foi louco por você... E agora papai deu a ele a parte de cima da fazenda, em seu próprio nome, e não há nada que o impeça de se casar. Mas ele é tão tímido que não conseguia perguntar se você o aceitaria, então pediu a mim que fizesse isso. Eu teria preferido não fazer isso, mas ele não me deixou em paz até eu dizer que faria, se tivesse uma boa oportunidade. O que acha disso, Anne?"

Era um sonho? Era um daqueles pesadelos em que você se descobre noiva ou casada com alguém que odeia ou não conhece, sem a menor ideia de como isso aconteceu? Não, ela, Anne Shirley, estava deitada ali, bem desperta, em sua própria cama, e Jane Andrews estava ao seu lado, calmamente fazendo o pedido de casamento pelo seu irmão Billy. Anne não sabia se queria se contorcer ou rir; mas não podia fazer nenhuma das duas coisas, pois os sentimentos de Jane não deveriam ser feridos.

"Eu... eu não poderia me casar com Billy, você sabe, Jane", ela conseguiu ofegar. "Ora, essa ideia nunca me ocorreu... nunca!"

"Não imaginei que tivesse ocorrido", concordou Jane. "Billy sempre foi tímido demais para pensar em fazer a corte. Mas deve pensar no assunto, Anne. Billy é um bom rapaz. Posso dizer isso, pois ele é meu irmão. Ele não tem maus hábitos e é um bom trabalhador, e você pode contar com ele. 'Mais vale um pássaro na mão que dois voando.' Ele me pediu para lhe dizer que estaria disposto a esperar você terminar a faculdade, se você insistisse, embora ele PREFERISSE casar-se nesta primavera, antes de o plantio começar. Ele seria sempre muito bom para você, tenho certeza, e você sabe, Anne, que eu amaria tê-la como irmã."

"Não posso me casar com Billy", disse Anne decididamente. Ela tinha recuperado seu juízo e estava até mesmo se sentindo um pouco irritada. Aquilo era tudo tão ridículo. "Não adianta pensar nisso, Jane. Não gosto dele desse jeito e você deve contar isso a ele."

"Bem, não imaginei que gostasse", disse Jane com um suspiro resignado, sentindo que tinha feito o seu melhor. "Eu disse a Billy que não acreditava que adiantaria perguntar a você, mas ele insistiu. Bem, você tomou sua decisão, Anne, e espero que não se arrependa."

Jane falou bastante friamente. Ela tinha plena certeza de que o apaixonado Billy não tinha nenhuma chance de convencer Anne a se casar com ele. Ainda assim, sentiu um pequeno ressentimento de que Anne Shirley, que era, no fim das contas, meramente uma órfã adotada, sem nenhum parente, recusasse seu irmão — um dos Andrews de Avonlea. Bem, o orgulho às vezes antecede a queda, Jane refletiu ameaçadoramente.

Anne permitiu-se sorrir para si mesma na escuridão pela ideia de algum dia se arrepender de não ter se casado com Billy Andrews.

"Espero que Billy não se sinta muito mal por isso", ela disse gentilmente.

Jane fez um movimento como se estivesse jogando a cabeça para trás no travesseiro.

"Oh, o coração dele não vai se partir. Billy tem bom senso demais para isso. Ele gosta bastante de Nettie Blewett também e mamãe prefere que ele se case com ela a qualquer outra. Ela é uma boa dona de casa e é econômica. Eu acho que, quando Billy tiver certeza de que você não o aceita, ele vai ficar com Nettie. Por favor, não mencione isso a ninguém, está bem, Anne?"

"Claro que não", disse Anne, que não tinha a menor vontade de divulgar o fato de que Billy Andrews queria se casar com ela, preferindo Anne, no fim das contas, a Nettie Blewett. Nettie Blewett!

"E agora creio que seja melhor dormirmos", sugeriu Jane.

E Jane dormiu fácil e rapidamente; mas, embora muito diferente de MacBeth em muitos aspectos, ela certamente contribuiu para assassinar o sono de Anne. Aquela donzela pedida em casamento ficou deitada e desperta até altas horas, mas suas meditações estavam longe de ser românticas. Entretanto, foi apenas na manhã seguinte que ela teve a oportunidade de se permitir dar boas risadas por causa de toda a situação. Quando Jane foi para casa — ainda com indícios de gelo em sua voz e em suas maneiras por Anne ter recusado tão ingrata e decididamente a honra de uma aliança com a Casa dos Andrews —, Anne fugiu para o seu quarto, fechou a porta, e finalmente riu.

"Se eu pudesse ao menos compartilhar a piada com alguém!", ela pensou. "Mas não posso. Diana é a única a quem eu gostaria de contar, e mesmo se eu não tivesse jurado sigilo para Jane, não posso contar as coisas a Diana agora. Ela conta tudo a Fred, sei que conta. Bem, recebi meu primeiro pedido de casamento. Imaginei que ele viria algum dia, mas certamente nunca pensei que seria através de um representante. É terrivelmente engraçado... E é um tanto dolorido, também, de alguma forma."

Anne sabia muito bem onde doía, embora não pudesse colocar isso em palavras. Ela tinha seus sonhos secretos sobre a primeira vez que alguém lhe fizesse a grande pergunta. E, naqueles sonhos, sempre tinha sido muito romântico e lindo: e o "alguém" era muito bonito, de olhos escuros, de aparência distinta e eloquente, fosse ele o Príncipe Encantado a ser arrebatado por um "sim", ou alguém que precisasse receber uma recusa pesarosa, lindamente formulada, mas irremediável. No caso da última, a recusa seria expressada tão delicadamente que seria a melhor coisa depois da aceitação, e ele iria embora, depois de beijar sua mão, garantindo a ela sua inalterável e eterna devoção. E seria sempre uma linda memória, da qual se orgulhar e com a qual se entristecer um pouco também.

E, agora, aquela emocionante experiência tinha se tornado simplesmente grotesca. Billy Andrews tinha convencido sua irmã a fazer o pedido por ele porque seu pai tinha lhe dado uma parte da fazenda; e se Anne não o aceitasse, Nettie Blewett aceitaria. Ali estava o romance para ela, com uma vingança! Anne riu, depois suspirou. O desabrochar tinha sido apagado do sonho de uma pequena donzela. O doloroso processo continuaria até tudo tornar-se prosaico e monótono?

## CAPÍTULO IX

# Um amante indesejado e uma amiga desejada

O segundo semestre em Redmond passou tão rápido quanto o primeiro — "na verdade, voou", Philippa havia dito. Anne aproveitou plenamente todas as suas fases — a estimulante rivalidade entre classes, o surgimento e o aprofundamento de amizades novas e benéficas, os alegres eventos sociais, as atividades das diversas sociedades das quais ela era membro, a ampliação de horizontes e interesses. Ela estudou com afinco, pois havia se decidido a ganhar a Bolsa de Estudos Thorburn de Inglês. Se ganhasse, aquilo significava que ela poderia voltar para Redmond no ano seguinte sem explorar as escassas economias de Marilla — algo que Anne estava determinada a não fazer.

Gilbert também estava perseguindo uma bolsa de estudos, mas encontrou bastante tempo para fazer visitas frequentes no número trinta e oito da Rua St. John. Ele era o acompanhante de Anne em quase todas as atividades da faculdade e ela sabia que seus nomes formavam um casal na fofoca de Redmond. Anne se enraivecia por isso, mas era inútil; ela não podia deixar um velho amigo como Gilbert de lado, especialmente quando ele tinha se tornado repentinamente tão sábio e cuidadoso, como convinha a ele pela proximidade perigosa de mais de um jovem de Redmond que com prazer teria tomado seu lugar ao lado da esbelta e ruiva caloura, cujos olhos cinzentos eram tão fascinantes quanto estrelas na noite. Anne nunca foi cercada pela multidão de vítimas bem-dispostas que pairava no desfile de conquistas de Philippa durante seu primeiro ano; mas havia um calouro magricela e inteligente, um rapaz do segundo ano alegre, baixinho e gorducho, e um outro rapaz do terceiro ano alto e esperto que gostavam de visitar o número trinta e oito da Rua St. John e falar sobre "logias" e "ismos", bem como outros assuntos mais leves, com Anne, no salão almofadado daquele domicílio. Gilbert não amava nenhum deles, e era excessivamente precavido em não dar a nenhum deles vantagem sobre ele por meio de uma demonstração inoportuna de seus verdadeiros sentimentos por Anne. Para ela, ele tinha se tornado novamente o camarada de seus dias em Avonlea, e como tal podia se garantir diante de qualquer galã apaixonado que tivesse entrado na lista contra ele. Como companhia, Anne honestamente reconhecia que ninguém poderia ser tão satisfatório quanto Gilbert; ela estava muito feliz, assim disse a si mesma, com o fato de que ele evidentemente tinha largado todas as ideias absurdas, embora ela passasse um tempo considerável secretamente se perguntando por quê.

Apenas um incidente desagradável estragou aquele inverno. Charlie Sloane, sentado bem em cima da mais amada almofada da Srta. Ada, perguntou a Anne se ela prometeria "tornar-se a Sra. Charlie Sloane algum dia." Vindo depois da tentativa de Billy Andrews através de um representante, aquilo não foi exatamente o choque que poderia ter sido para a sensibilidade romântica de Anne; mas era certamente outra desilusão dilacerante. Ela estava irritada também, pois sentia que nunca tinha dado a Charlie o menor encorajamento para supor que tal coisa fosse possível. Mas o que se podia esperar de um Sloane, como a Sra. Lynde teria perguntado desdenhosamente? Toda a atitude, o tom, o estilo, as palavras tinham o cheiro bastante típico dos Sloane. Ele estava concedendo uma grande honra — não havia nenhuma dúvida quanto a isso. E quando Anne, completamente insensível à honra, recusou-o, tão delicada e atenciosamente quanto podia — pois até mesmo um Sloane tinha sentimentos que não deveriam ser desnecessariamente dilacerados —, sua natureza de Sloane o traiu ainda mais. Charlie certamente não aceitou aquela rejeição como os pretendentes imaginários rejeitados de Anne tinham feito. Em vez disso, ele ficou irritado, e demonstrou isso; ele disse duas ou três coisas bastante desagradáveis. O temperamento de Anne veio à tona de um jeito rebelde e ela respondeu com um pequeno discurso cortante que perfurou até a natureza Sloane protetora de Charlie e atingiu seu alvo; ele pegou seu chapéu e atirou-se para fora da casa com um rosto muito vermelho. Anne correu para o andar de cima, caindo duas vezes sobre as almofadas da Srta. Ada no caminho, e jogou-se em sua cama, com lágrimas de humilhação e raiva. Ela realmente havia se rebaixado a discutir com um Sloane? Era possível que algo que Charlie Sloane pudesse dizer tivesse o poder de deixá-

-la irritada? Oh, aquilo era degradação, certamente — pior que ser a rival de Nettie Blewett!

"Gostaria de nunca mais ver aquela criatura horrível novamente", ela soluçou vingativamente a seus travesseiros.

Ela não podia evitar vê-lo novamente, mas o enfurecido Charlie teve cuidado para que aquilo não acontecesse muito perto. As almofadas da Srta. Ada, dali em diante, ficaram a salvo de suas depredações, e quando ele encontrava Anne na rua ou nos corredores de Redmond, seu cumprimento era extremamente frio. As relações entre aqueles dois velhos colegas de escola continuaram tensas por quase um ano! Depois, Charlie transferiu suas afeições decadentes para uma pequena veterana rechonchuda, rosada, de nariz arrebitado e olhos azuis, que as apreciou como elas mereciam, depois do que ele perdoou Anne e concedeu a graça de ser civilizado com ela novamente; de uma maneira condescendente, com a intenção de mostrar a ela o que tinha perdido.

Um dia, Anne correu empolgada para o quarto de Priscilla.

"Leia isso", ela exclamou, jogando uma carta para Priscilla. "É de Stella — e ela virá para Redmond no ano que vem — o que você acha da ideia? Acho que é perfeitamente esplêndida, se pudermos colocá-la em prática. Você acha que podemos, Pris?"

"Vou conseguir lhe dizer melhor quando descobrir qual é", disse Priscilla, deixando de lado um dicionário de grego e pegando a carta de Stella. Stella Maynard tinha sido uma de suas colegas na Queen's Academy e tinha lecionado em uma escola desde então.

"Mas vou largar tudo, querida Anne", ela escreveu, "e ir para a faculdade no ano que vem. Como fiz o terceiro ano na Queen's, posso entrar no segundo ano. Estou cansada de lecionar em uma escola do interior. Algum dia vou escrever um tratado chamado 'As Provações da Professora do Interior'. Será de um realismo angustiante. A impressão prevalecente parece ser de que vivemos em um mar de rosas, e não temos nada para fazer além de retirar nosso salário. Meu tratado contará a verdade sobre nós. Ora, caso se passe uma semana em que alguém não me diga que estou fazendo um trabalho fácil por um salário alto, posso encomendar minha túnica para a ascensão imediata. 'Bem, você consegue dinheiro fácil', algum contribuinte sempre me diz, de um jeito condescendente. 'Tudo o que precisa fazer é sentar lá e ouvir as lições.' Eu costumava discutir o assunto antes, mas sou mais sábia agora. Fatos são coisas teimosas, mas como alguém sabiamente disse, não tão teimosas quanto falácias. Então, eu apenas sorrio arrogantemente agora em um silêncio eloquente. Ora, tenho nove turmas na minha escola e tenho que ensinar um pouco de tudo, da investigação dos interiores das minhocas até o estudo do sistema solar. Meu pupilo mais jovem tem 4 anos — a mãe o mandou para a escola para 'tirá-lo do caminho' — e o mais velho tem 20 — ele 'de repente percebeu' que seria mais fácil ir à escola para receber uma educação do que continuar na lavoura. No esforço enlouquecedor de reunir todos os tipos de estudos em seis horas por dia, eu não me pergunto se as crianças se sentem como o menininho que foi levado para ver a biografia. 'Preciso procurar o que vem a seguir antes de saber o que veio por último', ele reclamou. Eu mesma me sinto assim.

"E as cartas que eu recebo, Anne! A mãe de Tommy escreve me dizendo que ele não está evoluindo tão rapidamente na aritmética quanto ela gostaria. Ele está apenas nas subtrações simples ainda, e Johnny Johnson está nas frações, e Johnny não é tão inteligente quanto o seu Tommy, e ela não consegue entender. E o pai de Susy quer saber por que ela não consegue escrever uma carta sem errar metade das palavras, e a tia de Dick quer que eu o mude de lugar porque aquele menino Brown terrível com quem ele se senta está lhe ensinando palavras feias.

"E quanto à parte financeira... Não vou nem começar. Aqueles a quem os deuses decidem destruir, eles tornam professores do interior primeiro!

"Pronto, sinto-me melhor depois desse desabafo. Afinal, eu aproveitei esses dois últimos anos. Mas vou para Redmond.

"E agora, Anne, eu tenho um pequeno plano. Você sabe que odeio pensões. Já estive hospedada por quatro anos e estou tão cansada disso. Não sinto que poderia suportar mais três anos disso.

"Agora, por que eu, você e Priscilla não podemos morar juntas, alugar uma pequena casa em algum lugar em Kingsport e nos hospedarmos nela? Seria muito mais barato que a outra opção. É claro, precisaríamos ter uma empregada assim que possível. Você já me ouviu falar de minha Tia Jamesina? Ela é a tia mais doce que já existiu, apesar de seu nome. Ela não tem culpa disso! Ela foi chamada Jamesina porque seu pai, cujo nome é James, afogou-se no mar um mês antes de ela nascer. Eu sempre a chamo de Tia Jimsie. Bem, a filha única dela acabou de se casar e foi para o campo das missões estrangeiras. Tia Jamesina foi deixada sozinha em uma grande casa e está se sentindo terrivelmente solitária. Ela virá para Kingsport e cuidará da casa para nós se quisermos, e sei que vocês duas vão amá-la. Quanto mais penso no plano, mais gosto dele. Poderíamos nos divertir tanto e ser muito independentes.

"Agora, se você e Priscilla concordarem, não seria uma boa ideia vocês, que já estão no lugar, darem uma olhada por aí para ver se conseguem encontrar uma casa adequada na primavera? Seria melhor que deixar para o outono. Se conseguissem uma mobiliada, seria ainda melhor, senão podemos arranjar alguns móveis entre nós e em sótãos de velhos amigos da família. De qualquer forma, decidam assim que possível e me escrevam, para que Tia Jamesina saiba que planos fazer para o ano que vem."

"Acho que é uma boa ideia", disse Priscilla.

"Eu também", concordou Anne, encantada. "É claro, temos uma boa pensão aqui, mas, no fim das contas, uma pensão não é um lar. Vamos em busca de uma nova casa de uma vez, antes que as provas comecem."

"Temo que seja bem difícil conseguir uma casa adequada", avisou Priscilla. "Não espere muito, Anne. Casas boas em locais bons provavelmente estarão além de nossos recursos. Teremos que nos contentar com um lugarzinho esfarrapado em alguma rua onde moram pessoas que é melhor não conhecer e fazer a vida lá dentro compensar a vida lá fora."

Assim, elas foram em busca de uma nova casa, mas encontrar exatamente o que queriam provou-se ainda mais difícil do que Priscilla havia temido. As casas lá eram abundantes, mobiliadas e não mobiliadas; uma era grande demais, outra pequena demais; aquela cara demais, a outra longe demais de Redmond. As provas vieram e se foram; a última semana do semestre veio e ainda assim sua "casa dos sonhos", como Anne a chamava, continuava sendo um castelo no ar.

"Vamos ter que desistir e esperar até o outono, imagino", disse Priscilla, cansada, enquanto elas perambulavam pelo parque em um dos dias queridos de brisa e azul de abril, quando o porto estava brilhando embaixo das brumas peroladas flutuando sobre ele. "Podemos encontrar alguma cabana para nos abrigar até lá; se não encontrarmos, sempre teremos pensões à disposição."

"Não vou me preocupar com isso agora, de qualquer forma, e arruinar esta tarde adorável", disse Anne, olhando ao seu redor com prazer. O ar fresco estava vagamente carregado com o aroma do bálsamo dos pinheiros, e o céu acima delas estava claro como um cristal e azul — uma grande xícara invertida de bênçãos. "A primavera está cantando em meu sangue hoje, e a sedução de abril está solta no ar. Estou vendo visões e sonhando sonhos, Pris. É porque o vento está vindo do oeste. Eu amo o vento do oeste. Ele canta sobre esperança e felicidade, não é? Quando o vento do leste sopra, sempre penso em chuva dolorosa nos beirais e ondas tristes em um litoral cinzento. Quando ficar velha, devo ter reumatismo quando o vento do leste soprar."

"Não é uma alegria quando descartamos peles e vestes de inverno pela primeira vez e saímos assim em trajes de primavera?", riu Priscilla. "Você não sente como se tivesse nascido de novo?"

"Tudo é novo na primavera", disse Anne. "A própria primavera também é sempre nova. Nenhuma primavera é como a outra. Sempre tem algo próprio para se tornar sua doçura peculiar. Veja como a grama está verde em volta daquela pequena lagoa, e como os brotos de salgueiro estão crescendo."

"E as provas vieram e se foram, o momento da formatura vai chegar logo, na próxima quarta-feira. Neste dia da semana que vem, estaremos em casa."

"Fico feliz", disse Anne sonhadoramente. "Há tantas coisas que quero fazer. Quero me sentar nos degraus da varanda dos fundos e sentir a brisa soprando sobre os campos do Sr. Harrison. Quero caçar samambaias na Floresta Assombrada e colher violetas no Vale Violeta. Você se lembra do nosso excelente piquenique, Priscilla? Quero ouvir os sapos cantando e os choupos sussurrando. Mas aprendi a amar Kingsport também, e fico feliz por estar de volta no próximo outono. Se eu não tivesse ganhado a Thorburn, não creio que poderia voltar. Eu não PODERIA tirar nada do pequeno pé de meia de Marilla."

"Se apenas conseguíssemos encontrar uma casa!", suspirou Priscilla. "Olhe lá para Kingsport, Anne. Casas, casas por todos os lados, e nenhuma para nós."

"Pare com isso, Pris. 'O melhor está por vir.' Como os antigos romanos, vamos encontrar uma casa ou construir uma. Em um dia como este, não existe uma palavra como fracasso em meu brilhante vocabulário."

Elas permaneceram no parque até o pôr do sol, vivenciando o incrível milagre, a glória e a maravilha da primavera; e foram para casa, como de costume, pelo caminho da Avenida Spofford, para que pudessem ter o prazer de ver a Casa da Patty.

"Sinto como se algo misterioso fosse acontecer agora mesmo, pelo formigamento dos meus dedos", disse Anne, enquanto subiam a colina. "É um sentimento digno de livros de histórias. Ora, ora, ora! Priscilla Grant, olhe ali e me diga se e é verdade, ou estou vendo coisas?"

Priscilla olhou. Os dedos e os olhos de Anne não a tinham enganado. Sobre o portão arqueado estava pendurada uma placa pequena e modesta. Ela dizia "Aluga-se, mobiliada. Tratar com o proprietário".

"Priscilla", disse Anne, em um sussurro, "você acha que é possível para nós alugar a Casa da Patty?"

"Não, não acho", afirmou Priscilla. "Seria bom demais para ser verdade. Contos de fadas não acontecem hoje em dia. Eu não esperaria tanto, Anne. A decepção seria difícil demais de superar. Eles com certeza estão pedindo mais do que podemos pagar. Lembre-se, esta é a Avenida Spofford."

"Devemos descobrir mesmo assim", disse Anne, resoluta. "É muito tarde para perguntar hoje, mas viremos amanhã. Oh, Pris, se pudermos ficar com este lindo lugar! Senti que o meu destino estava ligado à Casa da Patty desde o primeiro dia em que a vi."

## CAPÍTULO X
# A casa da Patty

Na tarde seguinte, elas trilharam decididamente o caminho de espinha de peixe através do pequeno jardim. O vento de abril estava enchendo os pinheiros com sua ciranda e o bosque estava cheio de tordos — companheiros belos, gorduchos e sapecas exibindo-se pelos caminhos. As meninas tocaram a campainha bastante tímidas e foram recebidas por uma empregada sombria e muito velha. A porta se abriu diretamente para uma grande sala, onde duas outras damas estavam sentadas perto de um pequeno e alegre fogo, ambas também sombrias e muito velhas. Exceto pelo fato de uma delas aparentar ter cerca de 70 anos e a outra, 50, parecia haver pouca diferença entre elas. As duas tinham olhos azuis surpreendentemente grandes atrás de óculos de aro de aço; as duas vestiam um gorro e um xale cinzento; as duas estavam tricotando sem pressa e sem descanso; as duas balançavam placidamente e olhavam para as meninas sem falar; e atrás de cada uma havia um grande cachorro de porcelana branca, com grandes manchas verdes, um nariz verde e orelhas verdes. Aqueles cachorros capturaram a imaginação de Anne no mesmo instante; eles pareciam ser as divindades gêmeas guardiãs da Casa da Patty.

Por alguns minutos, ninguém falou. As meninas estavam nervosas demais para encontrar as palavras, e nenhuma das velhas damas ou dos cachorros de porcelana pareciam inclinados à conversa. Anne olhou ao redor do cômodo. Que belo lugar era aquele! Outra porta se abria diretamente para o bosque de pinheiros e os tordos subiam corajosamente o degrau. O chão estava coberto por tapetes redondos e trançados, como os que Marilla fazia em Green Gables, mas que eram considerados ultrapassados em todos os outros lugares, mesmo em Avonlea. E ainda assim, aqui estavam eles na Avenida Spofford! Um grande e reluzente relógio de pêndulo tiquetaqueava sonora e solenemente em um canto. Havia encantadores armários sobre a cornija da lareira, com portas de vidro atrás das quais reluziam pitorescas peças de porcelana. As paredes estavam cobertas com velhas ilustrações e silhuetas. Em um canto, as escadas subiam, e na primeira volta baixa havia uma longa janela com um assento convidativo. Tudo era exatamente como Anne sabia que deveria ser.

Àquela altura, o silêncio havia se tornado terrível demais e Priscilla cutucou Anne para intimá-la a falar.

"Nós... nós... vimos em sua placa que esta casa está para alugar", disse Anne vagamente, abordando a senhora mais velha, que evidentemente era a Srta. Patty Spofford.

"Oh, sim", disse a Srta. Patty. "Eu pretendia tirar aquela placa hoje."

"Então... então, chegamos tarde demais", disse Anne dolorosamente. "A senhora já alugou para outra pessoa?"

"Não, mas nós decidimos não alugar mais."

"Oh, sinto muito", exclamou Anne impulsivamente. "Amo tanto este lugar. Eu esperava que pudéssemos ficar com ele."

Apenas naquele momento a Srta. Patty deixou de lado seu tricô, tirou seus óculos, esfregou-os, colocou-os novamente, e pela primeira vez olhou para Anne como um ser humano. A outra dama seguiu seu exemplo tão perfeitamente que ela poderia ter sido seu reflexo em um espelho.

"Você AMA", disse a Srta. Patty com ênfase. "Isso significa que você realmente AMA? Ou apenas gosta da aparência da casa? As meninas hoje em dia se deleitam com declarações tão exageradas que nunca se pode saber o que elas querem dizer. Não era assim na minha juventude. NAQUELA ÉPOCA uma menina não dizia que AMAVA nabos no mesmo tom com que teria dito que amava sua mãe ou seu Salvador."

A consciência de Anne doeu.

"Eu realmente amo", ela disse gentilmente. "Eu amei desde que a vi, no outono passado. Minhas duas colegas de faculdade e eu queremos arranjar uma casa no ano que vem em vez de ficar em uma pensão, então, estamos procurando um lugarzinho para alugar; e quando vimos que esta casa estava para alugar eu fiquei tão feliz."

"Se a ama, pode ficar com ela", disse a Srta. Patty. "Maria e eu decidimos hoje que não a alugaríamos, no fim das contas, porque não gostamos de nenhuma das pessoas que a queriam. Nós não PRECISAMOS alugá-la. Podemos ir para a Europa mesmo se não a alugarmos. Isso nos ajudaria, mas nem por ouro eu deixaria meu lar em posse de pessoas como as que vieram aqui para olhar. VOCÊ é diferente. Acredito que você a ame mesmo e que será boa para ela. Você pode ficar com ela."

"Se... se pudermos pagar o que estão pedindo por ela", hesitou Anne.

A Srta. Patty citou a quantia requisitada. Anne e Priscilla olharam uma para a outra. Priscilla balançou sua cabeça.

"Não podemos pagar tanto", disse Anne, sufocando seu desapontamento. "Sabe, somos apenas garotas da faculdade e temos pouco dinheiro."

"Quanto estavam pensando que poderiam pagar?", exigiu saber a Srta. Patty, sem deixar de tricotar.

Anne deu seu preço. A Srta. Patty assentiu seriamente.

"Isso vai servir. Como disse a você, não é estritamente necessário alugarmos de jeito nenhum. Não somos ricas, mas temos o suficiente para ir para a Europa. Eu nunca estive na Europa na minha vida e nunca esperei ou quis ir, mas minha sobrinha aqui, Maria Spofford, se interessou por ir. Agora, sabem que uma pessoa jovem como Maria não pode sair pelo mundo sozinha."

"Não... eu... eu suponho que não", murmurou Anne, vendo que a Srta. Patty estava falando solenemente a sério.

"Claro que não. Então, tenho que ir para cuidar dela. Espero aproveitar também; tenho 70 anos, mas ainda não cansei de viver. Ouso dizer que eu teria ido para a Europa antes se a ideia tivesse me ocorrido. Devemos ficar longe por dois anos, talvez três. Viajamos em junho, vamos lhe entregar a chave e deixar tudo em ordem para que vocês tomem posse quando quiserem. Nós levaremos algumas coisas que estimamos especialmente, mas o resto será deixado."

"Vão deixar os cachorros de porcelana?", perguntou Anne timidamente.

"Você gostaria que eu os deixasse?"

"Oh, com certeza, sim. Eles são encantadores."

Uma expressão satisfeita surgiu no rosto da Srta. Patty.

"Tenho muita consideração por esses cachorros", ela disse orgulhosamente. "Eles têm mais de 100 anos e estão sentados de cada lado desta lareira desde que meu irmão Aaron os trouxe de Londres, há cinquenta anos. A Avenida Spofford recebeu seu nome por causa de meu irmão Aaron."

"Ele era um belo homem", disse Maria, falando pela primeira vez. "Ah, não se veem mais homens daquele tipo hoje em dia."

"Ele foi um bom tio para você, Maria", disse a Srta. Patty, com evidente emoção. "Você faz bem em se lembrar dele."

"Sempre vou me lembrar dele", disse a Srta. Maria solenemente. "Posso vê-lo neste instante, em pé diante do fogo, com suas mãos embaixo do paletó, sorrindo para nós."

A Srta. Maria tirou seu lenço e secou seus olhos, mas a Srta. Patty voltou resolutamente de seu lugar de sentimento para seu lugar de negócios.

"Vou deixar os cachorros onde estão, se você prometer tomar muito cuidado com eles", ela disse. "Seus nomes são Gog e Magog. Gog olha para a direita e Magog para a esquerda. E há só mais uma coisa. Você não faz objeção, eu espero, a esta casa se chamar 'Casa da Patty'?"

"Claro que não. Pensamos que é uma das melhores coisas sobre ela."

"Você tem bom senso, estou vendo", disse a Srta. Patty em tom de grande satisfação. "Você consegue acreditar? Todas as pessoas que vieram aqui para alugar a casa queriam saber se poderiam tirar o nome do portão durante sua ocupação. Eu disse a eles claramente que o nome ia com a casa. Esta tem sido a Casa da Patty desde que meu irmão Aaron a deixou para mim em seu testamento, e vai continuar Casa da Patty até eu morrer e Maria morrer. Depois que isso acontecer, o próximo dono pode chamá-la de qualquer nome idiota que quiser", concluiu a Srta. Patty, como se tivesse dito "Depois disso, o dilúvio". "E, agora, você não gostaria de andar pela casa e ver tudo antes de considerar a barganha feita?"

A continuação da exploração encantou ainda mais as meninas. Além da grande sala de estar, havia uma cozinha e um pequeno quarto no andar de baixo. No andar de cima, havia três quartos, um grande e dois pequenos. Anne simpatizou especialmente com um dos pequenos, com vista para os grandes pinheiros, e esperava que ele fosse seu. Ele era coberto por um papel de parede azul-claro e tinha uma penteadeira pequena e antiga com castiçais para velas. Havia uma janela em formato de diamante com um assento embaixo das cortinas de musselina azul que seria um lugar agradável para estudar ou sonhar.

"É tudo tão encantador que sei que vamos acordar e descobrir que foi uma visão fugaz da noite", disse Priscilla enquanto elas iam embora.

"A Srta. Patty e a Srta. Maria dificilmente poderiam ser coisas das quais os sonhos são feitos", riu Anne. "Consegue imaginá-las saindo pelo mundo, especialmente com aqueles xales e gorros?"

"Imagino que elas vão tirá-los quando forem mesmo sair pelo mundo", disse Priscilla, "mas sei que elas vão levar seu tricô para todo lado. Elas simplesmente não podiam se separar dele. Elas vão andar pela Abadia de Westminster e tricotar, tenho certeza. Enquanto isso, Anne, estaremos morando na Casa da Patty na Avenida Spofford. Eu me sinto até uma milionária agora."

"Eu me sinto como uma das estrelas da manhã cantando de felicidade", disse Anne.

Phil Gordon se esgueirou até o número trinta e oito da St. John naquela noite e se atirou na cama de Anne.

"Meninas, queridas, estou morta de cansaço. Eu me sinto como o homem sem país, ou era sem sombra? Esqueci qual. De qualquer forma, estive fazendo as malas."

"E imagino que esteja esgotada porque não conseguiu decidir o que guardar primeiro ou onde colocar tudo", riu Priscilla.

"Exatamente. E depois que eu empacotei tudo de alguma forma e a minha senhoria e a empregada dela se sentaram na minha mala para eu conseguir fechá-la, descobri que tinha guardado um monte de coisas que queria vestir durante a formatura bem no fundo. Tive que abrir aquela porcaria, cutucá-la e mergulhar nela por meia hora antes de pescar o que eu queria. Eu conseguia pegar algo que parecia ser o que eu estava procurando, puxava e descobria que era outra coisa. Não, Anne, eu NÃO praguejei."

"Eu não disse que tinha feito isso."

"Bem, só precisou olhar. Mas admito que meus pensamentos beiraram o profano. E eu estou com uma gripe daquelas, não consigo fazer nada além de fungar, suspirar e espirrar. Não é uma agonia da aliteração para você? Rainha Anne, diga algo para me animar."

"Lembre-se de que na próxima quinta-feira à noite estará de volta à terra de Alex e Alonzo", sugeriu Anne.

Phil balançou a cabeça dolorosamente.

"Mais aliteração. Não, não quero Alec e Alonzo quando estou gripada. Mas o que aconteceu com vocês duas? Agora que estou olhando para vocês de perto, parecem todas acesas com uma iridescência interna. Ora, vocês estão BRILHANDO de verdade! O que houve?"

"Nós vamos morar na Casa da Patty no próximo inverno", disse Anne triunfalmente. "Morar, preste atenção, não nos hospedar! Nós a alugamos, Stella Maynard está vindo e a tia dela vai cuidar da casa para nós."

Phil pulou, assou o nariz e caiu de joelhos diante de Anne.

"Meninas, meninas, me deixem ir também. Oh, vou ser tão boa. Se não houver nenhum quarto para mim, vou dormir na casinha do cachorro no pomar, eu já a vi. Apenas me deixem ir."

"Levante, sua boba."

"Não vou mover nem um músculo até vocês me disserem que posso morar com vocês no próximo inverno."

Anne e Priscilla olharam uma para a outra. Depois, Anne disse lentamente, "Phil, querida, adoraríamos ficar com você. Mas devemos falar claramente. Eu sou pobre, Pris é pobre, Stella Maynard é pobre... Nossa casa vai ter que ser muito simples e nossa mesa, humilde. Nós vamos viver como pudermos. Agora, você é rica e o preço da sua pensão comprova esse fato."

"Oh, o que isso me importa?", perguntou Phil tragicamente. "Melhor jantar salada com seus amigos do que um boi inteiro em uma pensão solitária. Não pensem que eu sou APENAS estômago, meninas. Estarei disposta a viver de pão e água — com um POUQUINHO de geleia — se me deixarem ir."

"E além disso", continuou Anne, "será preciso trabalhar muito. A tia de Stella não pode fazer tudo. Nós todas esperamos ter tarefas a cumprir. Agora, você..."

"Não trabalho nem sei fiar", terminou Philippa. "Mas vou aprender a fazer as coisas. Vão apenas ter que me mostrar uma vez. Eu POSSO fazer minha própria cama para começar. E lembrem-se: embora eu não saiba cozinhar, eu SEI ficar de bom humor. Isso é alguma coisa. E eu NUNCA reclamo por causa do tempo. E tem mais. Oh, por favor, por favor! Nunca quis tanto uma coisa na minha vida — e este chão é terrivelmente duro."

"Só tem mais uma coisa", disse Priscilla, resoluta. "Você, Phil, como toda Redmond sabe, entretém visitantes quase todas as tardes. Agora, na Casa da Patty não podemos fazer isso. Nós decidimos que vamos estar em casa para nossos amigos apenas nas tardes de sexta-feira. Se vier morar conosco, vai ter que obedecer essa regra."

"Bem, você não achou que eu me importaria com isso, achou? Ora, fico feliz. Eu sabia que eu mesma devia ter alguma regra desse tipo, mas não consegui ter decisão suficiente para criá-la ou segui-la. Quando puder jogar a responsabilidade para vocês, vai ser um verdadeiro alívio. Se não me deixarem ficar com vocês, vou morrer de decepção e depois voltar para assombrar vocês. Vou acampar na soleira da porta da Casa da Patty e vocês não vão conseguir sair ou entrar sem levar um susto."

Novamente, Anne e Priscilla trocaram olhares eloquentes.

"Bem", disse Anne, "é claro que não podemos prometer ficar com você até termos consultado Stella, mas não acho que ela fará objeção, e no que nos diz respeito, você pode vir e será bem-vinda."

"Se ficar cansa de nossa vida simples, pode nos deixar sem dar satisfação", acrescentou Priscilla.

Phil ficou de pé, abraçou-as jubilosamente e seguiu seu caminho, exultante.

"Espero que as coisas deem certo", disse Priscilla seriamente.

"Precisamos FAZER dar certo", declarou Anne. "Acho que Phil vai se encaixar em nosso pequeno e alegre lar muito bem."

"Oh, Phil é uma querida para tagarelar e fazer amizade. E, é claro, quanto mais de nós, mais fácil será para os nossos bolsos. Mas como será viver com ela? É preciso passar o verão e o inverno com alguém antes de saber se a pessoa é SUPORTÁVEL ou não."

"Oh, bem, todas nós seremos colocadas à prova, no que diz respeito a isso. E devemos fazer como as pessoas sensatas: viver e deixar viver. Phil não é egoísta, apesar de ser um pouco imprudente, e acredito que vamos todas nos dar muito bem na Casa da Patty."

## CAPÍTULO XI
# A roda da vida

Anne estava de volta a Avonlea com o brilho da Bolsa de Estudos Thorburn em seu rosto. As pessoas lhe disseram que ela não tinha mudado muito, em um tom que mostrava que estavam surpresos e um pouco decepcionados por isso. Avonlea também não tinha mudado. Pelo menos, pareceu assim no começo. Mas quando Anne sentou-se em seu banco da igreja, no primeiro domingo depois de seu retorno, e olhou para a congregação, viu diversas pequenas mudanças que, chegando para ela todas de uma vez, fizeram-na perceber que o tempo não ficava exatamente parado, nem mesmo em Avonlea. Um novo pastor estava no púlpito. Nos bancos, mais de um rosto familiar tinha partido para sempre. O velho Tio Abe, com suas profecias enfim encerradas; a Sra. Peter Sloane, que havia suspirado, era de esperar, pela última vez; Timothy Cotton, que, como a Sra. Rachel Lynde dizia, "tinha finalmente dado um jeito de morrer depois de o praticar por vinte anos"; e o velho Josiah Sloane, que ninguém reconheceu no caixão porque estava com seus bigodes devidamente aparados — todos dormiam no pequeno cemitério atrás da igreja. E Billy Andrews estava casado com Nettie Blewett! Eles "apareceram" naquele domingo. Quando Billy, brilhando de orgulho e felicidade, exibiu sua noiva, coberta de plumas e de seda no banco de igreja dos Andrews, Anne abaixou a cabeça para esconder seus olhos risonhos. Ela lembrou da noite tempestuosa de inverno durante o feriado de Natal em que Jane havia feito o pedido por Billy. Ele certamente não havia ficado de coração partido pela rejeição. Anne se perguntou se Jane também havia pedido a Nettie por ele, ou se ele havia reunido coragem o bastante para fazer ele mesmo a pergunta fatídica.

Toda a família Andrews parecia compartilhar seu orgulho e prazer, da Sra. Harmon, no banco, a Jane, no coral. Jane havia renunciado ao cargo na escola de Avonlea e pretendia ir para o oeste no outono.

"Não consegue um pretendente em Avonlea, isso sim", disse a Sra. Rachel Lynde desdenhosamente. "DIZ que acha que vai ter uma saúde melhor no oeste. Nunca ouvi antes que a saúde dela fosse ruim."

"Jane é uma boa garota", disse Anne lealmente. "Ela nunca tentava chamar atenção, como algumas faziam."

"Oh, ela nunca correu atrás dos meninos, se é isso que você quer dizer", disse a Sra. Rachel. "Mas ela gostaria de se casar, tanto quanto qualquer uma, isso sim. O que mais poderia levá-la para algum lugar esquecido do oeste onde a única recomendação é que os homens são muitos e as mulheres, escassas? Nem me fale!"

Mas não foi Jane que Anne encarou naquele dia com consternação e surpresa. Foi Ruby Gillis, sentada ao lado dela no coral. O que havia acontecido com Ruby? Ela estava mais linda do que nunca, mas seus olhos azuis estavam claros e lustrosos demais, e a cor das suas bochechas, freneticamente brilhante; além disso, estava muito magra; as mãos que seguravam o hinário estavam quase transparentes em sua delicadeza.

"Ruby Gillis está doente?", perguntou Anne à Sra. Lynde quando voltavam para casa.

"Ruby Gillis está morrendo de uma tuberculose galopante", disse a Sra. Lynde bruscamente. "Todos sabem disso, exceto ela própria e a FAMÍLIA dela. Eles não cedem. Se perguntar a ELES, vão dizer que ela está perfeitamente bem. Ela não pôde lecionar desde que teve um ataque de congestão no inverno, mas diz que vai lecionar novamente no outono e quer a escola de White Sands. Ela vai estar no túmulo, pobre garota, quando a escola de White Sands abrir, isso sim."

Anne escutou em um silêncio chocante. Ruby Gillis, sua velha colega de escola, morrendo? Seria possível? Nos últimos anos, elas tinham se afastado, mas o velho laço da intimidade de meninas estava lá, e foi sentido dolorosamente pelo aperto que as notícias causaram no coração de Anne. Ruby, a brilhante, a alegre, a coquete! Era impossível associar o pensamento dela a qualquer coisa relacionada à morte. Ela havia cumprimentado Anne com uma cordialidade alegre depois da igreja, e insistiu que ela a visitasse na tarde seguinte.

"Vou estar fora nas tardes de terça e quarta-feira", ela sussurrou triunfalmente. "Vai haver uma apresentação em Carmody e uma festa em White Sands. Herb Spencer vai me levar. Ele é o meu ATUAL. Venha mesmo amanhã. Estou morrendo por uma boa conversa com você. Quero saber tudo o que está fazendo em Redmond."

Anne sabia que Ruby queria mesmo era lhe contar tudo sobre seus próprios flertes recentes, mas prometeu ir, e Diana se ofereceu para ir com ela.

"Faz tempo que quero ver Ruby", ela disse a Anne, quando saíram de Green Gables na tarde seguinte, "mas eu realmente não poderia ir sozinha. É tão horrível ouvir Ruby tagarelar como ela faz e fingir que não há nada de errado com ela, mesmo quando mal consegue falar de tanto tossir. Ela está lutando tanto pela vida, e ainda assim não tem nenhuma chance, dizem."

As meninas andaram silenciosamente pela estrada vermelha e iluminada pelo crepúsculo. Os tordos estavam cantando vésperas nos topos altos das árvores, enchendo o ar dourado com suas vozes jubilosas. O som prateado dos sapos veio dos pântanos e lagoas, sobre os campos onde as sementes tinham começado a germinar com vida e emoção sob a luz do sol e sob a chuva que havia caído sobre elas. O ar estava perfumado com o aroma silvestre, doce e sadio de jovens framboesas. Brumas brancas pairavam sobre os bosques silenciosos e estrelas violetas estavam brilhando calmamente sobre os riachos.

"Que lindo pôr do sol", disse Diana. "Veja, Anne, é quase outro mundo, não é? Aquela longa e baixa nuvem púrpura é a praia e o céu claro adiante é como um mar dourado."

"Se pudéssemos velejar até ele em um barco encantado como Paul escreveu em sua velha redação — você se lembra? — como seria bom", disse Anne, caindo em seu devaneio. "Você acha que encontraríamos todo o nosso passado ali, Diana — todas as nossas velhas primaveras? Os canteiros de flores que Paul viu lá seriam as rosas que floresceram para nós no passado?"

"Não faça isso!", disse Diana. "Você faz com que eu me sinta como se fôssemos velhas com tudo na vida atrás de nós."

"Acho que quase senti que éramos desde que soube da pobre Ruby", disse Anne. "Se é verdade que ela está morrendo, qualquer outra coisa triste também pode ser verdade."

"Você não se importa de passarmos na casa de Elisha Wright por um momento, não é?", perguntou Diana. "Mamãe me pediu para deixar este potinho de geleia para Tia Atossa."

"Quem é Tia Atossa?"

"Oh, você não soube? Ela é a Sra. Camson Coates de Spencervale — a tia da Sra. Elisha Wright. Ela é tia de papai também. O marido dela morreu no último inverno e ela foi deixada muito pobre e muito solitária, então os Wright a levaram para morar com eles. Mamãe pensou que nós devíamos ficar com ela, mas papai bateu o pé. Ele não moraria com Tia Atossa."

"Ela é tão terrível?", perguntou Anne distraidamente.

"Você provavelmente vai ver como ela é antes de conseguirmos escapar", disse Diana significativamente. "Papai diz que ela tem um rosto igual a um machado — ele corta o ar. Mas a língua dela é ainda mais afiada."

Ainda que fosse tarde, Tia Atossa estava cortando batatas na cozinha dos Wright. Ela vestia um velho avental desbotado e seu cabelo cinzento estava decididamente desarrumado. Tia Atossa não gostava de ser "pega de surpresa", então ela se esforçou para ser desagradável.

"Oh, então você é Anne Shirley?", ela disse, quando a Diana apresentou. "Ouvi falar de você." Seu tom de voz indicava que ela não tinha ouvido nada de bom. "A Sra. Andrews estava me contando que você estava em casa. Ela disse que você melhorou muito."

Não havia dúvida de que Tia Atossa pensava que havia muito espaço para maiores melhorias. Ela não deixou de cortar as batatas com muita energia.

"Adianta pedir a vocês para se sentarem?", ela questionou sarcasticamente. "Claro, não há nada muito interessante aqui para vocês. Os outros estão fora."

"Mamãe enviou para você este potinho de geleia de ruibarbo", disse Diana agradavelmente. "Ela preparou hoje e pensou que você gostaria de provar um pouco."

"Oh, obrigada", disse Tia Atossa amargamente. "Nunca gostei da geleia da sua mãe — ela sempre faz doce demais. Entretanto, vou tentar comer um pouco. Estive sem apetite nenhum nessa primavera. Estou longe de estar bem", continuou Tia Atossa solenemente, "mas continuo trabalhando. As pessoas que não podem trabalhar não são desejadas aqui. Se não for muito trabalho, poderiam fazer a gentileza de colocar a geleia na despensa? Estou com pressa para deixar essas batatas prontas hoje à noite. Imagino que as duas DAMAS nunca tenham que fazer nada disso. Teriam medo de estragar as mãos."

"Eu cortava batatas antes de alugarmos a fazenda", sorriu Anne.

"Eu ainda faço isso", riu Diana. "Eu cortei batatas três vezes na semana passada. É claro", ela acrescentou provocando, "que deixei minhas mãos de molho em suco de limão todas as noites depois disso."

Tia Atossa bufou.

"Imagino que tenha tirado essa ideia de alguma daquelas revistas idiotas que você tanto lê. Eu me pergunto se sua mãe permite. Mas ela sempre mimou você. Todos nós pensamos quando George se casou com ela que ela não seria uma esposa adequada para ele."

Tia Atossa suspirou pesarosamente, como se todos os maus presságios sobre o casamento de George Barry tivessem sido ampla e sombriamente realizados.

"Estão indo?", ela questionou quando as meninas se levantaram. "Bem, imagino que não possam achar muita diversão em conversar com uma velha como eu. É uma pena os meninos não estarem em casa."

"Queremos correr para ver Ruby Gillis um pouco", explicou Diana.

"Oh, qualquer coisa serve como desculpa, é claro", disse Tia Atossa amigavelmente. "Só entrar e sair antes de ter tempo de cumprimentar decentemente. São os ares da faculdade, eu imagino. Seria mais sábio ficarem longe de Ruby Gillis. Os médicos dizem que a tuberculose é contagiosa. Eu sempre soube que Ruby pegaria alguma coisa, indo visitar alguém em Boston no último outono. As pessoas que não se contentam em ficar em casa sempre pegam alguma coisa."

"As pessoas que não vão visitar pegam coisas também. Às vezes elas até morrem", disse Diana solenemente.

"Então, elas não podem ser culpadas por isso", retrucou Tia Atossa triunfalmente. "Soube que você vai se casar em junho, Diana."

"Não há verdade nenhuma nessa informação", disse Diana, corando.

"Bem, não adie muito", disse Tia Atossa significativamente. "Você vai perder o viço logo — você é toda pele e cabelo. E os Wrights são terrivelmente instáveis. Você deveria usar um chapéu, SENHORITA SHIRLEY. Seu nariz está com umas sardas escandalosas. Céus, você É ruiva! Bem, imagino que sejamos todos como Deus nos fez! Dê meus cumprimentos a Marilla. Ela nunca veio me ver desde que vim para Avonlea, mas imagino que não deva reclamar. Os Cuthbert sempre se acharam melhores que todos por aqui."

"Oh, ela não é horrível?", ofegou Diana, enquanto escapavam pela estrada.

"Ela é pior que a Srta. Eliza Andrews", disse Anne. "Mas imagine só viver toda a vida com um nome como Atossa! Não azedaria quase qualquer um? Ela deveria ter tentado imaginar que seu nome era Cordelia. Teria ajudado muito. Certamente me ajudou nos dias em que eu não gostava de ANNE."

"Josie Pye vai ser exatamente como ela quando crescer", disse Diana. "A mãe de Josie e Tia Atossa são tias, sabe. Oh, querida, fico feliz por ter terminado. Ela é tão maliciosa — parece ver maldade em tudo. Papai conta uma história muito engraçada sobre ela. Antigamente eles tinham um pastor em Spencervale que era um homem muito bom e espirituoso, mas muito surdo. Ele não conseguia ouvir nem uma simples conversa. Bem, eles costumavam reunir-se para rezar nas tardes de domingo e todos os membros da igreja presentes se levantavam e rezavam um de cada vez, ou diziam algumas palavras sobre algum verso da Bíblia. Mas Tia Atossa apareceu numa tarde. Ela não rezou nem pregou. Em vez disso, ela pegou todos da igreja e acabou com eles, chamando todos pelo nome e dizendo como eles tinham se comportado, relembrando todas as discussões e escândalos dos últimos dez anos. Finalmente, ela terminou dizendo que estava enojada com a igreja de Spencervale, que tinha a intenção de nunca mais aparecer em sua porta e que esperava que um julgamento tenebroso recaísse sobre eles. Então, ela se sentou sem fôlego e o pastor, que não tinha ouvido uma palavra do que ela disse, imediatamente comentou, em uma voz muito devota, 'Amém! O Senhor concede a graça da oração da nossa irmã!'. Você precisa ouvir papai contando essa história."

"Falando em histórias, Diana", comentou Anne, em um tom significativo e confidencial, "sabe que ultimamente estive pensando se poderia escrever um conto — um conto que fosse bom o suficiente para ser publicado?"

"Ora, é claro que conseguiria", disse Diana, depois de ter captado a incrível sugestão. "Você escrevia histórias simplesmente emocionantes anos atrás no nosso velho Clube de Histórias."

"Bem, eu não quis dizer uma daquelas histórias", sorriu Anne. "Estive pensando sobre isso ultimamente, mas estou quase com medo de tentar, pois se eu falhasse seria muito humilhante."

"Ouvi Priscilla dizer uma vez que todas as primeiras histórias da Sra. Morgan foram rejeitadas. Tenho certeza de que as suas não seriam, Anne, pois é provável que os editores tenham mais bom senso hoje em dia."

"Margaret Burton, uma das meninas do terceiro ano em Redmond, escreveu uma história no inverno passado e ela foi publicada na *Canadian Woman*. Eu realmente acho que poderia escrever pelo menos uma que fosse tão boa quanto a dela."

"E vai publicá-la na *Canadian Woman?*"

"Posso tentar uma das revistas maiores primeiro. Tudo depende do tipo de história que eu escrever."

"Sobre o que vai ser?"

"Ainda não sei. Quero arranjar um bom enredo. Acredito que isso seja muito necessário do ponto de vista de um editor. A única coisa que decidi foi o nome da heroína. Vai ser AVERIL LESTER. Muito bonito, não acha? Não mencione isso a ninguém, Diana. Eu não contei a ninguém além de você e do Sr. Harrison. ELE não foi muito encorajador — disse que já havia muito lixo escrito hoje em dia e que esperava algo melhor de mim, depois de um ano na faculdade."

"O que o Sr. Harrison sabe sobre isso?", perguntou Diana com desdém.

Eles encontraram a casa dos Gillis alegre, com luzes e visitantes. Leonard Kimball de Spencervale e Morgan Bell de Carmody estavam encarando um ao outro no salão. Muitas meninas alegres haviam aparecido. Ruby estava vestida de branco, seus olhos e bochechas estavam muito brilhantes. Ela riu e conversou incessantemente, e depois que as outras meninas tinham ido embora, ela levou Anne para cima para exibir seus novos vestidos de verão.

"Eu ainda tenho uma seda azul para mandar fazer, mas é um pouco pesada para um traje de verão. Acho que vou deixá-la para o outono. Vou lecionar em White Sands, você sabe. Gostou do meu chapéu? Aquele que você usou na igreja ontem era muito bonitinho. Mas gosto de algo maior para mim mesma. Você notou aqueles dois garotos ridículos lá embaixo? Um veio determinado a expulsar o outro. Eu não me importo nem um pouco com nenhum dos dois, sabe. Gosto mesmo é de Herb Spencer. Às vezes eu realmente penso que ele é o HOMEM CERTO. No Natal, pensei que era o professor de Spencervale. Mas descobri algo sobre ele que me colocou contra ele. Ele quase ficou maluco quando o rejeitei. Queria que aqueles dois não tivessem vindo hoje. Queria ter uma boa conversa com você, Anne, e lhe contar um monte de coisas. Você e eu sempre fomos boas amigas, não fomos?"

Ruby passou seu braço em volta da cintura de Anne com uma risadinha superficial. Mas apenas por um momento seus olhos se encontraram e, por trás de todo o brilho de Ruby, Anne viu algo que fez seu coração doer.

"Venha mais vezes, por favor, Anne", suspirou Ruby. "Venha sozinha, quero você aqui."

"Está se sentindo bem, Ruby?"

"Eu! Ora, estou perfeitamente bem. Nunca estive melhor na vida. Claro, aquela congestão me deixou um pouco abatida no inverno passado. Mas veja minha cor. Não me pareço muito com uma inválida, tenho certeza."

A voz de Ruby estava quase esganiçada. Ela tirou seu braço de Anne, como se estivesse ressentida, e correu para baixo, onde foi mais alegre que nunca, aparentemente tão absorta em gracejar com seus dois galãs que Diana e Anne se sentiram excluídas e logo foram embora.

## CAPÍTULO XII
# "A Reparação de Averil"

"O que você está sonhando, Anne?"

As duas meninas estavam passando o tempo em uma tarde no bosque de fadas do riacho. As samambaias inclinavam-se sobre ele, a grama era verde e pereiras silvestres dependuravam cortinas brancas e aromáticas ao redor.

Anne acordou de seu devaneio com um suspiro feliz,

"Estava pensando na minha história, Diana."

"Oh, você começou mesmo?", exclamou Diana, toda animada e com um interesse ansioso no mesmo instante.

"Sim, eu tenho apenas algumas páginas escritas, mas já pensei em tudo. Demorei tanto para conseguir um enredo adequado. Nenhum dos enredos que surgiram era adequados para uma menina chamada AVERIL."

"Você não poderia ter mudado o nome dela?"

"Não, a coisa era impossível. Eu tentei, mas não conseguia fazer isso, tanto quanto não poderia mudar o seu. AVERIL era tão real para mim que não importava que outro nome eu tentasse dar a ela, sempre pensava nela como AVERIL por trás de tudo. Mas finalmente consegui um enredo que combinasse com ela. Depois veio a empolgação de escolher nomes para todos os meus personagens. Você não faz ideia de como isso é fascinante. Fiquei acordada por horas pensando naqueles nomes. O nome do herói é PERCEVAL DALRYMPLE."

"Você já deu nomes a TODOS os personagens?", perguntou Diana tristemente. "Se não tivesse feito isso, eu teria pedido para você me deixar nomear um — apenas uma pessoa sem importância. Eu sentiria que tive uma parte na história assim."

"Você pode nomear o menininho contratado que mora com os LESTER", concedeu Anne. "Ele não é muito importante, mas é o único que ainda não tem nome."

"Chame-o de RAYMOND FITZOSBORNE", sugeriu Diana, que tinha um estoque de nomes como aquele guardados na memória, relíquias do velho "Clube de Histórias", que ela, Anne, Jane Andrews e Ruby Gillis tinham organizado na época da escola.

Anne balançou a cabeça em dúvida.

"Temo que seja um nome muito aristocrático para um criado, Diana. Eu não imaginaria um Fitzosborne alimentando porcos e colhendo batatas, você entende?"

Diana não entendia por que, se a pessoa tivesse alguma imaginação, não poderia acreditar naquilo; mas provavelmente Anne sabia mais sobre o assunto, e o criado foi finalmente batizado de ROBERT RAY, a ser chamado de BOBBY quando a ocasião surgisse.

"Quanto você acha que vai conseguir pela história?", perguntou Diana.

Mas Anne não tinha pensado nada sobre aquilo. Ela estava em busca da fama, não do sórdido lucro, e seus sonhos literários ainda não tinham sido tentados por considerações mercenárias.

"Você vai me deixar ler, não vai?", implorou Diana.

"Quando eu tiver terminado, vou ler para você e para o Sr. Harrison e vou querer que critiquem tudo SEVERAMENTE. Ninguém mais deve ver a história até que ela seja publicada."

"Como vai terminá-la? Com um final feliz ou triste?"

"Não tenho certeza. Gostaria de terminar com um final triste, porque isso seria muito mais romântico. Mas entendo que os editores têm preconceito em relação a finais tristes. Ouvi o professor Hamilton dizer uma vez que ninguém além de um gênio deveria tentar escrever um final triste. E", concluiu Anne modestamente, "sou tudo menos um gênio."

"Oh, eu gosto mais de finais felizes. Seria bom você deixá-lo se casar com ela", disse Diana, que, especialmente desde seu noivado com Fred, pensava que era assim que toda história deveria terminar.

"Mas você não gosta de chorar por causa das histórias?"

"Oh, sim, no meio delas. Mas gosto quando tudo dá certo no final."

"Preciso ter uma cena trágica nela", disse Anne pensativamente. "Talvez eu deixe ROBERT RAY ser ferido em um acidente e escreva uma cena de morte."

"Não, você não deve matar BOBBY", declarou Diana, rindo. "Ele me pertence e quero que ele viva e floresça. Mate outra pessoa se tiver que fazer isso."

Durante duas semanas, Anne contorceu-se ou deleitou-se, de acordo com seu humor, com suas aspirações literárias. Em um instante, estava jubilosa por uma ideia brilhante, no minuto seguinte, estava desesperada porque algum personagem contrário NÃO estava se comportando corretamente. Diana não conseguia entender aquilo.

"FAÇA com que eles se comportem como você quer", ela disse.

"Não consigo", lamentou Anne. "Averil é uma heroína tão incontrolável. Ela VAI fazer e dizer coisas que eu nunca quis que fizesse e dissesse. E isso estraga tudo o que aconteceu antes, aí tenho que escrever tudo de novo."

Finalmente, entretanto, a história foi concluída e Anne a leu para Diana na reclusão da varanda do frontão. Ela tinha alcançado sua "cena trágica" sem sacrificar ROBERT RAY, e manteve um olhar observador em Diana enquanto lia. Diana mostrou-se à altura da situação e chorou devidamente; mas quando o fim chegou, ela parecia um pouco desapontada.

"Por que você matou MAURICE LENNOX?", ela perguntou de forma reprovadora.

"Ele era o vilão", protestou Anne. "Ele tinha que ser punido."

"Ele era o meu preferido", disse a insensata Diana.

"Bem, ele está morto e vai ter que continuar morto", disse Anne, bastante ressentida. "Se eu o tivesse deixado viver, ele teria continuado a perseguir AVERIL e PERCEVAL."

"Sim, a menos que você o tivesse tornado melhor."

"Isso não teria sido muito romântico e, além disso, teria tornado a história longa demais."

"Bem, de qualquer forma, é uma história perfeitamente elegante, Anne, e vai torná-la famosa, disso tenho certeza. Você já tem um título para ela?"

"Oh, eu decidi o título há muito tempo. Eu a chamo de A REPARAÇÃO DE AVERIL. Não soa agradável e cheio de aliteração? Agora, Diana, diga-me francamente, você vê alguma falha na minha história?"

"Bem", hesitou Diana, "aquela parte em que AVERIL faz o bolo não me parece romântica o suficiente para combinar com o resto. É algo que qualquer um poderia fazer. Heroínas não deveriam cozinhar, EU acho."

"Ora, é aí que entra o humor, e é uma das melhores partes da história toda", disse Anne. E pode-se dizer que nisto ela estava bastante certa.

Diana prudentemente absteve-se de quaisquer outras críticas, mas o Sr. Harrison foi muito mais difícil de agradar. Primeiramente, ele disse que havia descrições demais na história.

"Corte todas essas passagens floridas", ele disse infalivelmente.

Anne estava desconfortavelmente convicta de que o Sr. Harrison estava certo, e forçou-se a riscar a maior parte de suas amadas descrições, embora tivesse precisado reescrever três vezes antes que a história estivesse podada o suficiente para agradar ao exigente Sr. Harrison.

"Eu tirei TODAS as descrições, menos a do pôr do sol", ela finalmente disse. "Eu simplesmente NÃO PODIA tirar. Era a melhor de todas."

"Não tem nada a ver com a história", disse o Sr. Harrison, "e você não deveria ter escrito sobre as pessoas ricas da cidade. O que você sabe sobre elas? Por que não escreveu sobre as pessoas aqui de Avonlea? Mudando os nomes, é claro, ou a Sra. Rachel Lynde pensaria que ela é a heroína."

"Oh, isso nunca teria funcionando", protestou Anne. "Avonlea é o lugar mais adorável do mundo, mas não é romântico o suficiente para ser o cenário de uma história."

"Ouso dizer que houve muito romance em Avonlea, e muita tragédia também", disse o Sr. Harrison secamente. "Mas seus personagens não são como pessoas reais de lugar nenhum Eles falam demais e usam uma linguagem muito elaborada. Tem uma passagem em que aquele DALRYMPLE fala sem parar por duas páginas e não deixa a menina dizer uma palavra sequer. Se ele tivesse feito isso na vida real, ela teria acabado com ele."

"Não acredito nisso", disse Anne categoricamente. Em sua alma secreta, ela pensava que as lindas e poéticas coisas ditas a AVERIL ganhariam o coração de qualquer garota completamente. Além disso, era terrível pensar em AVERIL, a imponente, majestosa AVERIL, "acabando" com alguém. AVERIL "recusava seus pretendentes".

"Enfim", resumiu o impiedoso Sr. Harrison, "não vejo por que MAURICE LENNOX não ficou com ela. Ele era duas vezes mais homem que o outro. Ele fez coisas ruins, mas fez alguma coisa. Perceval não tinha tempo para nada além de sonhar acordado."

"Sonhar acordado." Aquilo era pior que "acabar com alguém"!

"MAURICE LENNOX era o vilão", disse Anne indignada. "Eu não vejo por que todos gostam mais dele do que de PERCEVAL."

"Perceval é bom demais. Ele é irritante. Da próxima vez que escrever sobre um herói, coloque um tempero de natureza humana nele."

"AVERIL não poderia ter se casado com MAURICE. Ele era mau."

"Ela o teria tornado melhor. Você pode tornar um homem melhor; não pode transformar um rato, é claro. A sua história não é ruim, é meio interessante, vou admitir. Mas você é jovem demais para escrever uma história que valha a pena. Espere dez anos."

Anne decidiu que, da próxima vez que escrevesse uma história, não pediria a ninguém para criticá-la. Era tão desencorajador. Ela não leria a história para Gilbert, ainda que tivesse contado a ele sobre aquilo.

"Se for um sucesso, você vai vê-la quando estiver publicada, Gilbert, mas se for um fracasso, ninguém a verá."

Marilla não sabia nada sobre a iniciativa. Em sua imaginação, Anne viu-se lendo uma história de uma revista para Marilla, preparando uma cilada para que ela a elogiasse — pois na imaginação, todas as coisas são possíveis — e depois, triunfalmente, anunciando a si mesma como autora.

Um dia, Anne levou ao correio um envelope longo e grosso, endereçado com a encantadora confiança da juventude e da inexperiência, à maior de todas as "maiores" revistas. Diana estava tão empolgada quanto Anne.

"Quanto tempo você acha que vai demorar para ter notícias?", ela perguntou.

"Não deve levar mais que duas semanas. Oh, como vou ficar feliz e orgulhosa se for aceita!"

"Claro que vai ser aceita, e provavelmente vão pedir que você mande mais. Você pode ser tão famosa quanto a Sra. Morgan algum dia, Anne, e então, como vou ficar orgulhosa de conhecer você", disse Diana, que possuía, pelo menos, o mérito notável de uma admiração desinteressada pelos dons e graças de seus amigos.

Uma semana de sonhos adoráveis se passou, e depois veio um despertar amargo. Em uma tarde, Diana encontrou Anne na varanda com olhos de aparência suspeita. Na mesa estava um longo envelope e um manuscrito amassado.

"Anne, sua história não voltou?", exclamou Diana, incrédula.

"Sim, voltou", disse Anne em poucas palavras.

"Bem, aquele editor deve ser maluco. Que razão ele deu?"

"Razão nenhuma. Tem apenas um bilhete impresso dizendo que não foi considerada aceitável."

"Nunca gostei muito daquela revista de qualquer jeito", disse Diana calorosamente. "As histórias nela não são tão interessantes quanto as da *Canadian Woman,* embora ela seja bem mais cara. Imagino que o editor tenha preconceito em relação a qualquer um que não seja um ianque. Não desanime, Anne. Lembre-se de como as histórias da Sra. Morgan voltaram. Mande a sua para a *Canadian Woman.*"

"Acho que vou fazer isso", disse Anne, arranjando coragem. "E, se for publicada, vou enviar uma cópia para aquele editor americano. Mas vou tirar o pôr do sol. Acho que o Sr. Harrison estava certo."

E o pôr do sol saiu; mas apesar daquela mutilação heroica, o editor da *Canadian Woman* enviou "A Reparação de Averil" de volta tão prontamente que a indignada Diana declarou que era impossível que tivessem lido, e jurou que cancelaria sua inscrição imediatamente. Anne aceitou a segunda rejeição com a calma do desespero. Ela guardou a história no baú do sótão, onde os contos do Clube de Histórias repousavam; antes disso, porém, cedeu às súplicas de Diana e lhe deu uma cópia.

"Este é o fim das minhas ambições literárias", ela disse amargamente.

Ela nunca mencionou o assunto ao Sr. Harrison, mas em uma tarde ele perguntou bruscamente se a história dela tinha sido aceita.

"Não, o editor não quis", ela respondeu brevemente.

O Sr. Harrison olhou de lado para o perfil corado e delicado.

"Bem, imagino que você vai ter que continuar escrevendo", ele disse, encorajando-a.

"Não, nunca mais vou tentar escrever uma história de novo", declarou Anne, com a falta de esperança de caráter definitivo típica dos 19 anos, quando uma porta se fecha.

"Eu não desistiria de uma vez", disse o Sr. Harrison, refletindo. "Eu escreveria uma história de vez em quando, mas não incomodaria os editores com ela. Eu escreveria sobre pessoas e lugares como os que eu conheço, faria meus personagens falarem o inglês do dia a dia e deixaria o sol nascer e se pôr do jeito calmo de sempre, sem muito alarde sobre o fato. Se eu fosse ter vilões, eu lhes daria uma chance, Anne — eu lhes daria uma chance. Há alguns homens terrivelmente ruins no mundo, eu imagino, mas você teria que andar muito para encontrá-los — embora a Sra. Lynde ache que somos todos ruins. A maioria de nós, porém, tem um pouco de decência em algum lugar aqui dentro. Continue escrevendo, Anne."

"Não. Foi muita tolice minha tentar. Quando eu tiver acabado Redmond, vou me contentar em ensinar. Eu sei ensinar. Não sei escrever histórias."

"Vai ser hora de arranjar um marido quando tiver acabado Redmond", disse o Sr. Harrison. "Não acredito em adiar muito o casamento, como eu fiz."

Anne levantou e marchou para casa. Havia momentos em que o Sr. Harrison era realmente intolerável. "Acabar com alguém", "sonhar acordado" e "arranjar um marido." Ai!!

## CAPÍTULO XIII
# O Caminho dos Transgressores

Davy e Dora estavam prontos para a escola dominical. Eles estavam indo sozinhos, o que não acontecia com frequência, pois a Sra. Lynde sempre frequentava a escola dominical. Mas a Sra. Lynde tinha torcido o tornozelo e estava mancando, então ficaria em casa naquela manhã. Os gêmeos também deveriam representar a família na igreja, pois Anne tinha saído na tarde anterior para passar o domingo com os amigos em Carmody, e Marilla estava com uma de suas dores de cabeça.

Davy desceu lentamente. Dora estava esperando por ele no corredor, depois de ter sido arrumada pela Sra. Lynde. Davy tinha cuidado de seus próprios preparativos. Ele tinha um centavo em seu bolso para a oferenda da escola dominical e uma moeda de cinco centavos para a oferenda da igreja. Ele carregava sua *Bíblia* em uma mão e seu livro da escola dominical na outra. Ele sabia a lição, os Versículos de Ouro e as questões do catecismo perfeitamente. Ele não tinha estudado tudo — forçosamente — na cozinha da Sra. Lynde durante toda a tarde de domingo? Davy, portanto, deveria estar em um estado de espírito plácido. Mas, na verdade, apesar dos versículos e do catecismo, ele era internamente um lobo voraz.

A Sra. Lynde mancou para fora de sua cozinha no momento em que ele se juntou a Dora.

"Você está limpo?", ela perguntou severamente.

"Sim, em toda parte que dá para ver", respondeu Davy com uma careta desafiadora.

A Sra. Rachel suspirou. Ela tinha suas suspeitas sobre o pescoço e as orelhas de Davy, mas sabia que se tentasse fazer um exame pessoal, Davy provavelmente correria e ela não poderia persegui-lo hoje.

"Bem, acho bom se comportarem", ela avisou. "Não andem na poeira. Não parem na entrada para conversar com as outras crianças. Não fiquem esperneando ou se contorcendo em seus lugares. Não se esqueçam dos Versículos de Ouro. Não percam o dinheiro da oferenda, nem esqueçam de colocá-lo. Não cochichem durante a oração e não se esqueçam de prestar atenção ao sermão."

Davy não se dignou a responder. Ele marchou para fora em direção à estrada, seguido pela submissa Dora. Mas sua alma fervilhava por dentro. Davy havia sofrido, ou pensava ter sofrido, muitas coisas nas mãos e na língua da Sra. Rachel Lynde desde que ela tinha vindo para Green Gables, pois a Sra. Lynde não poderia viver com ninguém, tivessem eles 9 ou 90 anos, sem tentar educá-los corretamente. E na tarde anterior ela tinha interferido para influenciar Marilla a proibir Davy de ir pescar com Timothy Cotton. Davy ainda estava fervendo por causa daquilo.

Assim que ele saiu da estrada, Davy parou e retorceu seu semblante em uma careta tão sobrenatural e terrível que Dora, embora soubesse de seus dons naquele quesito, ficou honestamente alarmada com o fato de que ele nunca mais na vida fosse capaz de ficar com o rosto no lugar.

"Ela que se dane", explodiu Davy.

"Oh, Davy, não pragueje", ofegou Dora em desespero.

"Danar não é praguejar... não de verdade. E não me importo se for", retrucou Davy irresponsavelmente.

"Bem, se você PRECISA dizer palavras horríveis, não faça isso no domingo", implorou Dora.

Davy ainda estava longe de se arrepender, mas dentro de sua alma ele sentiu que, talvez, tivesse ido um pouco longe demais.

"Vou inventar uma palavra feia eu mesmo", ele declarou.

"Deus vai puni-lo se disser isso", afirmou Dora solenemente.

"Então, vou pensar que Deus é um velho patife", retrucou Davy. "Ele não sabe que um rapaz precisa ter um jeito de expressar seus sentimentos?"

"Davy!!!", disse Dora. Ela esperava que Davy fosse cair morto naquele mesmo instante. Mas nada aconteceu.

"De qualquer forma, não vou mais suportar a Sra. Lynde mandando em mim", resmungou Davy. "Anne e Marilla podem ter o direito de mandar em mim, mas ELA não tem. Vou fazer tudo o que ela me disse para não fazer. Pode esperar para ver."

Em um sombrio e deliberado silêncio, enquanto Dora o observava com a fascinação do horror, Davy saiu da grama verde da beira da estrada, entrou até os tornozelos na bela poeira que três semanas de tempo sem chuva haviam deixado na estrada, e marchou por ela, remexendo os pés violentamente até estar envolto em uma nuvem turva.

"Esse é o começo", ele anunciou, triunfal. "E vou parar na entrada e falar até não ter mais ninguém com quem conversar. Vou espernear, me contorcer, cochichar e vou falar que não sei os Versículos de Ouro. E vou jogar fora o dinheiro das duas oferendas AGORA MESMO."

E Davy arremessou as duas moedas sobre a cerca do Sr. Barry com um prazer feroz.

"Satanás fez você fazer isso", disse Dora, reprovadora.

"Não fez", exclamou Davy, indignado. "Eu mesmo pensei nisso. E pensei em mais uma coisa. Não vou nem para a escola dominical nem para a igreja coisa nenhuma. Vou brincar com os Cotton. Eles me disseram ontem que não iriam para a escola dominical hoje porque a mãe deles estava fora e não tinha ninguém para obrigá-los. Venha, Dora, nós vamos nos divertir muito."

"Não quero ir", protestou Dora.

"Você tem que ir", disse Davy. "Se não vier, vou contar para Marilla que Frank Bell beijou você na escola na segunda-feira."

"Não foi culpa minha. Eu não sabia que ele ia fazer aquilo", chorou Dora, ficando vermelha.

"Bem, você não bateu nele nem pareceu brava", retrucou Davy. "Vou contar ISSO também, se não vier. Vamos pegar o atalho neste campo."

"Tenho medo daquelas vacas", protestou a pobre Dora, vendo uma esperança de escapar.

"A ideia de você estar com medo daquelas vacas", ridicularizou Davy. "Ora, as duas são mais novas que você."

"São maiores que eu", disse Dora.

"Elas não vão machucar você. Vamos logo. Isso é ótimo. Quando eu crescer, não vou me incomodar em ir à igreja. Eu acredito que posso ir para o céu sozinho."

"Você vai para o outro lugar se quebrar o dia de domingo", disse a infeliz Dora, seguindo-o dolorosamente contra sua vontade.

Mas Davy não estava com medo — ainda. Ele estava muito longe disso e os prazeres da expedição de pesca com os Cotton estavam muito próximos. Ele desejou que Dora fosse mais corajosa. Ela continuava a olhar para trás como se fosse chorar a cada minuto, e aquilo arruinava a diversão de um rapaz. Era melhor deixar as meninas para lá, afinal. Davy não disse "dane-se" daquela vez, mesmo em pensamento. Ele não estava arrependido — ainda — de ter dito uma vez, mas era melhor não tentar os Poderes Desconhecidos demais em um só dia.

Os pequenos Cotton estavam brincando em seu quintal e saudaram a aparição de Davy com gritos de alegria. Pete, Tommy, Adolphus e Mirabel Cotton estavam sozinhos. Sua mãe e irmãs mais velhas estavam fora. Dora ficou grata por Mirabel estar ali, pelo menos. Ela estava com medo de ficar sozinha com um bando de meninos. Mirabel era quase tão ruim quanto um menino — ela era tão barulhenta, queimada de sol e rebelde. Mas pelo menos usava um vestido.

"Nós viemos pescar", anunciou Davy.

"Eba", gritaram os Cotton. Eles correram para desenterrar minhocas imediatamente, Mirabel liderando o grupo com uma lata de alumínio. Dora poderia ter se sentado e chorado. Oh, se ao menos aquele odioso Frank Bell nunca a tivesse beijado! Então, ela poderia ter desafiado Davy e ido à sua amada escola dominical.

Eles não ousaram, é claro, ir pescar na lagoa, onde seriam vistos pelas pessoas indo à igreja. Eles precisaram recorrer ao riacho no bosque atrás da casa dos Cotton. Mas ele estava cheio de trutas e eles tiveram momentos gloriosos naquela manhã — pelo menos os Cotton certamente tiveram, e Davy pareceu ter. Não sendo completamente desprovido de prudência, ele tinha retirado as botas e as meias e pegado um macacão de Tommy Cotton emprestado. Portanto, brejo, pântano e matagal não representavam riscos a ele. Dora estava franca e manifestadamente infeliz. Ela seguiu os outros em suas peregrinações de nascente em nascente, apertando sua *Bíblia* e livro de catecismo firmemente e pensando com a alma amarga em sua amada sala, onde estaria sentada naquele exato momento, diante de uma professora que ela adorava. Em vez disso, lá estava ela, perambulando pelo bosque com aqueles Cotton selvagens, tentando manter seus sapatos limpos e seu lindo vestido branco livre de rasgos e manchas. Mirabel havia oferecido o empréstimo de um avental, mas Dora recusou com desdém.

As trutas foram fisgadas como sempre acontecia aos domingos. Em uma hora, os transgressores tinham todo o peixe que queriam, então, retornaram para casa, para alívio de Dora. Ela sentou-se empertigada na casinha das galinhas do quintal enquanto os outros brincavam de um jogo barulhento de pega-pega. Depois, todos escalaram até o topo do telhado do chiqueiro e gravaram suas iniciais na madeira. O galinheiro de telhado reto e uma pilha de palha embaixo dele deram a Davy outra inspiração. Eles passaram uma meia hora esplêndida escalando até o telhado e mergulhando na palha com gritos e berros.

Mas até prazeres ilícitos devem chegar a um fim. Quando o barulho das rodas sobre a ponte do riacho anunciou que as pessoas estavam voltando da igreja para casa, Davy soube que precisava ir. Ele descartou o macacão de Tommy, retomou os próprios legítimos trajes e afastou-se de sua linha de trutas com um suspiro. Não adiantava pensar em levá-las para casa.

"Bem, não nos divertimos muito?", perguntou ele desafiadoramente, enquanto desciam pela colina.

"Eu não", disse Dora categoricamente. "E acredito que você também não... não de verdade", ela acrescentou, com um momento de percepção que não seria esperado dela.

"Me diverti sim", exclamou Davy, mas com um tom de voz de quem protesta demais. "Não é nenhuma surpresa você não ter se divertido, ficou sentada lá como... como uma mula."

"Eu não vou me associar aos Cotton", disse Dora arrogantemente.

"Os Cotton são gente boa", retrucou Davy. "E eles se divertem muito mais que nós. Eles fazem o que querem e dizem o que querem na frente de todo mundo. EU vou fazer isso também depois de hoje."

"Tem um monte de coisas que você não ousaria dizer na frente de todo mundo", afirmou Dora.

"Não tem não."

"Tem sim", disse Dora seriamente, "você falaria 'garanhão' na frente do pastor?"

Aquilo foi um golpe baixo. Davy não estava preparado para um exemplo tão concreto da liberdade de expressão. Mas não era preciso ser consistente com Dora.

"Claro que não", ele admitiu, mal-humorado. "'Garanhão' não é uma palavra santa. Eu não teria mencionado um animal desses na frente de um pastor de jeito nenhum."

"Mas e se precisasse fazer isso?", insistiu Dora.

"Eu chamaria de cavalo", disse Davy.

"EU acho que 'corcel' seria muito mais educado", refletiu Dora.

"VOCÊ acha!", retrucou Davy com um desprezo fulminante.

Davy não estava se sentindo confortável, embora tivesse preferido morrer a admitir aquilo a Dora. Agora que a euforia dos encantos das trutas havia passado, a consciência dele estava começando a lhe dar pontadas saudáveis. Afinal, talvez tivesse sido melhor ter ido à igreja e à escola dominical. A Sra. Lynde poderia ser mandona; mas sempre havia uma caixa de biscoitos no armário da cozinha dela e ela não era mesquinha. Naquele momento inconveniente, Davy lembrou-se de que, quando ele tinha rasgado suas calças novas da escola, na semana anterior, a Sra. Lynde as havia consertado lindamente e não tinha dito uma só palavra a Marilla sobre o assunto.

Mas a taça de iniquidade de Davy ainda não estava cheia. Ele descobriria que um pecado exige outro para acobertá-lo. Eles almoçaram com a Sra. Lynde naquele dia e a primeira coisa que ela perguntou a Davy foi:

"Toda a sua turma estava na escola dominical hoje?"

"Sim, senhora", disse Davy, engolindo. "Todos estavam lá, menos um."

"Você recitou os Versículos de Ouro e o catecismo?"

"Sim, senhora."

"Você colocou o dinheiro da oferenda?"

"Sim, senhora."

"A Sra. Malcolm MacPherson estava na igreja?"

"Não sei". Aquilo, pelo menos, era verdade, pensou o desprezível Davy.

"O Auxílio das Damas foi anunciado para a semana que vem?"

"Sim, senhora", tremendo.

"O grupo de oração se reuniu?"

"Eu... eu não sei."

"VOCÊ deveria saber. Você deveria ouvir os anúncios com mais atenção. Qual foi a pregação do Sr. Harvey?"

Davy tomou um gole desesperado de água e engoliu junto com seu último protesto de consciência. Ele prontamente recitou um Versículo de Ouro aprendido muitas semanas atrás. Felizmente, a Sra. Lynde parou de questioná-lo; mas Davy não aproveitou seu jantar.

Ele conseguiu comer apenas um pedaço de pudim.

"Qual o problema com você?", quis saber a devidamente assombrada Sra. Lynde. "Está doente?"

"Não", balbuciou Davy.

"Você parece pálido. É melhor ficar longe do sol hoje à tarde", repreendeu a Sra. Lynde.

"Sabe quantas mentiras você contou à Sra. Lynde?", perguntou Dora, reprovadora, assim que ficaram sozinhos depois do almoço.

Davy, instigado pelo desespero, ficou furioso.

"Não sei e não me importo", disse ele. "Cale a boca, Dora Keith."

Então, o pobre Davy retirou-se para um refúgio atrás da pilha de madeira para pensar sobre o caminho dos transgressores.

Green Gables estava envolta na escuridão e no silêncio quando Anne voltou para casa. Ela não perdeu tempo em ir para a cama, pois estava muito cansada e sonolenta. Tinham acontecido muitas comemorações na semana anterior, envolvendo altas horas. A cabeça de Anne havia caído no travesseiro assim que ela pegou no sono; mas naquele instante, sua porta foi suavemente aberta por uma voz suplicante dizendo "Anne".

Anne sentou-se, sonolenta.

"Davy, é você? Qual é o problema?"

Uma figura vestida de branco atirou-se pelo chão em cima da cama.

"Anne", soluçou Davy, pondo os braços ao redor de seu pescoço. "Fico tão feliz por você estar em casa. Eu não podia dormir sem contar a alguém."

"Contar a alguém o quê?"

"Como eu estou triste."

"Por que você está triste, querido?"

"Porque eu fui muito mau hoje, Anne. Oh, eu fui terrível... Mais terrível do que nunca."

"O que você fez?"

"Oh, tenho medo de lhe contar. Você nunca mais vai gostar de mim, Anne. Não consegui fazer minhas orações hoje à noite. Eu não podia contar a Deus o que eu tinha feito. Fiquei com vergonha de que Ele soubesse."

"Mas Ele já sabia mesmo assim, Davy."

"Foi o que Dora disse. Mas pensei que talvez Ele não tivesse percebido naquela hora. Mesmo assim, prefiro contar para você primeiro."

"O QUE é que você fez?"

E saiu tudo de uma vez.

"Eu fugi da escola dominical... e fui pescar com os Cotton... e contei um monte de lorotas para a Sra. Lynde... oh! Mais de uma dúzia... e... e... eu... eu falei uma palavra feia, Anne, quase uma palavra feia na verdade , e chamei Deus de umas coisas."

Houve silêncio. Davy não sabia o que achar daquilo. Anne estava tão chocada que nunca mais falaria com ele novamente?

"Anne, o que você vai fazer comigo?", ele sussurrou.

"Nada, querido. Você já foi punido, eu creio."

"Não, não fui. Nada aconteceu comigo."

"Você ficou infeliz desde que fez as coisas erradas, não foi?"

"Pode apostar!", disse Davy enfaticamente.

"Isso foi a sua consciência punindo você, Davy."

"O que é a minha consciência? Queria saber."

"É algo dentro de você, Davy, que lhe diz quando está fazendo algo errado e lhe deixa infeliz quando insiste em fazer aquilo. Não percebeu?"

"Sim, mas não sabia o que era. Eu não queria não ter isso. Seria bem mais divertido. Onde está a minha consciência, Anne? Queria saber. Está na minha barriga?"

"Não, está na sua alma", disse Anne, grata pela escuridão, já que a seriedade deveria ser preservada em assuntos sérios.

"Imagino que não consiga me livrar dela, então", disse Davy com um suspiro. "Você vai contar à Marilla e à Sra. Lynde o que eu fiz, Anne?"

"Não, querido, não vou contar a ninguém. Você está arrependido de ter sido malvado, não está?"

"Pode apostar!"

"E nunca mais vai ser mau assim de novo."

"Não, mas...", acrescentou Davy cautelosamente. "Posso ser mau de outro jeito."

"Não vai dizer palavras feias, fugir nos domingos ou contar mentiras para acobertar seus pecados?"

"Não. Não compensa", disse Davy.

"Bem, Davy, apenas conte a Deus que está arrependido e peça a Ele para perdoá-lo."

"VOCÊ me perdoou, Anne?"

"Sim, querido."

"Então", disse Davy alegremente. "Não me importo muito se Deus vai me perdoar ou não."

"Davy!"

"Oh, vou pedir perdão a Ele, vou pedir", disse Davy, rapidamente, rastejando para fora da cama, convencido pelo tom de Anne de que devia ter dito algo terrível. "Eu não me importo de pedir perdão a Ele, Anne. Por favor, Deus, sinto muito ter me comportado mal hoje, vou tentar ser sempre bom aos domingos e, por favor, me perdoe. Aí está, Anne."

"Bem, agora vá para a cama como um bom menino."

"Tudo bem. Não estou mais triste. Estou bem. Boa noite."

"Boa noite."

Anne caiu em cima dos travesseiros com um suspiro de alívio. Oh, como ela estava com sono! Em um segundo:

"Anne!". Davy estava de volta ao lado de sua cama. Anne abriu os olhos com esforço.

"O que é agora, querido?", perguntou ela, tentando manter uma nota de impaciência longe de sua voz.

"Anne, você já notou como o Sr. Harrison cospe? Você acha que, se eu praticar bastante, posso aprender a cuspir como ele?"

Anne sentou-se.

"Davy Keith", disse ela, "vá já para a cama e não me deixe pegar você fora dela de novo esta noite! Vá agora!"

Davy foi e não desobedeceu a ordem.

## CAPÍTULO XIV
# A invocação

Anne estava sentada com Ruby Gillis no jardim dos Gillis depois de o dia ter se infiltrado demoradamente através dele e partido. Tinha sido uma tarde quente e esfumaçada de verão. O mundo estava florescendo em esplendor. Os vales ociosos estavam cheios de névoa. Os bosques estavam repletos de sombras e os campos da cor púrpura dos ásteres.

Anne havia desistido de um passeio sob o luar até a praia de White Sands para passar a tarde com Ruby. Ela tinha passado muitas naquele verão, embora ela se perguntasse que bem poderia fazer e às vezes fosse para casa decidida a não voltar.

Ruby ficava mais pálida conforme o verão desvanecia. A escola de White Sands foi cedida — "o pai dela achava que era melhor ela não lecionar até o Ano Novo" — e o artesanato que ela amava cada vez mais caía de suas mãos, cansadas demais para ele. Mas ela estava sempre alegre, sempre esperançosa, sempre conversando e cochichando sobre seus pretendentes, suas rivalidades e desesperos. Era aquilo que tornava as visitas de Anne tão difíceis. O que antes tinha sido bobo ou engraçado era horripilante agora; era a morte espiando através de uma máscara obstinada de vida. Ainda assim, Ruby parecia se agarrar a ela, e nunca a deixava até ela prometer voltar logo. A Sra. Lynde queixava-se sobre as visitas frequentes de Anne e anunciava que ela pegaria tuberculose; até Marilla estava incerta.

"Cada vez que vai visitar Ruby, você volta para casa parecendo cansada", ela disse.

"É tão triste e assustador", disse Anne em um tom baixo. "Ruby não parece perceber a condição dela de jeito nenhum. E ainda assim, de alguma forma, sinto que ela precisa de ajuda — deseja ajuda — e quero dar a ela e não posso. O tempo todo em que fico com ela sinto que estou assistindo à sua luta com um inimigo invisível — tentando empurrá-lo com a resistência debilitada dela. É por isso que eu volto para casa cansada."

Mas, naquela noite, Anne não sentiu aquilo tão profundamente. Ruby estava estranhamente quieta. Ela não disse nenhuma palavra sobre festas, passeios, vestidos ou rapazes. Ela estava deitada na rede, com seu trabalho intocado ao lado, e um xale branco em volta de seus ombros magros. Suas longas tranças amarelas — como Anne tinha invejado aquelas lindas tranças na época da escola! — estavam caídas uma de cada lado. Ruby tinha tirado os grampos — eles faziam sua cabeça doer, ela disse. O rubor frenético havia sumido por um momento, deixando-a pálida e infantil.

A lua ergueu-se no céu prateado, perolando as nuvens ao seu redor. Abaixo, a lagoa brilhava em seu esplendor nebuloso. Logo depois da casa dos Gillis estava a igreja, com o velho cemitério ao lado dela. O luar brilhou nas pedras brancas, destacando-as em seu relevo bem definido em relação às árvores escuras ao fundo.

"Como o cemitério parece estranho sob o luar!", disse Ruby subitamente. "Tão fantasmagórico!", acrescentou, estremecendo. "Anne, não vai demorar muito agora para eu ir morar lá. Você e Diana e todo o resto vão estar andando por aí, cheios de vida, e eu vou estar lá... no velho cemitério... morta!"

A surpresa daquilo desconcertou Anne. Por alguns segundos ela não conseguiu falar.

"Você sabe que vai ser assim, não sabe?", disse Ruby insistentemente.

"Sim, eu sei", respondeu Anne em voz baixa. "Querida Ruby, eu sei."

"Todos sabem", afirmou Ruby amargamente. "Eu sei... soube o verão inteiro, apesar de não querer ceder. E, oh, Anne" — ela alcançou e pegou a mão de Anne apelativa, impulsivamente —, "eu não quero morrer. Tenho MEDO de morrer."

"Por que deveria ter medo, Ruby?", perguntou Anne calmamente.

"Porque... porque... oh, eu não tenho medo de não ir para o paraíso, Anne. Sou membro da igreja. Mas vai ser tudo tão diferente. Eu penso... e penso... e fico tão assustada... e... e... com saudades de casa. O paraíso deve ser muito lindo, é claro, a *Bíblia* diz isso, mas, Anne, NÃO VAI SER DO JEITO QUE ESTOU ACOSTUMADA."

Embora a mente de Anne tenha divagado para uma lembrança intrusa de uma história divertida que ela tinha ouvido Philippa Gordon contar — a história de um velho que tinha dito a mesma coisa sobre o mundo que há de vir — a frase soou engraçada naquele momento — ela lembrou-se de como Priscilla havia rido daquilo. Mas não parecia nem um pouco humorística agora, vindo dos lábios pálidos e trêmulos de Ruby. Era triste, trágico... e verdadeiro! O paraíso não poderia ser do jeito que Ruby estava acostumada. Não havia nada em sua vida alegre e frívola, em seus ideais e aspirações superficiais para prepará-la para aquela grande mudança, ou fazer a vida por vir parecer a ela nada além de estranha, irreal e indesejável. Anne perguntou-se impotentemente o que poderia dizer para ajudá-la. Ela poderia dizer alguma coisa? "Eu acho, Ruby" — ela começou hesitantemente, pois era difícil para Anne falar para alguém sobre os pensamentos mais profundos de seu coração, ou sobre as novas ideias que tinham vagamente começado a se formar em sua mente, em relação aos grandes mistérios da vida aqui e além, superando suas velhas concepções infantis, e era ainda mais difícil falar sobre aquilo com alguém como Ruby Gillis —, "acho que, talvez, nós tenhamos ideias muito erradas sobre o paraíso, o que é e o que tem para nós. Não acho que pode ser muito diferente da vida aqui, como a maioria das pessoas parece achar. Eu acredito que vamos apenas continuar vivendo, de um modo bastante parecido com que vivemos aqui — e sermos NÓS PRÓPRIOS os mesmos —, apenas será mais fácil ser bom e seguir a Deus. Todos os obstáculos e perplexidades desaparecerão e veremos claramente. Não tenha medo, Ruby."

"Não consigo evitar", lamentou-se. "Mesmo se o que você diz sobre o paraíso for verdade — e você não pode ter certeza — pode ser apenas essa sua imaginação — não será a MESMA coisa. Não PODE ser. Eu quero continuar vivendo AQUI. Sou tão jovem, Anne. Ainda não vivi minha vida. Eu lutei tanto para viver... e não adiantou nada... e tenho que morrer... e deixar TUDO que amo." Anne sentou-se com uma dor que era quase insuportável. Ela não podia contar mentiras reconfortantes; e tudo que Ruby tinha dito era tão terrivelmente verdadeiro. Ela ESTAVA deixando tudo que amava. Ela havia acumulado seus tesouros apenas na terra; havia vivido apenas para as coisas pequenas da vida — as coisas que passam —, esquecendo-se das grandes coisas que continuam pela eternidade, fazendo uma ponte sobre o vão entre as duas vidas e tornando a morte apenas uma passagem de um lugar para o outro, do crepúsculo para um dia sem nuvens. Deus tomaria conta dela lá — Anne acreditava —, ela aprenderia, mas agora não era nenhuma surpresa sua alma se apegar, em um desespero cego, às únicas coisas que conhecia e amava.

Ruby ergueu-se em um braço e ergueu seus brilhantes e lindos olhos azuis para o céu enluarado.

"Quero viver", ela disse, com uma voz trêmula. "Quero viver como as outras garotas. Eu... eu quero me casar, Anne... e... e... ter filhos. Você sabe como sempre amei bebês, Anne, eu não poderia dizer a mais ninguém a não ser você. Sei que você entende. E o pobre Herb... ele... ele me ama e eu o amo, Anne. Os outros não significam nada para mim, mas ELE sim... e, se eu pudesse viver, seria esposa dele e seria tão feliz. Oh, Anne, é difícil."

Ruby afundou de volta nos travesseiros e soluçou convulsivamente. Anne pressionou sua mão em uma agonia de simpatia, simpatia silenciosa, que talvez tenha ajudado Ruby mais do que palavras quebradas e imperfeitas teriam feito; pois naquele instante ela ficou mais calma e seus soluços pararam.

"Fico feliz por ter lhe contado isso, Anne", ela sussurrou. "Só dizer tudo em voz alta já me ajudou. Eu quis fazer isso o verão inteiro, todas as vezes que você veio. Eu queria falar com você, mas NÃO PODIA. Parecia que faria a morte ter CERTEZA se eu DISSESSE que ia morrer ou se qualquer outra pessoa dissesse ou desse a entender isso. Eu não dizia nem pensava nisso. Durante o dia, quando as pessoas estavam ao meu redor e tudo estava animado, não era tão difícil deixar de pensar nisso. Mas à noite, quando eu não conseguia dormir, era tão terrível, Anne. Eu não conseguia escapar. A morte vinha e me encarava nos olhos, até eu ficar com tanto medo que poderia gritar."

"Mas você não está mais com medo, está, Ruby? Você vai ser corajosa e acreditar que tudo vai ficar bem com você."

"Vou tentar. Vou pensar no que você disse e tentar acreditar nisso. E você vai vir sempre que puder, não vai, Anne?"

"Sim, querida."

"Não... não vai demorar muito, Anne. Tenho certeza disso. E eu preferiria ter você a qualquer outra pessoa. Sempre gostei mais de você que de todas as outras meninas com quem estudei na escola. Você nunca foi invejosa ou malvada, como algumas delas eram. A pobre Em White veio me ver ontem. Você se lembra de como Em e eu fomos amigas por três anos quando estávamos na escola? E depois brigamos na apresentação da escola. Nunca mais nos falamos desde então. Não foi idiota? Qualquer coisa assim parece idiota AGORA. Mas Em e eu resolvemos a velha briga ontem. Ela disse que teria falado comigo há anos, mas pensou que eu não queria. E eu nunca falei com ela porque tinha certeza de que ela não falaria comigo. Não é estranho como as pessoas entendem mal umas às outras, Anne?"

"A maior parte dos problemas na vida vem de mal-entendidos, eu acho", disse Anne. "Preciso ir agora, Ruby. Está ficando tarde... e você não deveria estar no sereno."

"Você vai voltar logo."

"Sim, logo, logo. E, se houver qualquer coisa que eu possa fazer para ajudar você, ficarei feliz por isso."

"Eu sei. Você JÁ me ajudou. Nada parece tão terrível agora. Boa noite, Anne."

"Boa noite, querida."

Anne andou para casa bem devagar sob o luar. A noite havia mudado alguma coisa nela. A vida tinha um significado diferente, um propósito maior. Na superfície, tudo continuaria do mesmo jeito; mas o fundo tinha sido remexido. Não seria com ela do jeito que estava sendo com a pobre borboleta Ruby. Quando ela chegasse ao fim da vida, não seria para encarar a próxima com o terror entorpecente de algo completamente diferente, algo para o qual o pensamento, os ideais e as aspirações habituais a tinham incapacitado. As pequenas coisas da vida, doces e excelentes por si só, não deveriam ser coisas pelas quais viver; Deus deveria ser buscado e seguido; a vida no paraíso deveria começar aqui na terra.

Aquela bela noite no jardim ficou para a eternidade. Anne nunca mais viu Ruby com vida novamente. Na noite seguinte, a SMVA deu uma festa de despedida para Jane Andrews antes de sua partida para o oeste. E, enquanto pés leves dançavam, olhos brilhantes riam e bocas alegres conversavam, chegou a invocação de uma alma em Avonlea que não poderia ser ignorada ou evitada. Na manhã seguinte, a informação de que Ruby Gillis estava morta passou de casa em casa. Ela havia morrido enquanto dormia, sem dor e calmamente, e em seu rosto estava um sorriso, como se, afinal, a morte tivesse vindo como uma amiga gentil para guiá-la através da porta, em vez do fantasma medonho que ela havia temido.

A Sra. Rachel Lynde disse enfaticamente depois do funeral que Ruby Gillis era o cadáver mais lindo que ela já tinha visto. Sua doçura, enquanto estava deitada, vestida de branco, entre as delicadas flores que Anne havia colocado à sua volta, foi lembrada e mencionada por anos em Avonlea. Ruby sempre foi linda; mas sua beleza tinha sido da terra, mundana; ela possuía uma certa qualidade insolente, como se estivesse se exibindo para os olhos do espectador; o espírito nunca havia brilhado através dela, o intelecto nunca a tinha refinado. Mas a morte havia tocado nela e a consagrado, destacando o delicado modelo e a pureza dos traços nunca vistos antes, fazendo o que a vida, o amor, grandes sofrimentos e profundas alegrias de mulher poderiam ter feito por Ruby. Anne, olhando para baixo, através de uma névoa de lágrimas, para sua colega de brincadeiras, pensou que via o rosto que Deus queria que Ruby tivesse, e lembrou-se daquilo para sempre.

A Sra. Gillis chamou Anne à parte para um quarto livre antes que a procissão fúnebre deixasse a casa e deu a ela um pequeno pacote.

"Quero que fique com isso", ela soluçou. "Ruby teria desejado que você ficasse com isso. É o bordado em que ela estava trabalhando. Ainda não está terminado, a agulha está bem onde seus pobres dedinhos a colocaram da última vez, na tarde antes de ela morrer."

"Sempre fica um trabalho inacabado para trás", disse a Sra. Lynde, com lágrimas nos olhos. "Mas eu imagino que sempre haja alguém para terminá-lo."

"Como é difícil compreender que alguém que sempre conhecemos pode realmente estar morto", disse Anne, quando ela e Diana foram andando para casa. "Ruby é a nossa primeira colega de classe a ir. Um por um, mais cedo ou mais tarde, todo o resto de nós a seguiremos."

"Sim, imagino que sim", disse Diana, desconfortável. Ela não queria falar sobre aquilo. Ela teria preferido discutir os detalhes do funeral: o esplêndido caixão de veludo branco que o Sr. Gillis havia insistido em comprar para Ruby — "os Gillises sempre fizeram alarde, mesmo nos funerais", citou a Sra. Rachel Lynde —, o rosto triste de Herb Spencer, o luto incontrolável, histérico, de uma das irmãs de Ruby, mas Anne não queria falar daquelas coisas. Ela parecia perdida num devaneio em que Diana sentiu solitariamente que não tinha lugar nem função.

"Ruby Gillis era uma ótima garota para rir", disse Davy, de repente. "Ela vai rir no paraíso tanto quanto ria em Avonlea, Anne? Eu queria saber."

"Sim, acho que vai", disse Anne.

"Oh, Anne", protestou Diana, com um sorriso bastante chocado.

"Bem, por que não, Diana?", perguntou Anne seriamente. "Você acha que nunca vamos rir no paraíso?"

"Oh! Eu... eu não sei", gaguejou Diana. "Não parece certo, de alguma forma. Você sabe que é terrível rir na igreja."

"Mas o paraíso não será como a igreja... o tempo inteiro", disse Anne.

"Espero que não", disse Davy enfaticamente. "Se for, não quero ir. A igreja é muito chata. De qualquer forma, eu não quero ir por um bom tempo. Quero viver até os 100 anos, como o Sr. Thomas Blewett de White Sands. Ele diz que viveu tanto porque sempre fumou tabaco e isso matou todos os germes. Posso fumar tabaco logo, Anne?"

"Não, Davy, espero que você nunca use tabaco", disse Anne distraidamente.

"Como você vai se sentir se os germes me matarem, então?", perguntou Davy.

## CAPÍTULO XV
# Um sonho de cabeça para baixo

"Só mais uma semana e voltaremos a Redmond", disse Anne. Ela estava feliz pelo pensamento de retornar ao trabalho, às aulas e aos amigos de Redmond. Visões agradáveis também envolviam a Casa da Patty. Havia uma sensação de lar quente e agradável naquele pensamento, mesmo que ela nunca tivesse morado lá.

Mas o verão tinha sido muito feliz também — um momento de viver contente com o sol e o céu de verão; um momento de puro prazer com práticas saudáveis; um momento de renovar e aprofundar as velhas amizades; um momento em que ela tinha aprendido a viver com mais nobreza, a trabalhar com mais paciência, a brincar com mais vivacidade.

"Todas as lições da vida não são aprendidas na faculdade", ela pensou. "A vida ensina em todos os lugares."

Mas, infelizmente, a semana final daquelas férias agradáveis foi arruinada para Anne por um daqueles acontecimentos terríveis que são como um sonho virado de cabeça para baixo.

"Andou escrevendo alguma história ultimamente?", questionou gentilmente o Sr. Harrison em uma tarde, quando Anne estava tomando chá com ele e com a Sra. Harrison.

"Não", respondeu Anne, bastante seca.

"Bem, não quis ofender. A Sra. Hiram Sloane me contou outro dia que um envelope grande endereçado à Companhia Rollings de Fermento em Pó de Montreal havia sido deixado na caixa do correio um mês atrás, e ela suspeitava que alguém estava se candidatando para o prêmio que eles ofereceram para a melhor história que introduzisse o nome do fermento em pó. Ela disse que não estava endereçado com a sua letra, mas achei que talvez fosse você."

"Não mesmo! Eu vi o anúncio da premiação, mas nunca sonhei em competir. Acho que seria simplesmente uma desgraça escrever uma história para divulgar um fermento em pó. Seria quase tão ruim quanto a cerca do anúncio de medicamentos patenteados de Judson Parker."

Assim falou Anne, arrogantemente, pouco sonhando com o vale de humilhação que a aguardava. Naquela mesma tarde, Diana surgiu na varanda de Green Gables, de olhos brilhantes e bochechas rosadas, carregando uma carta.

"Oh, Anne, aqui está uma carta para você. Eu estava no correio, então pensei em trazê-la. Abra rápido. Se for o que eu acho que é, vou ficar louca de felicidade." Anne, confusa, abriu a carta e olhou o conteúdo datilografado.

"Senhorita Anne Shirley,

Green Gables,

Avonlea, Ilha P.E.

"CARA MADAME: Temos o prazer de anunciar que sua charmosa história 'A Reparação de Averil' venceu o prêmio de vinte e cinco dólares oferecido em nossa recente competição. Nós incluímos o cheque nesta carta. Estamos organizando a publicação da história em diversos jornais canadenses proeminentes e também pretendemos publicá-la em forma de panfleto para distribuí-la entre nossos clientes. Agradecemos o interesse que demonstrou em nosso empreendimento.

"Atenciosamente,

"COMPANHIA ROLLINGS DE FERMENTO EM PÓ."

"Não estou entendendo", disse Anne, francamente.

Diana bateu palmas.

"Oh, eu SABIA que venceria o prêmio... eu tinha certeza. EU mandei sua história para a competição, Anne."

"Diana... Barry!"

"Sim, mandei", disse Diana alegremente, empoleirando-se na cama. "Quando vi o anúncio, pensei na sua história no mesmo minuto. Primeiro pensei em pedir a você para enviá-la. Mas depois fiquei com medo de você não mandar... você estava com tão pouca fé. Então, apenas decidi mandar a cópia que você me deu e não disse nada. Além disso, se você não ganhasse o prêmio, nunca saberia e não se sentiria mal por isso, porque as histórias que perdessem não seriam devolvidas, e, se ganhasse, teria uma surpresa encantadora."

Diana não era a mais perspicaz dos mortais, mas naquele momento ela percebeu que Anne não parecia exatamente exultante. A surpresa estava lá, sem dúvida, mas onde estava o encanto?

"Ora, Anne, você não parece nem um pouco satisfeita!", ela exclamou.

Anne imediatamente fabricou um sorriso e o colocou no rosto.

"Claro que eu não poderia me sentir nada além de satisfeita pelo seu desejo generoso de me agradar", ela disse lentamente. "Mas, sabe... estou tão surpresa... não consigo acreditar... e não entendo. Não havia nada na minha história sobre... sobre..." — Anne engasgou um pouco com a palavra — "fermento em pó."

"Oh, EU coloquei isso", disse Diana, tranquila. "Foi fácil como um piscar de olhos... e é claro que a minha experiência em nosso velho Clube de Histórias me ajudou. Você sabe a cena em que Averil faz o bolo? Bem, eu apenas afirmei que ela tinha usado Rollings no bolo e por isso ele ficou tão bom; e então no último parágrafo, em que PER-

CEVAL aperta AVERIL em seus braços e diz 'Querida, os belos anos que estão por vir nos trarão a realização de nossa casa dos sonhos', acrescentei: 'na qual nunca vamos usar nenhum fermento em pó que não seja Rollings'."

"Oh", ofegou a pobre Anne, como se alguém lhe tivesse jogado água fria.

"E você ganhou os vinte e cinco dólares", continuou Diana jubilosamente. "Ora, eu ouvi Priscilla dizer uma vez que a *Canadian Woman* paga apenas cinco dólares por uma história!"

Anne segurou o odioso papel rosado em seus dedos trêmulos.

"Não posso ficar com isso... é seu por direito, Diana. Você enviou a história e fez as alterações. Eu... eu certamente nunca teria enviado. Então você deveria ficar com o cheque."

"Até parece", disse Diana desdenhosamente. "Ora, o que eu fiz não foi nenhum trabalho. A honra de ser amiga da vencedora de um prêmio é suficiente para mim. Bem, preciso ir. Eu deveria ter ido do correio direto para casa porque temos visitas. Mas eu simplesmente precisava vir e ouvir as notícias. Fico tão feliz por você, Anne."

De repente, Anne inclinou-se para a frente, colocou seus braços em volta de Diana e beijou sua bochecha.

"Acho que você é a amiga mais doce e mais verdadeira do mundo, Diana", ela disse com um pequeno tremor na voz, "e garanto a você que fico grata pela intenção do que você fez."

Diana, satisfeita e envergonhada, foi embora, e a pobre Anne, depois de jogar o cheque inocente na gaveta de sua escrivaninha como se fosse dinheiro sujo, jogou-se na cama e chorou lágrimas de vergonha e sensibilidade ultrajada. Oh, ela nunca poderia superar aquilo — nunca!

Gilbert chegou ao anoitecer, transbordando com felicitações, pois ele havia passado no Pomar Slope e ouvido as notícias. Mas suas felicitações morreram em seus lábios ao ver o rosto de Anne.

"Ora, Anne, qual é o problema? Eu esperava encontrar você radiante por ter ganhado o prêmio Rollings. Bom para você!"

"Oh, Gilbert, você não", implorou Anne, em uma voz ATÉ TU BRUTUS. "Eu pensei que VOCÊ entenderia. Não consegue ver como é terrível?"

"Devo confessar que não. O QUE está errado?"

"Tudo", gemeu Anne. "Sinto que fui amaldiçoada para sempre. Como acha que uma mãe se sentiria se encontrasse seu filho tatuado com um anúncio de fermento em pó? É assim que eu me sinto. Eu amava minha pobre e pequena história e a escrevi com o melhor de mim. E é um SACRILÉGIO degradá-la ao nível de um anúncio de fermento em pó. Você não se lembra do que o professor Hamilton costumava nos contar na aula de literatura da Queen's? Ele disse que nós nunca deveríamos escrever uma palavra por um motivo baixo ou indigno, mas sempre nos agarrarmos aos nossos mais altos ideais. O que ele vai pensar quando souber que escrevi uma história para divulgar fermento Rollings? E, oh, quando ficarem sabendo em Redmond! Pense em como vão me provocar e rir de mim!"

"Isso não vai acontecer", disse Gilbert, imaginando desconfortavelmente se era com a opinião daquele maldito rapaz do terceiro ano que Anne estava preocupada. "Os Reds vão pensar o mesmo que eu pensei... que você, sendo como nove em cada dez de nós, não estando sobrecarregada por uma imensa fortuna, havia arranjado esta forma de ganhar um dinheiro honesto para se manter durante o ano. Não vejo nada baixo ou indigno sobre isso, e nada ridículo também. Seria preferível escrever obras-primas da literatura, sem dúvida, mas por enquanto a matrícula e as mensalidades precisam ser pagas."

Aquela visão prática de bom senso do caso animou Anne um pouco. Pelo menos, removeu seu horror de ser zombada, embora a ferida mais profunda de um ideal ultrajado permanecesse.

## CAPÍTULO XVI
# Relacionamentos ajustados

"É o lugar mais caseiro que já vi! É mais caseiro que a minha casa", afirmou Philippa Gordon, olhando ao seu redor com olhos encantados. Elas estavam todas reunidas ao anoitecer na grande sala de estar da Casa da Patty — Anne, Priscilla, Phil, Stella, Tia Jamesina, Rusty, Joseph, a Gata-Sarah, e Gog e Magog. As sombras da luz do fogo estavam dançando nas paredes; os gatos estavam ronronando; e um grande vaso de crisântemos de estufa, enviados para Phil por uma das vítimas, brilhava através do reflexo dourado como uma lua cor de creme.

Fazia três semanas desde que elas tinham se considerado estabelecidas e todas já acreditavam que o experimento seria um sucesso. As primeiras duas semanas depois de seu retorno tinham sido um sucesso; elas estavam ocupadas arrumando suas posses domésticas, organizando seu pequeno estabelecimento e ajustando opiniões diferentes.

Anne não estava muito infeliz por deixar Avonlea quando chegou a hora de retornar à faculdade. Os últimos dias de suas férias não tinham sido agradáveis. Sua história premiada tinha sido publicada nos jornais da ilha; e o Sr. William Blair tinha, em cima do balcão de sua loja, uma grande pilha de panfletos rosa, verdes e amarelos que a continham, e dava um para cada cliente. Ele enviou uma pilha como cortesia para Anne, que prontamente jogou tudo no fogão da cozinha. Sua humilhação era consequência apenas de seus próprios ideais, pois as pessoas de Avonlea achavam esplêndido que ela tivesse ganhado o prêmio. Seus muitos amigos a tinham em consideração com uma admiração sincera; seus poucos inimigos a viam com olhos desdenhosos. Josie Pye dizia que acreditava que Anne Shirley tinha apenas copiado a história; ela tinha certeza de que se lembrava de ter lido aquilo no jornal havia anos. Os Sloanes, que não tinham descoberto ou adivinhado que Charlie tinha sido "recusado", disseram que não achavam que era muito do que se orgulhar; quase qualquer um poderia ter feito aquilo, se tentasse. Tia Atossa disse a Anne que sentia muito por saber que ela tinha adquirido o hábito de escrever romances; ninguém nascido e criado em Avonlea faria aquilo; era nisso que dava adotar órfãos de Deus sabe onde, com Deus sabe que tipo de pais. Até mesmo a Sra. Rachel Lynde estava sombriamente duvidosa sobre a decência de se escrever ficção, embora estivesse quase convencida pelo cheque de vinte e cinco dólares.

"É simplesmente incrível o preço que eles pagam por tantas mentiras, isso sim", ela disse, meio orgulhosa, meio severa.

Apesar de tudo, foi um alívio quando chegou a hora de partir. E era uma felicidade estar de volta a Redmond, uma moça sábia e experiente do segundo ano com diversos amigos para cumprimentar no alegre primeiro dia. Pris, Stella e Gilbert estavam lá, Charlie Sloane, parecendo mais importante do que qualquer rapaz do segundo ano alguma vez pareceu, Phil, com a questão Alec e Alonzo ainda pendente, e Moody Spurgeon MacPherson. Moody Spurgeon tinha lecionado desde que saiu da Queen's, mas sua mãe tinha concluído que já era tempo de ele desistir daquilo e voltar suas atenções para aprender a se tornar pastor. O pobre Moody Spurgeon teve má sorte logo no início de sua trajetória na faculdade. Meia dúzia de veteranos implacáveis, que estavam entre seus companheiros de pensão, voaram em cima dele uma noite e rasparam metade de sua cabeça. Com aquela aparência, o azarado Moody Spurgeon teve que seguir a vida até seu cabelo crescer novamente. Ele contou a Anne amargamente que às vezes tinha suas dúvidas sobre ter mesmo vocação para ser pastor.

Tia Jamesina não chegou até as meninas deixarem a Casa da Patty pronta para ela. A Srta. Patty tinha enviado a chave para Anne, com uma carta que dizia que Gog e Magog estavam guardados em uma caixa embaixo da cama do quarto de hóspedes, mas que podiam ser retirados quando fossem desejados; em uma observação ela acrescentou que esperava que as meninas fossem cuidadosas ao pendurar quadros. A sala de estar tinha sido coberta com papel de parede novo há apenas cinco anos e ela e a Senhorita Maria não queriam mais buracos no papel novo do que fosse absolutamente necessário. Quanto ao resto, ela confiou tudo a Anne.

Como aquelas meninas gostaram de colocar seu ninho em ordem! Como Phil disse, era quase tão bom quanto se casar. Elas tinham a diversão de montar um lar sem o incômodo de um marido. Todas trouxeram algo com elas para enfeitar ou tornar mais confortável a pequena casa. Pris, Phil e Stella tinham pilhas de bibelôs e quadros, os quais elas começaram a pendurar de acordo com seu gosto, em uma desconsideração rebelde quanto ao papel de parede novo da Srta. Patty.

"Vamos cobrir os buracos quando sairmos, querida, ela nunca vai saber", elas disseram quando Anne protestou."

Diana tinha dado a Anne uma almofada de agulhas de pinheiro e a Srta. Ada tinha dado a ela e a Priscilla uma outra assustadora e maravilhosamente bordada. Marilla tinha enviado uma grande caixa de compotas, e vagamente insinuou uma cesta para o Dia de Ação de Graças, e a Sra. Lynde deu a Anne uma colcha de retalhos e emprestou a ela outras cinco.

"Fique com elas", ela disse, autoritária. "É melhor elas serem usadas em vez de ficarem guardadas naquele baú do sótão por meses para serem devoradas."

Nenhuma traça teria se aventurado perto daquelas colchas, pois elas cheiravam tanto a naftalina que precisaram ser penduradas no pomar da Casa da Patty por duas semanas antes que pudessem ser toleradas lá dentro. Na verdade, a aristocrática Avenida Spofford raramente contemplou tal exibição. O ríspido velho milionário que morava ao lado veio querendo comprar a bela colcha vermelha e amarela de "padrão tulipa" que a Sra. Rachel tinha dado a Anne. Ele disse que sua mãe costumava fazer colchas daquele tipo e que, por Jeová, ele queria uma para se lembrar dela. Anne não a vendeu, o que foi uma grande decepção para ele, mas escreveu tudo sobre aquilo para a Sra. Lynde. Aquela altamente gratificada dama respondeu dizendo que tinha uma exatamente como aquela sobrando, então o rei do tabaco conseguiu sua colcha no fim das contas e insistiu em colocá-la em sua cama, para desgosto de sua elegante esposa.

As colchas da Sra. Lynde serviram um propósito muito útil naquele inverno. A Casa da Patty tinha muitas virtudes, mas tinha suas falhas também. Era uma casa muito fria; e, quando as noites de geada vieram, as meninas ficaram muito felizes ao se aconchegarem embaixo das colchas da Sra. Lynde, e esperavam que o empréstimo delas fosse atribuído a ela com justiça. Anne ficou com o quarto azul que havia cobiçado logo que o viu. Priscilla e Stella ficaram com o quarto grande. Phil ficou abençoadamente contente com o quarto pequeno em cima da cozinha; e Tia Jamesina ficou com o quarto do andar de baixo, perto da sala de estar. Rusty inicialmente dormiu na soleira da porta.

Alguns dias depois de sua chegada, Anne, voltando de Redmond para casa, ficou ciente de que as pessoas que ela encontrava a examinavam com um sorriso disfarçado, indulgente. Anne perguntou-se desconfortavelmente qual era o problema com ela. Seu chapéu estava torto? Seu cinto estava solto? Esticando a cabeça para investigar, Anne, pela primeira vez, viu Rusty.

Desfilando ao lado dela, perto de seus calcanhares, estava o espécime mais desamparado da tribo dos gatos que ela já havia contemplado. O animal estava bem longe da fase de filhote, com uma aparência largada, magra, vergonhosa. Pedaços das duas orelhas estavam faltando, um olho estava temporariamente necessitando de conserto, e a papada estava absurdamente inchada. Quanto à cor, se alguma vez um gato preto tivesse sido bem e completamente chamuscado, o resultado teria se assemelhado à tonalidade do pelo do órfão magro, arrastado e disforme.

Anne fez "xô", mas o gato não queria ir. Enquanto ela ficou de pé, ele se sentou nas patas traseiras e olhou para ela de um jeito reprovador com seu único olho bom; quando ela voltou a andar, ele a seguiu. Anne conformou-se com aquela companhia até alcançar o portão da Casa da Patty, que ela friamente fechou na cara dele, agradavelmente supondo que tinha sido a última vez que o veria. Mas quando, quinze minutos depois, Phil abriu a porta, ali estava o gato marrom-enferrujado no degrau. E mais, ele prontamente correu e saltou no colo de Anne com um "miau", meio suplicante, meio triunfal.

"Anne", disse Stella severamente, "este animal é seu?"

"Não, NÃO É", protestou a enojada Anne. "A criatura me seguiu até em casa de algum lugar. Não consegui me livrar dele. Ai, saia daqui. Eu até que gosto bastante de gatos decentes; mas não gosto de bestas com a sua aparência."

O gato, entretanto, recusou-se a sair. Ele calmamente enrolou-se no colo de Anne e começou a ronronar.

"Ele claramente adotou você", riu Priscilla.

"Eu não vou SER adotada", disse Anne, teimosa.

"A pobre criatura está morrendo de fome", disse Phil com pena. "Ora, seus ossos estão quase saindo debaixo da pele."

"Bem, vou dar a ele uma refeição decente e depois disso ele deve voltar para o lugar de onde veio", disse Anne decididamente.

O gato foi alimentado e colocado para fora. Pela manhã, ele ainda estava no degrau da porta. E no degrau da porta ele continuou a se sentar, correndo para dentro sempre que a porta era aberta. Nenhuma recepção fria surtia o menor efeito nele; e em ninguém além de Anne ele prestava a menor atenção. Por compaixão, as meninas o alimentavam; mas, quando uma semana se passou, elas decidiram que algo deveria ser feito. A aparência do gato tinha melhorado. Seu olho e sua bochecha tinham voltado à aparência normal; ele não estava tão magro assim; e tinha sido visto lavando o focinho.

"Ainda assim não podemos ficar com ele", disse Stella. "Tia Jimsie está vindo na semana que vem e vai trazer a Gata-Sarah com ela. Não podemos ficar com dois gatos; e, se ficássemos, Rusty brigaria o tempo inteiro com a Gata-Sarah. Ele é um lutador por natureza. Ele teve uma batalha pesada na noite passada com o gato do rei do tabaco e o derrotou, infantaria e artilharia."

"Precisamos nos livrar dele", concordou Anne, olhando sombriamente para o objeto da discussão, que estava ronronando no tapete em frente à lareira com um ar ingênuo de docilidade. "Mas a questão é... como? Como quatro damas desprotegidas podem se livrar de um gato que não quer sair?"

"Precisamos usar clorofórmio nele", disse Phil bruscamente. "É o jeito mais humano."

"Qual de nós sabe alguma coisa sobre usar clorofórmio em um gato?", perguntou Anne melancolicamente.

"Eu sei, querida. É uma das minhas poucas, tristemente poucas, proezas úteis. Eu já me desfiz de muitos em casa. Você pega um gato de manhã e dá a ele um bom café da manhã. Depois, você pega um saco de estopa velho — tem um na varanda dos fundos —, põe o gato nele e coloca uma caixa de madeira em cima dele. Depois, você pega uma garrafa de clorofórmio, tira a rolha, e escorrega para baixo da borda da caixa. É só colocar algo pesado em cima da caixa e deixar a noite toda. O gato vai estar morto, enrolado pacificamente como se estivesse dormindo. Nenhuma dor, nenhuma luta."

"Parece fácil", disse Anne, em dúvida.

"É fácil. Deixe que eu faça. Você vai ver", disse Phil, tranquilizadora.

Portanto, o clorofórmio foi obtido e, na manhã seguinte, Rusty foi atraído para sua perdição. Ele comeu seu café da manhã, lambeu seus bigodes e subiu no colo de Anne. O coração de Anne a confundiu. Aquela pobre criatura a amava, confiava nela. Como ela poderia fazer parte de sua destruição?

"Aqui, pegue ele", ela disse apressadamente para Phil. "Eu me sinto como uma assassina."

"Ele não vai sofrer, sabe", confortou Phil, mas Anne tinha fugido.

O crime fatal foi cometido na varanda dos fundos. Ninguém passou perto dela naquele dia. Mas, ao anoitecer, Phil declarou que Rusty precisava ser enterrado.

"Pris e Stella devem cavar o túmulo dele no pomar", declarou Phil, "e Anne deve vir comigo para levantar a caixa. Essa é a parte que eu sempre odeio."

As duas conspiradoras foram relutantemente na ponta dos pés até a varanda dos fundos. Phil cuidadosamente levantou a pedra que tinha colocado na caixa. De repente, fraco mas distinto, soou um inconfundível "miau" debaixo da caixa.

"Ele... ele não está morto", gaguejou Anne, sentando-se sem expressão no degrau da cozinha.

"Ele tem que estar", disse Phil, incrédula.

Outro pequeno miau provou que ele não estava. As duas meninas se encararam.

"O que vamos fazer?", questionou Anne.

"Por que é que vocês não vieram?", quis saber Stella, aparecendo na porta. "Nós já estamos com a cova pronta. 'O que as mantém silenciosas?'", ela citou, provocando.

"Oh, não, as vozes dos mortos soam como a queda da torrente distante", citou Anne de volta prontamente, apontando solenemente para a caixa.

Uma explosão de risadas quebrou a tensão.

"Devemos deixá-lo aqui até amanhã de manhã", disse Phil, recolocando a pedra. "Ele não mia há cinco minutos. Talvez os miados que escutamos fossem seus gemidos de morte. Ou talvez nós apenas imaginamos, sob a pressão de nossas consciências culpadas."

Mas, quando a caixa foi levantada de manhã, Rusty deu um grande pulo para o ombro de Anne, onde começou a lamber seu rosto carinhosamente. Nunca houve um gato mais decididamente vivo.

"Tem um buraco na caixa", gemeu Phil. "Eu não tinha visto. É por isso que ele não morreu. Agora vamos ter que fazer tudo de novo."

"Não, não vamos", declarou Anne de repente. "Rusty não vai ser morto de novo. Ele é meu gato... e vocês vão ter que aprender a viver com isso."

"Oh, bem, se você se arranjar com Tia Jimsie e a Gata-Sarah", disse Stella com o ar de quem estava lavando as mãos de toda a situação.

Daquele momento em diante, Rusty foi considerado parte da família. Ele dormia no capacho da varanda dos fundos e vivia o melhor da vida. Quando Tia Jamesina chegou, ele estava gorducho, brilhante e toleravelmente respeitável. Mas, como o gato de Kipling, ele "andava sozinho". Sua pata estava contra todos os gatos, e a pata de todos os gatos estava contra ele. Um por um, ele derrotou os felinos aristocráticos da Avenida Spofford. Quanto aos humanos, ele amava Anne e apenas Anne. Ninguém mais ousava acariciá-lo. Um silvo irritado e algo que soava muito como linguagem imprópria cumprimentava qualquer um que tentasse.

"O jeito que esse gato fica se exibindo é simplesmente insuportável", declarou Stella.

"Ele é um bom e velho gatinho, ele é", jurou Anne, mimando seu gato desafiadoramente.

"Bem, não sei como ele e a Gata-Sarah vão conseguir viver juntos", disse Stella, pessimista. "As brigas de gatos no pomar à noite já são ruins o suficiente. Mas brigas de gatos aqui na sala são inimagináveis."

Em seu devido tempo, Tia Jamesina chegou. Anne, Priscilla e Phil estavam esperando sua chegada com muitas dúvidas; mas, quando Tia Jamesina estava entronizada na cadeira de balanço à frente da lareira, elas figurativamente curvaram-se e a idolatraram.

Tia Jamesina era uma mulher pequena e velha, com um rostinho suavemente triangular e grandes olhos azuis acesos com uma juventude inextinguível, cheios de esperanças como os de uma menininha. Ela tinha bochechas vermelhas e cabelo branco como a neve, que usava em pequenos topetes sobre as orelhas.

"É um estilo muito antiquado", ela disse, tricotando incessantemente algo delicado e rosado como uma nuvem do pôr do sol. "Mas EU sou antiquada. Minhas roupas são e é razoável pensar que minhas opiniões também sejam. Eu não digo que elas sejam melhores, veja bem. Na verdade, ouso dizer que são bem piores. Mas elas envelheceram bem e facilmente. Sapatos novos são mais bonitos que os velhos, mas os velhos são mais confortáveis. Estou velha o suficiente para desfrutar de sapatos e opiniões. Eu pretendo levar as coisas de um jeito bem fácil aqui. Sei que esperam que eu cuide de vocês e as mantenha na linha, mas não vou fazer isso. Vocês são adultas o suficiente para saberem como se comportar. Então, no que me diz respeito", concluiu Tia Jamesina, com um brilho em seus olhos jovens, "vocês podem ir todas para a perdição, cada uma de seu próprio jeito."

"Oh, alguém pode separar aqueles gatos?", implorou Stella, estremecendo.

Tia Jamesina tinha trazido não apenas a Gata-Sarah, mas Joseph. Joseph, ela explicou, tinha pertencido a uma querida amiga dela, que tinha ido morar em Vancouver.

"Ela não podia levar Joseph com ela, então implorou que eu ficasse com ele. Eu realmente não podia recusar. Ele é um lindo gato... quer dizer, seu temperamento é lindo. Ela o chamou de Joseph porque seu pelo tem muitas cores, como a túnica de José."

E certamente tinha. Joseph, como a enojada Stella havia dito, parecia um saco de pano ambulante. Era impossível dizer qual a cor do seu pelo. Suas pernas eram brancas com manchas pretas. As costas eram cinzentas com uma enorme mancha amarela de um lado e um borrão preto do outro. Sua cauda era amarela com uma ponta cinzenta. Uma orelha era preta e outra amarela. Uma mancha preta sobre um olho dava a ele uma aparência assustadoramente arrojada. Na realidade, ele era manso e inofensivo, de disposição sociável. Em um aspecto, se em nenhum outro, Joseph era como um lírio do campo. Ele não se dava ao trabalho nem de caçar ratos. Ainda assim, nem Salomão em toda a sua glória, dormia em almofadas mais macias ou se banqueteava mais plenamente de coisas gordurosas.

Joseph e a Gata-Sarah chegaram pelo expresso em caixas separadas. Depois de terem sido soltos e alimentados, Joseph selecionou a almofada e o canto que mais agradaram a ele e a Gata-Sarah sentou-se seriamente diante do fogo e começou a lavar seu focinho. Ela era uma gata grande, esguia, cinza e branca, com uma dignidade enorme que não era, de modo algum, prejudicada por qualquer consciência de sua origem plebeia. Ela tinha sido dada à Tia Jamesina por sua lavadeira.

"Seu nome era Sarah, então meu marido sempre a chamou de Gata-Sarah", explicou Tia Jamesina. "Ela tem 8 anos e é uma caçadora de ratos notável. Não se preocupe, Stella. A Gata-Sarah NUNCA briga e Joseph raramente."

"Eles vão ter que lutar aqui em legítima defesa", disse Stella.

Àquela altura, Rusty chegou à cena. Ele caminhou alegremente por metade do caminho através da sala antes de ver os intrusos. Então, parou de repente; sua cauda expandiu até ficar tão grande quanto três caudas. O pelo das suas costas se ergueu em um arco desafiador. Rusty abaixou sua cabeça, emitiu um guincho assustador de ódio e desafio e atirou-se sobre a Gata-Sarah.

O animal imponente tinha parado de lavar seu focinho e estava olhando para ele curiosamente. Ela encarou seu ataque com um golpe desdenhoso de sua pata habilidosa. Rusty foi rolando desamparadamente pelo tapete; ele se levantou desorientado. Que tipo de gato era aquele que tinha socado suas orelhas? Ele olhou duvidosamente para a Gata-Sarah. Ele deveria ou não? A Gata-Sarah deliberadamente virou suas costas para ele e prosseguiu suas operações de toalete. Rusty decidiu que não deveria. Ele nunca o faria. Daquele momento em diante, a Gata-Sarah reinou na casa. Rusty nunca mais se meteu com ela.

Mas Joseph sentou-se e foi logo bocejando. Rusty, ansioso para vingar sua desgraça, jogou-se em cima dele. Joseph, pacífico por natureza, podia lutar quando a ocasião surgisse, e lutava bem. O resultado foi uma série de batalhas empatadas. Todos os dias Rusty e Joseph lutavam à vista de todos. Anne tomou partido de Rusty e detestava Joseph. Stella estava desesperada. Mas Tia Jamesina apenas ria.

"Deixem que lutem", ela dizia tolerantemente. "Eles vão ficar amigos depois de um tempo. Joseph precisa de um pouco de exercício, ele está ficando gordo. E Rusty tem que aprender que não é o único gato no mundo."

Finalmente, Joseph e Rusty aceitaram a situação e de inimigos jurados tornaram-se amigos jurados. Eles dormiam na mesma almofada, com as patas de um em cima das do outro e lavavam meticulosamente o focinho um do outro.

"Todos nós nos acostumamos uns aos outros", disse Phil. "E aprendi a lavar a louça e a varrer o chão."

"Mas não precisa nos fazer acreditar que consegue matar um gato com clorofórmio", riu Anne.

"Foi tudo culpa do buraco", protestou Phil.

"Foi uma coisa boa o buraco estar lá", disse Tia Jamesina bastante severa. "Gatos TEM que ser afogados, eu admito, ou o mundo ficaria infestado. Mas nenhum gato adulto decente deveria ser morto — a menos que coma ovos."

"A senhora não teria achado Rusty muito decente se o tivesse visto quando chegou", disse Stella. "Ele realmente se parecia com o diabo."

"Eu não acredito que o diabo seja tão feio assim", disse Tia Jamesina, refletindo. "Ele não causaria tantos danos se fosse. EU sempre o imagino como um rapaz bastante bonito."

## CAPÍTULO XVII
# Uma carta de Davy

"Está começando a nevar, meninas", disse Phil, chegando em uma tarde de novembro, "e as mais lindas estrelinhas estão espalhadas pelo caminho do jardim. Eu nunca notei antes que coisinhas requintadas os flocos de neve realmente são. Tenho tempo para notar coisas assim na vida simples. Graças a vocês que me permitiram vivê-la. É realmente encantador ficar preocupada porque a manteiga aumentou cinco centavos o quilo."

"Aumentou?", perguntou Stella, que cuidava das contas da casa.

"Aumentou... e aqui está sua manteiga. Estou ficando especialista em fazer compras. É melhor que flertar", concluiu Phil seriamente.

"Tudo está aumentando escandalosamente", suspirou Stella.

"Deixem para lá. Graças a Deus o ar e a salvação ainda são de graça", disse Tia Jamesina.

"E a risada também", acrescentou Anne. "Ainda não há imposto sobre ela e isso é muito bom, porque todas vocês vão rir agora. Vou ler para vocês a carta de Davy. A escrita dele melhorou imensamente neste ano e, embora ele não seja muito bom com apóstrofes, certamente possui o dom de escrever uma carta interessante. Escutem e riam, antes de nos prepararmos para a rotina de estudos da tarde."

"Querida Anne", era a carta de Davy, " vou pegar minha caneta para lhe contar que estamos todos muito bem e espero que você também esteja. Está nevando um pouco hoje e Marilla diz que a velha do céu está sacudindo seus colchões de penas. A velha do céu é a esposa de Deus, Anne? Queria saber.

"A Sra. Lynde esteve muito doente, mas está melhor agora. Ela caiu da escada do porão na semana passada. Ela segurou na prateleira com todos os baldes de leite e panelas nela, a prateleira cedeu, caiu com ela e fez um barulho esplêndido. Marilla pensou que fosse um terremoto.

"Uma das panelas estava toda amassada e a Sra. Lynde machucou as costelas. O médico veio e deu a ela um remédio para esfregar nas costelas, mas ela não entendeu o que era para fazer e acabou tomando tudo. O médico disse que era um milagre ela não ter morrido, mas isso curou as costelas dela e a Sra. Lynde disse que os médicos não sabem nada mesmo. Mas não conseguimos consertar a panela. Marilla teve que jogar fora. O Dia de Ação de Graças foi semana passada. Não teve aula e tivemos um ótimo jantar. Eu comi torta de carne e peru assado e bolo de frutas e rosquinhas e queijo e geleia e bolo de chocolate. Marilla disse que eu ia morrer, mas não morri. Dora ficou com dor de ouvido depois, mas não era no ouvido, era na barriga. Eu não tive dor de ouvido em lugar nenhum.

"Nosso novo professor é um homem. Ele faz coisas para pregar peças. Semana passada ele fez todos os meninos do terceiro ano escreverem uma redação sobre o tipo de esposa que gostaríamos de ter e as meninas, o tipo de marido. Ele riu até quase morrer quando leu as redações. Essa foi a minha. Achei que você gostaria de ver.

"O tipo de esposa que eu gostaria de ter.

"Ela deve ter boas maneiras e fazer minha comida na hora certa e fazer o que eu mandar e ser sempre muito educada comigo. Ela deve ter 15 anos. Ela deve ser boa com os pobres e deixar a casa arrumada e ter bom humor e ir para a igreja regularmente. Ela deve ser muito bonita e ter cabelo cacheado. Se eu tiver uma esposa do jeito que eu gosto vou ser um marido muito bom para ela. Acho que uma esposa deve ser muito boa para o marido dela. Algumas pobres mulheres não têm marido.

"FIM."

"Eu estava no funeral da Sra. Isaac Wrights semana passada. O marido da morta estava muito triste. A Sra. Lynde diz que o avô da Sra. Wrights roubou uma ovelha, mas a Marilla diz que não devemos falar mal dos mortos. Por que não, Anne? Queria saber. É bastante seguro, não é?

A Sra. Lynde ficou muito brava comigo um dia desses porque perguntei se ela estava viva na época de Noé. Eu não queria ferir os sentimentos dela. Eu só queria saber. Ela estava, Anne?

O Sr. Harrison queria se livrar do cachorro dele. Então, enforcou o cachorro uma vez, mas ele voltou à vida e correu para o celeiro, enquanto o Sr. Harrison estava cavando a cova. Então, enforcou de novo e o cachorro ficou morto daquela vez. O Sr. Harrison tem um novo homem trabalhando para ele. Ele é muito esquisito. O Sr. Harrison diz que ele tem dois pés esquerdos. O homem que o Sr. Barry contratou é preguiçoso. A Sra. Barry diz isso, mas o Sr. Barry diz que ele não é exatamente preguiçoso, ele só acha mais fácil rezar pelas coisas do que trabalhar por elas.

"O porco premiado da Sra. Harmon Andrews que ela falava tanto teve um ataque e morreu. A Sra. Lynde disse que foi uma punição pelo orgulho dela. Mas eu acho que foi duro para o porco. Milty Boulter estava doente. O médico deu remédio para ele e o gosto era horrível. Eu me ofereci para tomar por ele por vinte e cinco centavos, mas os Boulters são tão malvados. Milty diz que prefere tomar ele mesmo e economizar o dinheiro. Eu perguntei para a Sra. Boulter como uma pessoa conseguiria fisgar um homem e ela ficou muito brava e disse que não sabia, ela nunca tinha corrido atrás de homem.

"A SMVA vai pintar o auditório de novo. Eles cansaram do azul.

"O novo pastor esteve aqui para o chá ontem à noite. Ele comeu três pedaços de torta. Se eu fizesse isso, a Sra. Lynde me chamaria de porco. E ele comeu rápido e engoliu uns pedaços grandes e Marilla está sempre me falando para não fazer isso. Por que os pastores podem fazer o que os meninos não podem? Queria saber.

"Não tenho mais novidades. Aqui estão seis beijos. XXXXXX. Dora está mandando um. Aqui está o dela. X.

"Seu querido amigo, DAVID KEITH."

"Obs. Anne, quem foi o pai do diabo? Queria saber."

## CAPÍTULO XVIII

# Madame Josephine se lembra da menina Anne

Quando o feriado de Natal chegou, as meninas da Casa da Patty foram distribuídas para suas respectivas casas, mas Tia Jamesina preferiu ficar onde estava.

"Eu não poderia ir a nenhum dos lugares para os quais fui convidada e levar esses três gatos", ela disse. "E não vou deixar as pobres criaturas aqui sozinhas por quase três semanas. Se tivéssemos vizinhos decentes que os alimentassem, eu poderia, mas não há nada além de milionários nesta rua. Então, vou ficar aqui e manter a Casa da Patty aquecida para vocês."

Anne foi para casa com as expectativas alegres de costume — que não foram completamente realizadas. Ela encontrou Avonlea nas garras de um inverno tão antecipado, frio e tempestuoso do qual nem o "mais velho morador" conseguia se lembrar de um igual. Green Gables estava literalmente cercada por enormes bancos de neve. Em quase todos os dias daquelas férias infelizes houve tempestades ferozes; e, mesmo nos dias bons, nevou incessantemente. Assim que as estradas eram limpas, elas se enchiam de neve novamente. Era quase impossível sair. A SMVA tentou, em três tardes, dar uma festa em homenagem aos alunos da faculdade, e em cada uma delas a tempestade foi tão terrível que ninguém pôde ir, então eles desistiram da tentativa em desespero. Anne, apesar de seu amor e lealdade a Green Gables, não conseguiu evitar de pensar saudosamente na Casa da Patty, seu aconchegante fogo, os olhos alegres de Tia Jamesina, os três gatos, a conversa animada das meninas, os prazeres das tardes de sexta-feira quando os colegas da faculdade passavam para falar sobre coisas sérias e coisas alegres.

Anne estava solitária; Diana, durante toda a época de férias, ficou presa em casa com um ataque sério de bronquite. Ela não podia ir a Green Gables e era raro Anne conseguir ir ao Pomar Slope, pois a velha trilha através da Floresta Assombrada estava intransponível pela neve e o longo caminho sobre o congelado Lago das Águas Brilhantes estava igualmente péssimo. Ruby Gillis estava dormindo no cemitério de pedras brancas; Jane Andrews estava lecionando em uma escola nos prados do oeste. Gilbert, com certeza, ainda era fiel, e atravessava o caminho até Green Gables todas as tardes possíveis. Mas as visitas de Gilbert não eram como antes. Anne quase tinha pavor delas. Era muito desconcertante olhar para cima durante um silêncio repentino e encontrar os olhos cor de avelã de Gilbert fixos nela, com uma expressão inconfundível em sua profundidade séria. E era ainda mais desconcertante descobrir-se corando de um jeito quente e desconfortável sob o olhar dele, como se... como se... bem, era embaraçoso. Anne desejava estar de volta à Casa da Patty, onde havia sempre alguém para aliviar a pressão de uma situação delicada. Em Green Gables, Marilla ia prontamente para os domínios da Sra. Lynde quando Gilbert vinha e insistia em levar os gêmeos com ela. O significado daquilo era inconfundível e deixava Anne com uma fúria desamparada.

Davy, entretanto, estava perfeitamente feliz. Ele se deleitava em sair pela manhã e tirar a neve com a pá dos caminhos até o poço e até o galinheiro. Ele sentia-se glorioso com as iguarias da época natalina que Marilla e a Sra. Lynde disputavam para preparar para Anne, e estava lendo um conto apaixonante em um livro da biblioteca da escola, sobre um herói maravilhoso que parecia abençoado com uma habilidade milagrosa de arranjar confusões das quais normalmente se livrava por causa de um terremoto ou explosão vulcânica, que o sopravam para longe de seus problemas e o deixavam com uma fortuna, encerrando a história com um sucesso brilhante.

"É uma história supimpa, Anne", ele disse, extasiado. "Eu preferiria muito mais ler isso que a *Bíblia*."

"É mesmo?", sorriu Anne.

Davy olhou curiosamente para ela.

"Você não parece nem um pouco chocada, Anne. A Sra. Lynde ficou terrivelmente chocada quando eu disse isso a ela."

"Não, não estou chocada, Davy. Acho bastante natural que um menino de 9 anos prefira ler uma história de aventura a ler a *Bíblia*. Mas, quando for mais velho, espero e acho que você vai perceber o livro maravilhoso que a *Bíblia* é."

"Oh, eu acho que algumas partes são boas", admitiu Davy. "Aquela história sobre José do Egito é supimpa. Se eu fosse José, EU não perdoaria os irmãos. Não, senhor, Anne. Eu cortaria a cabeça deles fora. A Sra. Lynde ficou muito brava quando eu disse isso, fechou a *Bíblia* e disse que nunca mais a leria para mim se eu falasse daquele jeito. Então, agora eu não falo quando ela lê nas tardes de domingo; eu só penso as coisas e conto para Milty Boulter no dia seguinte na escola. Eu contei a Milty a história sobre Eliseu e os ursos e ele ficou com tanto medo que nunca mais zombou da careca do Sr. Harrison. Há ursos na Ilha P.E., Anne? Queria saber."

"Não hoje em dia", disse Anne, distraidamente, enquanto o vento soprava um jato de neve contra a janela. "Oh, céus, a tempestade não vai passar?"

"Só Deus sabe", disse ele, aéreo, preparando-se para voltar à sua leitura.

Anne FICOU chocada daquela vez.

"Davy!", ela exclamou de um jeito reprovador.

"A Sra. Lynde diz isso", protestou Davy. "Uma noite na semana passada, Marilla disse: 'Ludovic Speed e Theodora Dix ALGUM DIA vão se casar?' e a Sra. Lynde respondeu: 'Só Deus sabe' — bem assim."

"Bem, não foi certo ela dizer isso", disse Anne, prontamente escolhendo entre a cruz e a espada naquele dilema. "Não é certo para ninguém tomar este nome em vão ou dizê-lo levianamente, Davy. Nunca mais faça isso."

"Nem se eu disser devagar e solenemente, como o pastor?", questionou Davy seriamente.

"Não, nem assim."

"Bem, não vou dizer. Ludovic Speed e Theodora Dix vivem em Middle Grafton e a Sra. Rachel diz que ele a esteve cortejando por cem anos. Eles não vão estar velhos demais para se casar, Anne? Espero que Gilbert não faça isso com VOCÊ por tanto tempo. Quando você vai se casar, Anne? A Sra. Lynde disse que é coisa certa."

"A Sra. Lynde é uma...", começou Anne, nervosa e, depois, parou.

"Uma velha fofoqueira", completou Davy calmamente. "É como todo mundo a chama. Mas é coisa certa, Anne? Queria saber."

"Você é um menino muito bobo, Davy", disse Anne, saindo altivamente do cômodo. A cozinha estava deserta e ela sentou-se à janela sob o crepúsculo invernal que caía rapidamente. O sol havia se posto e o vento havia cessado. Uma lua pálida e fria olhava para fora por trás de um grupo de nuvens púrpura a oeste. O céu desbotava, mas a faixa de amarelo ao longo do horizonte ficava cada vez mais brilhante e feroz, como se todos os raios de sol estivessem concentrados em um só lugar. As colinas distantes, cercadas por abetos sacerdotais, destacavam-se em sua distinção escura. Anne olhou através dos campos calmos e brancos, frios e sem vida sob a luz áspera daquele pôr do sol sombrio, e suspirou. Ela estava muito solitária; e estava com o coração triste; pois estava se perguntando se poderia voltar a Redmond no ano seguinte. Não parecia provável. A única bolsa de estudos possível no segundo ano era uma coisa muito pequena. Ela não pegaria o dinheiro de Marilla; e parecia haver poucas perspectivas de ser capaz de conseguir o suficiente durante as férias de verão.

"Imagino que eu tenha que desistir ano que vem", ela pensou melancolicamente, "e ensinar em uma escola do distrito novamente, até conseguir dinheiro suficiente para concluir o curso. E, a essa altura, minha velha turma terá se formado e a Casa da Patty estará fora de questão. Mas chega! Não serei covarde. Fico grata por poder trabalhar e ser capaz de trilhar meu próprio caminho."

"Lá vai o Sr. Harrison atravessando a estrada", anunciou Davy, correndo para fora. "Espero que ele tenha trazido a correspondência. Faz três dias que recebemos. Quero ver o que aqueles liberais irritantes estão fazendo. Sou conservador, Anne. E vou lhe dizer, precisamos ficar de olho naqueles liberais."

O Sr. Harrison tinha trazido a correspondência, e as alegres cartas de Stella, Priscilla e Phil logo dissiparam a tristeza de Anne. Tia Jamesina também tinha escrito, dizendo que estava mantendo o fogo da lareira aceso, que todos os gatos estavam bem e que as plantas da casa estavam ótimas.

"O tempo esteve muito frio", ela escreveu, "então estou deixando os gatos dormirem dentro de casa — Rusty e Joseph no sofá da sala e a Gata-Sarah ao pé da minha cama. É uma verdadeira companhia ouvi-los ronronando quando eu acordo à noite e penso na minha pobre filha no campo estrangeiro. Se fosse em qualquer outro lugar menos na Índia, eu não me preocuparia. Mas dizem que as cobras lá são terríveis. Preciso ouvir a Gata-Sarah ronronando para afastar o pensamento daquelas cobras. Tenho fé suficiente para tudo, menos para as cobras. Não consigo pensar no motivo para a Providência tê-las feito. Às vezes não acho que Ele fez. Fico inclinada a acreditar que o diabo contribuiu com isso."

Anne tinha deixado um comunicado fino e datilografado por último, pensando que não era importante. Depois de lê-lo, ela ficou sentada muito quieta, com lágrimas nos olhos.

"Qual o problema, Anne?", perguntou Marilla.

"Madame Josephine Barry está morta", disse Anne, em voz baixa.

"Então, ela finalmente se foi", disse Marilla. "Bem, ela esteve doente por mais de um ano, e os Barry esperavam ouvir sobre a morte dela a qualquer momento. É bom ela ter descansado, porque ela sofreu terrivelmente, Anne. Ela sempre foi boa para você."

"Ela foi boa até o fim, Marilla. Esta carta é do advogado dela. Ela me deixou mil dólares em seu testamento."

"Caramba, que montão de dinheiro", exclamou Davy. "Ela é a mulher que você e Diana acertaram quando pularam na cama do quarto de hóspedes, não é? Diana me contou a história. Foi por isso que ela deixou tanto dinheiro para você?"

"Psiu, Davy", disse Anne, gentilmente. Ela fugiu para a varanda com o coração cheio, deixando Marilla e a Sra. Lynde conversarem sobre as notícias à vontade.

"Você acha que Anne vai se casar agora?", especulou Davy ansiosamente. "Quando Dorcas Sloane se casou, no verão passado, ela disse que, se tivesse dinheiro suficiente para viver, ela nunca teria se incomodado com um homem, mas até uma viúva com oito filhos viveria melhor do que com uma cunhada."

"Davy Keith, segure a língua", disse a Sra. Rachel severamente. "O jeito que você fala é escandaloso para um menininho, isso sim."

## CAPÍTULO XIX
# Um interlúdio

"E pensar que este é meu aniversário de 20 anos e deixei minha adolescência para trás para sempre", disse Anne, que estava enrolada no tapete da lareira com Rusty em seu colo, para Tia Jamesina, que estava lendo em sua cadeira. Elas estavam sozinhas na sala de estar. Stella e Priscilla tinham ido a uma reunião de comitê e Phil estava lá em cima se arrumando para uma festa.

"Imagino que você esteja se sentindo meio triste", disse Tia Jamesina. "A adolescência é uma parte tão boa da vida. Fico feliz por eu nunca ter saído dela."

Anne riu.

"Você nunca vai sair, titia. Você terá 18 anos quando deveria ter 100. Sim, estou triste e também um pouco insatisfeita. A Srta. Stacy me disse muito tempo atrás que, quando eu tivesse 20 anos, meu caráter estaria formado, para o bem ou para o mau. Não sinto que está do jeito que deveria. Está cheio de falhas."

"Assim como o de todo mundo", disse Tia Jamesina alegremente. "O meu está quebrado em cem lugares. Essa Srta. Stacy provavelmente quis dizer que, quando você tivesse 20 anos, seu caráter teria se inclinado permanentemente em uma direção ou na outra, e continuaria a se desenvolver naquela linha. Não se preocupe com isso, Anne. Faça seu dever diante de Deus, de seus vizinhos e de você mesma, e divirta-se. Essa é a minha filosofia e sempre funcionou muito bem. Onde Phil vai hoje à noite?"

"Ela vai a um baile e tem o vestido mais lindo para usar — de seda amarela com renda teia de aranha. É perfeito para o tom castanho dela."

"Existe mágica nas palavras 'seda' e 'renda', não é mesmo?", disse Tia Jamesina. "Apenas o som delas faz eu me sentir como se estivesse indo a um baile. E seda AMARELA. Me faz pensar em um vestido de luz do sol. Eu sempre quis um vestido de seda amarela, mas, primeiro, minha mãe e depois meu marido não quiseram saber disso. A primeira coisa que vou fazer quando chegar ao paraíso é arranjar um vestido de seda amarela."

Durante a explosão de risadas de Anne, Phil desceu, arrastando nuvens de glória, e inspecionou-se no longo espelho oval da parede.

"Um espelho lisonjeiro é um promotor da amabilidade", ela disse. "O do meu quarto certamente me deixa verde. Eu estou bem, Anne?"

"Você realmente quer saber como está bonita, Phil?", perguntou Anne, com verdadeira admiração.

"Claro que sim. Para que servem espelhos e homens? Não foi isso que quis dizer. Todas as pontas estão presas? A minha saia está reta? Essa rosa ficaria melhor mais embaixo? Tenho medo de que esteja alta demais — vai fazer eu parecer torta. Mas odeio coisas fazendo cócegas nas minhas orelhas."

"Tudo está perfeito e a sua covinha sudoeste é adorável."

"Anne, tem uma coisa em especial de que gosto em você... você é tão generosa. Não existe um pingo de inveja em você."

"Porque ela deveria ter inveja?", perguntou Tia Jamesina. "Ela não é tão linda quanto você, talvez, mas ela tem um nariz muito mais bonito."

"Eu sei", admitiu Phil.

"Meu nariz sempre foi um grande conforto para mim", confessou Anne.

"E eu amo o jeito que o seu cabelo cresce na testa, Anne. E aquele pequeno cacho, sempre parecendo que vai cair, mas nunca caindo, é encantador. Quanto ao nariz, o meu é uma preocupação terrível para mim. Sei que, quando eu tiver 40 anos, ele será Byrne. Como você acha que vou ser quando tiver 40 anos, Anne?"

"Uma mulher velha, matronal e casada", provocou Anne.

"Não vou, não", disse Phil, sentando-se confortavelmente para aguardar seu acompanhante. "Joseph, seu monstro, não ouse pular no meu colo. Eu não vou a um baile cheia de pelos de gato. Não, Anne, NÃO VOU ser matronal. Mas sem dúvida estarei casada."

"Com Alec ou Alonzo?", perguntou Anne.

"Com um deles, imagino", suspirou Phil, "se algum dia decidir qual."

"Não deveria ser difícil escolher", repreendeu Tia Jamesina.

"Eu nasci uma gangorra, titia, e nada pode me impedir de balançar."

"Você deveria ser mais equilibrada, Philippa."

"É melhor ser equilibrada, é claro", concordou Philippa, "mas perde-se muito da diversão. Quanto a Alec e Alonzo, se os conhecesse, saberia por que é difícil escolher entre eles. Os dois são bons."

"Então, fique com alguém ainda melhor", sugeriu Tia Jamesina. "Tem aquele veterano que é tão devotado a você: Will Leslie. Ele tem olhos tão bonitos, grandes e suaves."

"Eles são um pouco grandes e suaves demais, como os de uma vaca", disse Phil cruelmente.

"O que diz de George Parker?"

"Não há nada para dizer, exceto que ele sempre parece ter sido engomado e passado."

"Marr Holworthy, então. Não consegue encontrar um defeito nele."

"Não, ele serviria se não fosse pobre. Eu devo me casar com um homem rico, Tia Jamesina. Isso e boa aparência são qualificações indispensáveis. Eu me casaria com Gilbert Blythe se ele fosse rico."

"Ah, casaria?", disse Anne, bastante violenta.

"Nós não gostamos dessa ideia nem um pouco, apesar de não querermos Gilbert para nós mesmos, oh, não", zombou Phil. "Mas não vamos falar sobre assuntos desagradáveis. Eu vou ter que me casar algum dia, imagino, mas vou adiar esse dia fatídico o quanto puder."

"Você não deve se casar com alguém que não ame, Phil, isso é o que importa", disse Tia Jamesina.

"'Oh, corações que amavam da bela e velha forma, nestes últimos dias, saíram de moda'", vibrou Phil ironicamente. "Ali está a carruagem. Vou voar... tchau, tchau, minhas duas queridas antiquadas."

Quando Phil saiu, Tia Jamesina olhou solenemente para Anne.

"Aquela menina é bonita, doce e de bom coração, mas você acha que ela está boa da cabeça, Anne?"

"Oh, não acho que haja nada de errado com a cabeça de Phil", disse Anne, escondendo um sorriso. "É apenas seu jeito de falar."

Tia Jamesina balançou a cabeça.

"Bem, espero que sim, Anne. Espero mesmo que sim, porque eu a amo. Mas não consigo entendê-la... ela me intriga. Ela não é como nenhuma das garotas que já conheci, ou com nenhuma das garotas que eu mesma fui."

"Quantas garotas você foi, Tia Jimsie?"

"Mais ou menos meia dúzia, minha querida."

## CAPÍTULO XX
# Gilbert fala

"Este foi um dia chato e sem graça", bocejou Phil, esticando-se preguiçosamente no sofá, tendo anteriormente expulsado dois gatos extremamente indignados.

Anne levantou os olhos de *As Aventuras do Sr. Pickwick*. Agora que os exames da primavera tinham passado, ela estava se recompensando com Dickens.

"Foi um dia sem graça para nós", ela disse pensativamente, "mas para algumas pessoas foi um dia maravilhoso. Alguém foi efusivamente feliz nele. Talvez uma grande ação tenha sido realizada em algum lugar hoje ou um grande poema escrito ou talvez um grande homem tenha nascido. E alguns corações foram partidos, Phil."

"Por que você estragou seu belo pensamento acrescentando essa última frase, querida?", resmungou Phil. "Não gosto de pensar em corações partidos ou qualquer coisa desagradável."

"Você acha que vai conseguir evitar as coisas desagradáveis a vida inteira, Phil?"

"Pobre de mim, não. Não estou contra elas agora? Você não chamaria Alec e Alonzo de coisas agradáveis, chamaria, quando eles simplesmente empesteiam a minha vida?"

"Você nunca leva as coisas a sério, Phil."

"Por que deveria? Já existem muitas pessoas fazendo isso. O mundo precisa de pessoas como eu, Anne, apenas para diverti-lo. Seria um lugar terrível se TODO MUNDO fosse intelectual, sério, profunda e implacavelmente honesto. MINHA missão é, como Josiah Allen diz, 'encantar e seduzir.' Confesse agora. A vida na Casa da Patty não tem sido muito mais feliz e agradável neste último inverno porque estive aqui para animar vocês?"

"Sim", admitiu Anne.

"E todas vocês me amam... até Tia Jamesina, que pensa que sou doida de pedra. Então, por que deveria tentar ser diferente? Oh, querida, estou com tanto sono. Fiquei acordada até uma ontem à noite, lendo uma história angustiante de fantasma. Eu a li na cama e, depois de terminar, você acha que consegui levantar e apagar a luz? Não! E se Stella não tivesse felizmente vindo mais tarde aquela lamparina teria queimado boa e brilhante até a manhã chegar. Quando ouvi Stella, eu a chamei para dentro, expliquei meu dilema e pedi a ela que apagasse a luz. Se eu mesma tivesse levantado para fazer aquilo, sabia que algo me agarraria pelos pés quando estivesse voltando. A propósito, Anne, Tia Jamesina decidiu o que vai fazer neste verão?"

"Sim, ela vai ficar aqui. Sei que ela está fazendo isso pelo bem daqueles benditos gatos, embora ela diga que é muito trabalho abrir sua própria casa e que odeia fazer visitas."

"O que você está lendo?"

"*Pickwick*."

"Aí está um livro que sempre me deixa com fome", disse Phil. "Há tanta comilança nele. Os personagens sempre parecem estar se deliciando com presunto, ovos e licor. Eu normalmente saio em uma busca pelos armários da cozinha depois de ler *Pickwick*. Só pensar já me faz lembrar que estou faminta. Tem alguma coisa na despensa, Rainha Anne?"

"Fiz uma torta de limão hoje de manhã. Você pode comer um pedaço."

Phil correu até a despensa e Anne retirou-se para o pomar na companhia de Rusty. Era uma noite úmida e com aromas agradáveis do início da primavera. A neve ainda não tinha saído totalmente do parque; um pequeno e sujo banco de neve ainda estava embaixo dos pinheiros da estrada do porto, protegido da influência do sol de abril. A neve mantinha a estrada do porto úmida e esfriava o ar da tarde. Mas a grama estava crescendo verde em pontos abrigados e Gilbert havia encontrado alguns medronheiros pálidos e doces num canto escondido. Ele veio do parque com as mãos cheias deles.

Anne estava sentada na grande rocha cinzenta do pomar olhando para o poema de um ramo nu de bétula pendente contra o pôr do sol vermelho e pálido com a perfeição da verdadeira graça. Ela estava construindo um castelo no ar — uma mansão maravilhosa cujos cômodos iluminados pelo sol e corredores imponentes estavam mergulhados em perfumes árabes, onde ela reinava como rainha e castelã. Ela franziu a testa quando viu Gilbert vindo através do pomar. Ultimamente, ela tinha arranjado formas de não ficar sozinha com Gilbert. Mas ele a tinha pegado de jeito agora; e até mesmo Rusty a desertou.

Gilbert sentou-se ao lado dela na rocha e estendeu suas flores.

"Elas não fazem você lembrar de casa e de nossos velhos piqueniques da escola, Anne?"

Anne as pegou e enterrou seu rosto nelas.

"Estou nas terras do Sr. Silas Sloane agora mesmo", disse ela com entusiasmo.

"Imagino que você vai estar lá de verdade em alguns dias?"

"Não, não por mais duas semanas. Vou visitar Phil em Bolingbroke antes de ir para casa. Você vai estar em Avonlea antes de mim."

"Não, não vou estar em Avonlea durante o verão, Anne. Me ofereceram um emprego no escritório do *Daily News* e vou aceitá-lo."

"Oh", murmurou Anne vagamente. Ela se perguntava como um verão inteiro em Avonlea seria sem Gilbert. De alguma forma, ela não gostava da perspectiva. "Bem", ela concluiu categoricamente, "é uma coisa boa para você, é claro."

"Sim, eu estava esperando conseguir. Vai me ajudar no ano que vem."

"Você não deve trabalhar DEMAIS", DISSE Anne, sem ter a menor ideia do que estava dizendo. Ela desejava desesperadamente que Phil aparecesse. "Você estudou muito nesse inverno. Não é uma noite encantadora? Sabe, encontrei um canteiro de violetas brancas embaixo daquela velha árvore retorcida bem ali hoje? Senti que tinha descoberto uma mina de ouro."

"Você está sempre descobrindo minas de ouro", disse Gilbert, também distraidamente.

"Vamos lá ver se conseguimos encontrar mais algumas", sugeriu Anne ansiosamente. "Vou chamar Phil e..."

"Deixe Phil e as violetas para lá agora, Anne", disse Gilbert calmamente, pegando a mão dela de um jeito que ela não podia soltá-la. "Tem uma coisa que eu quero lhe dizer."

"Oh, não diga", chorou Anne, implorando. "Não... POR FAVOR, Gilbert."

"Eu preciso. As coisas não podem continuar assim. Anne, eu a amo. Você sabe que amo. Eu... eu não consigo lhe dizer quanto. Você me promete que algum dia será minha esposa?"

"Eu... eu não posso", disse Anne miseravelmente. "Oh, Gilbert... você... você estragou tudo."

"Você não gosta nem um pouco de mim?" Gilbert perguntou depois de uma pausa terrível, durante a qual Anne não ousou olhar para cima.

"Não... não desse jeito. Eu gosto muito de você como amigo. Mas eu não o amo, Gilbert."

"Mas não pode me dar alguma esperança de que vai amar... algum dia?"

"Não, não posso", exclamou Anne desesperadamente. "Eu nunca, nunca vou poder amá-lo... dessa forma... Gilbert. Você nunca mais deve falar disso comigo novamente."

Houve outra pausa — tão longa e terrível que Anne foi obrigada, finalmente, a olhar para cima. O rosto de Gilbert estava branco, até os lábios. E seus olhos — mas Anne estremeceu e olhou para longe. Não havia nada de romântico naquilo. Todos os pedidos tinham que ser grotescos ou horríveis? Algum dia ela esqueceria o rosto de Gilbert?"

"Existe outra pessoa?", ele perguntou, finalmente, em voz baixa.

"Não... não", disse Anne ansiosamente. "Não gosto de ninguém ASSIM... e GOSTO mais de você do que de qualquer outra pessoa no mundo, Gilbert. E nós devemos... devemos continuar sendo amigos."

Gilbert deu uma risadinha amarga.

"Amigos! Sua amizade não me satisfaz, Anne. Quero o seu amor... e você me diz que nunca poderei ter isso."

"Sinto muito. Perdoe-me, Gilbert", foi tudo que Anne conseguiu dizer. Onde, oh, onde estavam os discursos graciosos e elegantes com que, em sua imaginação, ela tinha se acostumado a se despedir de pretendentes rejeitados?

Gilbert soltou sua mão gentilmente.

"Não há nada a perdoar. Houve momentos em que pensei que você gostasse de mim. Eu me enganei, foi só isso. Adeus, Anne."

Anne foi até seu quarto, sentou-se no assento da janela atrás dos pinheiros e chorou amargamente. Ela sentia que algo incalculavelmente precioso havia saído de sua vida. Era a amizade de Gilbert, é claro. Oh, por que precisava perdê-la desse jeito?

"Qual o problema, querida?", perguntou Phil, chegando através do brilho do luar. Anne não respondeu. Naquele momento, ela desejou que Phil estivesse a mil quilômetros de distância.

"Eu imagino que você tenha rejeitado Gilbert Blythe. Você é uma idiota, Anne Shirley!"

"Você chama de idiotice rejeitar um homem que não amo?", disse Anne friamente, instigada a responder.

"Você não enxerga o amor que está bem na sua frente. Você inventou algo na sua imaginação que pensa que é amor e espera que a coisa real seja assim. Pronto, aí está a primeira coisa sensata que já disse na minha vida. Me pergunto como consegui fazer isso?"

"Phil", implorou Anne, "por favor, vá embora e me deixe um pouco sozinha. Meu mundo caiu em pedaços. Quero reconstruí-lo."

"Sem nada de Gilbert nele?", disse Phil, saindo.

"Um mundo sem nada de Gilbert nele!", Anne repetiu as palavras melancolicamente. Não seria um lugar solitário, abandonado? Bem, era culpa de Gilbert. Ele tinha estragado o belo companheirismo deles. Ela deveria aprender a viver sem ele.

## CAPÍTULO XXI
# As rosas de ontem

As duas semanas que Anne passou em Bolingbroke foram muito agradáveis, com um pouco da corrente subterrânea de dor vaga e insatisfação atravessando aquele período sempre que ela pensava em Gilbert. Não havia, entretanto, muito tempo para pensar nele. Monte Holly, a bela e antiga casa dos Gordon, era um lugar muito alegre, repleta de amigos de Phil de ambos os gêneros. Havia uma sucessão desconcertante de passeios, bailes, piqueniques e festas em barcos, tudo expressamente organizado por Phil, a líder das "farras"; Alec e Alonzo estavam tão constantemente por perto que Anne se perguntava se eles faziam alguma outra coisa além de frequentar bailes segundo os caprichos de Phil. Os dois eram rapazes agradáveis e atraentes, mas Anne não conseguia formar uma opinião sobre qual era melhor.

"E eu dependia tanto de você para me ajudar a decidir a qual deles eu deveria prometer me casar", lamentou Phil.

"Você mesma deve fazer isso. Você é muito experiente em decidir com quem as outras pessoas devem se casar", retrucou Anne, bastante mordaz.

"Oh, isso é bem diferente", disse Phil, honestamente.

Mas o incidente mais doce da estadia de Anne em Bolingbroke foi a visita até seu local de nascimento — a casinha amarela desmantelada em uma rua fora do caminho com que ela tanto tinha sonhado. Ela a viu com olhos maravilhados, assim que ela e Phil viraram na direção do portão.

"É quase exatamente como eu a imaginei", ela disse. "Não há madressilvas ao lado da janela, mas há lilases no portão, e... sim, há cortinas de musselina nas janelas. Como estou feliz por ainda ser amarela."

Uma mulher muito alta e magra abriu a porta.

"Sim, os Shirley moraram aqui vinte anos atrás", ela disse, em resposta à pergunta de Anne. "Eles a alugaram. Eu me lembro deles. Os dois morreram de febre ao mesmo tempo. Foi terrivelmente triste. Eles deixaram um bebê. Imagino que tenha morrido há muito tempo. Era uma coisinha doente. O Velho Thomas e a esposa dele pegaram a criança... como se eles já não tivessem filhos suficientes."

"Não morreu", disse Anne, sorrindo. "Eu era aquele bebê."

"Não me diga! Ora, você cresceu", exclamou a mulher, como se estivesse muito surpresa por Anne ainda não ser um bebê. "Venha aqui para eu olhar para você, vejo a semelhança. Você é o seu pai todinho. Ele tinha cabelo vermelho. Mas você tem os olhos e a boca de sua mãe. Ela era uma coisinha bonita. Minha filha teve aula com ela e era quase doida por ela. Eles foram enterrados no mesmo túmulo e a Diretoria da Escola colocou uma lápide para eles como recompensa pelo serviço leal. Você quer entrar?"

"A senhora me deixaria dar uma olhada na casa?", pediu Anne, ansiosa.

"Ora, claro, se você quiser. Mas não vai levar muito tempo... não há muito para ver. Eu insisto com o meu marido para construir uma cozinha nova, mas ele não se dá ao trabalho. O salão é aqui e há dois quartos lá em cima. Podem perambular por aí. Preciso olhar o bebê. O quarto leste é onde você nasceu. Eu me lembro de sua mãe dizendo que adorava olhar o sol nascer; e lembro de ouvir dizer que você nasceu junto com o sol e a luz dele no seu rosto foi a primeira coisa que a sua mãe viu."

Anne subiu as escadas estreitas até o quartinho leste com o coração cheio. Era um santuário para ela. Aqui sua mãe tinha sonhado os delicados e felizes sonhos da maternidade antecipada; aqui aquela luz avermelhada do nascer do sol tinha caído sobre as duas na hora sagrada do nascimento; aqui sua mãe tinha morrido. Anne pensava nela com reverência, seus olhos cheios de lágrimas. Aquele era para ela um dos momentos preciosos da vida que brilham radiantes para sempre na memória.

"Só de pensar nisso... que minha mãe era mais jovem do que eu sou agora quando eu nasci", ela sussurrou.

Quando Anne desceu, a dona da casa a encontrou no corredor. Ela estendeu um pacotinho empoeirado amarrado com uma fita azul desbotada.

"Aqui está um pacote de cartas velhas que achei naquele armário lá em cima quando vim para cá", ela disse. "Não sei do que se trata... nunca me dei ao trabalho de olhar, mas estão endereçadas a 'Srta. Bertha Willis', e esse era o nome de solteira da sua mãe. Pode levá-las se quiser."

"Oh, obrigada... obrigada", chorou Anne, agarrando o pacote com entusiasmo.

"Isso era tudo o que tinha na casa", disse sua anfitriã. "A mobília foi vendida para pagar as contas do médico, e a Sra. Thomas levou as roupas e as coisinhas de sua mãe. Eu acho que elas não devem ter durado muito no meio daquele rebanho de jovens Thomas. Eles eram animais destruidores, se bem me lembro."

"Eu não tenho nada que tenha pertencido à minha mãe", disse Anne, engasgada. "Eu... eu nunca poderei agradecer o suficiente por essas cartas."

"Não tem de quê. Ora, mas seus olhos são como os da sua mãe. Ela conseguia quase falar com eles. Seu pai era meio sem graça, mas muito gentil. Lembro de o pessoal dizer que quando eles se casaram nunca existiram duas pessoas mais apaixonadas... pobres criaturas, não viveram muito; mas foram muito felizes enquanto estavam vivos, imagino que isso conte bastante."

Anne estava ansiosa para chegar em casa e ler suas preciosas cartas; mas ela fez uma pequena peregrinação antes. Ela foi sozinha até o canto verde do "velho" cemitério de Bolingbroke onde seu pai e sua mãe estavam enterrados e deixou em seu túmulo as flores brancas que carregava. Depois, correu para voltar a Monte Holly, trancou-se em seu quarto e leu as cartas. Algumas tinham sido escritas pelo pai, outras pela mãe. Não havia muitas — apenas uma dúzia ao todo —, pois Walter e Bertha Shirley não tinham ficado separados com frequência durante seu namoro. As cartas estavam amareladas, desbotadas e turvas, borradas com o toque do passar dos anos. Nenhuma palavra de sabedoria estava traçada nas páginas manchadas e amarrotadas, mas apenas linhas de amor e confiança. A doçura das coisas esquecidas se agarrava a elas — as imagens distantes e carinhosas daqueles amantes mortos há muito tempo. Bertha Shirley tinha possuído o dom de escrever cartas que incorporavam a personalidade charmosa da escritora em palavras e pensamentos que retinham sua beleza e perfume mesmo depois do lapso do tempo. As cartas eram carinhosas, íntimas, sagradas. Para Anne, a mais doce de todas era aquela escrita para seu pai, depois de seu nascimento, durante uma breve ausência. Estava cheia de orgulho de mãe pelo bebê — sua esperteza, seu esplendor, suas mil doçuras.

"Eu a amo mais quando está dormindo e mais ainda quando ela está acordada", Bertha Shirley tinha escrito na observação. Provavelmente era a última frase que ela tinha escrito. O fim estava muito próximo para ela.

"Este foi o dia mais lindo da minha vida", Anne disse para Phil naquela noite. "Eu ENCONTREI meu pai e minha mãe. Aquelas cartas os tornaram REAIS para mim. Não sou mais uma órfã. Sinto como se tivesse aberto um livro e encontrado as rosas de ontem, doces e adoráveis, entre suas folhas."

## CAPÍTULO XXII

# A primavera e o retorno de Anne a Green Gables

As sombras do fogo estavam dançando sobre as paredes da cozinha de Green Gables, pois a tarde de primavera estava fria; através da janela aberta pairavam as vozes doces e sutis da noite. Marilla estava sentada perto do fogo, pelo menos, seu corpo estava. Seu espírito vagava por caminhos antigos, com os pés rejuvenescidos. Ultimamente, Marilla vinha passando muitas horas assim, embora pensasse que deveria estar tricotando para os gêmeos.

"Imagino que eu esteja envelhecendo", ela disse.

Ainda assim, Marilla tinha mudado pouco nos últimos nove anos, exceto por estar um pouco mais magra, e ainda mais angulosa; havia bem mais fios brancos no cabelo que ainda estava torcido no mesmo nó firme, com dois grampos — ERAM aqueles os mesmos grampos? — ainda presos nele. Sua expressão estava muito diferente; aquela coisa na boca que dava indícios de um senso de humor havia se desenvolvido maravilhosamente; seus olhos eram mais gentis e brandos, seu sorriso, mais frequente e carinhoso.

Marilla estava pensando em toda a sua vida passada, sua breve, mas não infeliz, infância, os sonhos ciumentamente escondidos, as esperanças arruinadas de sua meninice e os anos longos, cinzentos, estreitos e monótonos da meia-idade entediante que se seguiram. E a chegada de Anne — a criança vívida, imaginativa, impetuosa com seu coração cheio de amor, e seu mundo cheio de fantasia, trazendo com ela a cor, o calor e o brilho, até que o deserto da existência tivesse florescido como uma rosa. Marilla sentiu que, de seus 60 anos, tinha vivido apenas os nove que se seguiram à chegada de Anne. E Anne estaria em casa amanhã à noite.

A porta da cozinha se abriu. Marilla olhou para cima esperando ver a Sra. Lynde. Anne estava diante dela, alta e de olhos estrelados, com as mãos cheias de flores-de-maio e violetas.

"Anne Shirley!", exclamou Marilla. Pela primeira vez na vida, ela ficou surpresa e baixou a guarda; ela pegou a menina em seus braços e a apertou junto com as flores contra seu coração, beijando calorosamente seu cabelo brilhante e seu rosto doce. "Eu não esperava você até amanhã à noite. Como você veio de Carmody?"

"Andando, minha querida Marilla. Não fiz isso centenas de vezes nos dias da Queen's? O correio vai trazer minha mala amanhã; eu só fiquei com saudade de casa de repente, e vim um dia mais cedo. E oh! Eu fiz um passeio tão adorável sob o crepúsculo de maio. Parei para colher estas flores-de-maio; eu vim pelo Vale Violeta; está repleto de violetas agora... as coisinhas mais lindas, com as cores do céu. Sinta o aroma delas, Marilla... absorva-as."

Marilla cheirou obedientemente, mas estava mais interessada em Anne do que em absorver o aroma de violetas.

"Sente-se, criança. Você deve estar muito cansada. Vou lhe preparar um jantar."

"Há um luar encantador atrás das colinas hoje à noite, Marilla, e, oh, como os sapos cantaram pelo meu caminho até em casa! Eu amo a música dos sapos. Parece ligada às minhas recordações mais felizes de antigas tardes de primavera. E sempre me lembra da noite em que cheguei aqui. A senhora se lembra, Marilla?"

"Ora, sim", disse Marilla com ênfase. "É provável que eu nunca esqueça."

"Eles cantaram tão loucamente no pântano e no riacho naquele ano. Eu os ouvia da minha janela ao anoitecer, e imaginava como eles podiam parecer tão felizes e tão tristes ao mesmo tempo. Oh, mas é tão bom estar em casa de novo. Redmond foi esplêndida e Bolingbroke encantadora, mas Green Gables é meu LAR."

"Soube que Gilbert não vai vir para casa neste verão", disse Marilla.

"Não." Algo no tom de Anne fez Marilla olhar para ela agudamente, mas Anne estava aparentemente absorta em arrumar as violetas em um vaso. "Veja, não são doces?", ela continuou apressadamente. "O ano é um livro, não é, Marilla? As páginas da primavera são escritas com flores-de-maio e violetas, o verão com rosas, o outono com folhas de bordo vermelhas e o inverno com azevinhos e sempre-vivas."

"Gilbert se saiu bem nos exames?", insistiu Marilla.

"Excelentemente bem. Ele foi o melhor da turma. Mas onde estão os gêmeos e a Sra. Lynde?"

"Rachel e Dora estão na casa do Sr. Harrison. Davy estava com os Boulter. Acho que estou ouvindo ele chegar agora."

Davy entrou num rompante, viu Anne, parou e depois se atirou nela com um grito de alegria.

"Oh, Anne, como estou feliz em ver você! Diga, Anne, eu cresci cinco centímetros desde o outono passado. A Sra. Lynde me mediu com a fita hoje, e, diga, Anne, veja o meu dente da frente. Caiu. A Sra. Lynde amarrou meu dente na ponta de um barbante, a outra ponta na porta e depois fechou. Eu vendi o dente para Milty por dois centavos. Milty coleciona dentes."

"Por que é que ele quer dentes?", perguntou Marilla.

"Para fazer um colar para brincar de cacique", explicou Davy, subindo no colo de Anne. "Ele já tem quinze, e todo mundo já prometeu para ele, então não adianta o resto de nós tentar colecionar também. Eu disse que os Boulter eram ótimos em fazer negócios."

"Você foi um bom menino na casa da Sra. Boulter?", perguntou Marilla severamente.

"Sim; mas, veja, Marilla, estou cansado de ser bom."

"Você se cansaria de ser mau muito mais rápido, Davyzinho", disse Anne.

"Bem, seria divertido enquanto durasse, não é?", insistiu Davy. "Eu poderia me arrepender depois, não é?"

"Se arrepender não desfaria as consequências de ser mau, Davy. Você não se lembra do domingo no verão passado em que você fugiu da escola dominical? Você me disse que ser mau não valia a pena. O que você e Milty estavam fazendo hoje?"

"Ah, nós pescamos, perseguimos o gato, caçamos ovos, gritamos para o eco. Tem um grande eco no matagal atrás do celeiro dos Boulter. Diga, o que é o eco, Anne? Queria saber."

"Eco é uma linda ninfa, Davy, que mora bem longe dentro da floresta e ri do mundo através das colinas."

"Como ela é?"

"Seu cabelo e seus olhos são escuros, mas seu pescoço e seus braços são brancos como a neve. Nenhum mortal pode ver como ela é bela. Ela foge mais rápido que um cervo, e aquela voz zombeteira dela é tudo que podemos conhecer dela. Você pode ouvi-la chamando à noite; pode ouvi-la rindo sob as estrelas. Mas nunca vê-la. Ela voa longe se você segui-la, e ri de você sempre da próxima colina."

"Isso é verdade, Anne? Ou é lorota?", quis saber David, encarando-a.

"Davy", disse Anne com desalento, "você não tem bom senso suficiente para distinguir um conto de fadas de uma mentira?"

"Então, o que é que volta do matagal dos Boulter? Eu queria saber", insistiu Davy.

"Quando você for um pouquinho mais velho, Davy, vou explicar tudo."

A menção da idade evidentemente deu um novo rumo aos pensamentos de Davy, pois depois de alguns momentos de reflexão, ele sussurrou solenemente:

"Anne, vou me casar."

"Quando?", perguntou Anne com igual solenidade.

"Oh, não até ter crescido, é claro."

"Bem, isso é um alívio, Davy. Quem é a moça?"

"Stella Fletcher; ela é da minha sala na escola. E, sabe, Anne, ela é a menina mais linda que já se viu. Se eu morrer antes de crescer, você vai ficar de olho nela, não vai?"

"Davy Keith, pare de falar tanta bobagem", disse Marilla com severidade.

"Não é bobagem", protestou Davy em um tom ofendido. "Ela é minha esposa prometida e, se eu morrer, ela vai ser minha viúva prometida, não vai? E ela não tem uma alma para cuidar dela além da velha avó."

"Venha jantar, Anne", disse Marilla, "e não encoraje essa criança com essa conversa absurda."

## CAPÍTULO XXIII

# Paul não consegue encontrar as Pessoas de Pedra

A vida foi muito agradável em Avonlea naquele verão, embora Anne, em meio às suas alegrias das férias, estivesse sendo assombrada por uma sensação de "algo faltando que deveria estar ali". Ela não admitiria, mesmo em suas reflexões secretas, que aquilo era causado pela ausência de Gilbert. Mas quando teve que andar para casa sozinha do grupo de oração e das reuniões da SMVA, enquanto Diana e Fred, e muitos outros casais felizes, passeavam pelas estradas ao anoitecer, iluminados pelas estrelas, havia uma dor estranha e solitária em seu coração que ela não conseguia explicar. Gilbert nem mesmo escreveu para ela, como ela pensou que faria. Ela sabia que ele escrevia para Diana ocasionalmente, mas ela não perguntava sobre ele; e Diana, supondo que Anne tinha notícias dele, não oferecia nenhuma informação. A mãe de Gilbert, que era uma dama alegre, franca e de bom coração, mas desprovida de tato, tinha um hábito muito embaraçoso de perguntar a Anne, sempre com uma dolorosamente distinção na voz e sempre na presença de uma multidão, se ela tinha tido notícias de Gilbert ultimamente. A pobre Anne apenas corava horrivelmente e murmurava, "não tão ultimamente", o que era considerado por todos, incluindo a Sra. Blythe, como uma mera evasiva de donzela.

Apesar disso, Anne aproveitou seu verão. Priscilla veio para uma visita alegre em junho; e, quando ela se foi, o Sr. e a Sra. Irving, Paul e Charlotta, a Quarta, voltaram "para casa" durante julho e agosto.

A Cabana do Eco era cenário de passatempos mais uma vez e os ecos sobre o rio mantinham-se ocupados imitando a risada que soava no velho jardim atrás dos espruces.

A "Srta. Lavendar" não tinha mudado, exceto por ter ficado ainda mais doce e mais bonita. Paul a adorava, e o companheirismo entre eles era lindo de ver.

"Mas eu não a chamo de 'mãe'", ele explicou a Anne. "Sabe, ESSE título pertence apenas à minha mãezinha e não posso dá-lo a outra pessoa. A senhorita sabe, professora. Mas eu a chamo de 'Mãe Lavendar' e eu a amo quase tanto quanto amo meu pai. Eu... eu até a amo um POUCO mais do que amo a senhorita, professora."

"O que é exatamente como deve ser", respondeu Anne.

Paul tinha 13 anos e estava muito alto para sua idade. Seu rosto e seus olhos estavam mais lindos do que nunca, e sua imaginação ainda era como um prisma, transformando tudo o que caía nela em um arco-íris. Ele e Anne davam passeios encantadores pelos bosques, pelos campos e pela praia. Nunca houve duas "almas amigas" mais perfeitas.

Charlotta, a Quarta, tinha florescido em sua mocidade. Ela usava seu cabelo agora em um enorme topete e tinha descartado os laços de fita azul dos velhos tempos, mas seu rosto estava sardento, seu nariz arrebitado e sua boca e seus sorrisos tão largos quanto antes.

"Você não acha que eu estou falando com sotaque de ianque, acha, Srta. Shirley, madame?", ela questionou ansiosa.

"Eu não reparei, Charlotta."

"Fico feliz por isso. Em casa eles dizem que estou, mas é provável que eles só queiram me irritar. Eu não desejo sotaque ianque nenhum. Não que eu tenha alguma coisa para falar contra os iaques, Srta. Shirley, madame. Eles são muito civilizados. Mas prefiro a velha Ilha P.E. sempre."

Paul passou as primeiras duas semanas com sua avó Irving em Avonlea. Anne estava lá para recebê-lo quando ele chegou, e o encontrou louco de ansiedade para ir à praia — Nora, a Dama Dourada e os Marinheiros Gêmeos estariam lá. Ele mal podia esperar para comer seu jantar. Ele não conseguia ver o rosto élfico de Nora espiando através do pontão, observando-o saudosamente? Mas um Paul muito sério voltou da praia ao anoitecer.

"Não encontrou suas Pessoas de Pedra?", perguntou Anne.

Paul sacudiu seus cachos castanhos dolorosamente.

"Os Marinheiros Gêmeos e a Dama Dourada não apareceram", ele disse. "Nora estava lá... mas Nora não é a mesma, professora. Ela mudou."

"Oh, Paul, foi você quem mudou", disse Anne. "Você ficou muito crescido para as Pessoas de Pedra. Elas gostam só de crianças para colegas de brincadeiras. Temo que os Marinheiros Gêmeos nunca mais venham novamente para levar você no barco perolado, encantado com a vela de luar; e a Dama Dourada não vai mais tocar para você em sua harpa dourada. Até mesmo Nora não vai se encontrar mais com você. Deve pagar o preço de crescer, Paul. Deve deixar a terra da fantasia para trás."

"Vocês dois continuam falando tanta bobagem quanto antes", disse a velha Sra. Irving, meio indulgente, meio reprovadora.

"Oh, não, não continuamos", disse Anne, balançando a cabeça seriamente. "Estamos ficando muito, muito sábios, e é uma pena. Nós nunca somos tão interessantes quando aprendemos que a linguagem é dada a nós para nos permitir encobrir nossos pensamentos."

"Mas não é... é dada para trocar nossos pensamentos", disse a Sra. Irving seriamente. Ela nunca ouviu a respeito de Tallyrand e não entendia epigramas.

Anne passou duas semanas de seus dias tranquilos na Cabana do Eco durante o auge dourado de agosto. Enquanto estava lá, ela incidentalmente contribuiu para apressar Ludovic Speed em seu namoro preguiçoso com Theodora Dix, conforme relatado devidamente em outra crônica da história[1]. Arnold Sherman, um velho amigo dos Irving, estava lá naquele momento e conversou bastante sobre os prazeres da vida em geral.

1 N.A.: *Chronicles of Avonlea (Crônicas de Avonlea).*

"Que bela diversão tivemos", disse Anne. "Eu me sinto como um gigante refrescado. E faltam apenas duas semanas até eu voltar para Kingsport, Redmond e a Casa da Patty. A Casa da Patty é o lugar mais adorável, Srta. Lavendar. Eu sinto que tenho dois lares: um em Green Gables e outro na Casa da Patty. Mas aonde foi o verão? Não parece ter se passado um dia desde que vim para casa naquela tarde de primavera com as flores-de-maio. Quando eu era pequena, não conseguia ver o fim de um verão e o começo do outro. Ele se estendia diante de mim como uma estação sem fim. Agora, 'é um suspiro, um conto'."

"Anne, você e Gilbert Blythe são tão amigos quanto costumavam ser?", perguntou a Sra. Lavendar calmamente.

"Sou tão amiga de Gilbert quanto sempre fui, Srta. Lavendar."

A Srta. Lavendar balançou a cabeça.

"Eu vejo que há algo errado, Anne. Vou ser impertinente e perguntar o que é. Vocês brigaram?"

"Não; é só que Gilbert quer mais que amizade e eu não posso lhe dar mais que isso."

"Você tem certeza disso, Anne?"

"Perfeitamente."

"Eu sinto muito, muito mesmo."

"Eu me pergunto por que todos parecem pensar que devo me casar com Gilbert Blythe", disse Anne com ar petulante.

"Porque vocês foram feitos um para o outro, Anne, por isso. Você não precisa deixar essa sua cabeça jovem para trás. É um fato."

## CAPÍTULO XXIV
# Entra Jonas

"PROSPECT POINT, 20 de agosto.

"Querida Anne, com E", escreveu Phil, "devo manter minhas pálpebras abertas por tempo suficiente para escrever para você. Eu a negligenciei vergonhosamente durante este verão, querida, mas todos os meus outros correspondentes também foram negligenciados. Eu tenho uma pilha imensa de cartas para responder, então devo cingir os lombos da minha mente e começar a trabalhar. Perdoe as minhas metáforas mistas. Estou com um sono terrível. Minha Prima Emily e eu visitamos uma vizinha na noite passada. Havia diversos outros visitantes ali e, assim que aquelas infelizes criaturas saíram, nossa anfitriã e suas três filhas os criticaram nos mínimos detalhes. Eu sabia que elas começariam a falar de mim e da Prima Emily assim que a porta se fechasse atrás de nós. Quando voltamos para casa, a Sra. Lilly nos informou que o menino contratado pela vizinha já mencionada parecia estar com escarlatina. Você sempre pode contar com a Sra. Lilly para lhe contar coisas animadoras assim. Tenho horror a escarlatina. Não consegui dormir quando fui para a cama porque fiquei pensando nisso. Eu fiquei me revirando, tive sonhos assustadores até cochilar por um minuto; e às três acordei com uma febre alta, a garganta inflamada e uma dor de cabeça feroz. Eu sabia que estava com escarlatina; acordei em pânico e procurei o "livro do médico" da Prima Emily para ler os sintomas. Anne, eu tinha todos. Então, voltei para a cama e, sabendo o pior, dormi como uma pedra pelo resto da noite. Embora eu nunca tenha entendido por que uma pedra devesse dormir melhor que qualquer outra coisa. Mas hoje de manhã eu acordei bem, então não poderia ter sido escarlatina. Eu imagino que, se eu tivesse pegado na noite anterior, ela não teria se desenvolvido tão depressa. Eu me lembrei daquilo durante a manhã, mas às três da madrugada nunca consigo ser lógica.

"Imagino que você esteja se perguntando o que estou fazendo em Prospect Point. Eu sempre gostei de passar um mês do verão na praia, e meu pai insistiu que eu viesse para a 'pensão seleta' de sua prima de segundo grau Emily. Então, duas semanas atrás eu vim, como sempre. E, como sempre, o velho 'Tio Mark Miller' me trouxe da estação em sua charrete milenar e o que ele chama de cavalo para 'propósitos generosos'. Ele é um velho senhor gentil e me deu um bocado de balas de hortelã. Balas de hortelã sempre me pareceram um tipo de doce tão religioso — imagino que seja porque, quando eu era uma menininha, Vovó Gordon sempre me dava essas balas na igreja. Uma vez eu perguntei, querendo me referir ao cheiro de hortelã, 'Este é o odor da santidade?', eu não quis comer as balas de hortelã do Tio Mark porque ele as tirou soltas do bolso e teve que tirar uns pregos enferrujados e umas outras coisas delas antes de dá-las para mim. Mas eu não magoaria seus queridos velhos sentimentos por nada, então, cuidadosamente as semeei ao longo da estrada aos poucos. Quando a última delas se foi, Tio Mark disse, com uma leve repreensão, 'Ocê não devia comer todos os doce de uma vez, Dona Phil. Vai ficar com dor de barriga.' "Prima Emily tem apenas cinco hóspedes além de mim mesma — quatro velhas damas e um jovem. Minha vizinha do lado direito é a Sra. Lilly. Ela é uma daquelas pessoas que sentem um prazer horrendo em detalhar todas as suas muitas dores, males e doenças. Não se pode mencionar nenhuma enfermidade que ela já diz, balançando a cabeça, 'Ah, eu sei muito bem como é' — e então você tem todos os detalhes. Jonas afirma que uma vez falou sobre ataxia locomotora em voz alta e ela disse que sabia muito bem como aquilo era. Ela sofreu daquilo por dez anos e foi finalmente curada por um médico viajante.

"Quem é Jonas? Espere um pouco, Anne Shirley. Você vai ouvir tudo sobre Jonas em seu tempo e lugar. Ele não deve ser misturado com velhas damas respeitáveis.

"Minha vizinha à esquerda da mesa é a Sra. Phinney. Ela sempre fala com uma voz lamentosa, dolorosa — você fica nervosamente esperando que ela caia em lágrimas a todo momento. Ela dá a impressão de que a vida é mesmo um vale de lágrimas, e que um sorriso, sem falar de uma risada, é uma frivolidade verdadeiramente repreensível. Ela tem uma opinião de mim pior que a de Tia Jamesina e também não me ama o suficiente para compensar isso, como Tia J. me ama.

"A Srta. Maria Grimsby senta-se no canto oposto ao meu. No primeiro dia em que cheguei, comentei com a Srta. Maria que parecia que ia chover — e a Srta. Maria riu. Disse que a estrada da estação era muito bonita — e a Srta. Maria riu. Disse que ainda parecia haver alguns mosquitos espalhados — e a Srta. Maria riu. Disse que Prospect Point estava bonita como sempre — e a Srta. Maria riu. Se eu tivesse dito à Srta. Maria 'Meu pai se enforcou, minha mãe tomou veneno, meu irmão está na penitenciária e estou nos últimos estágios da tuberculose', a Srta. Maria teria rido. Ela não pode evitar — nasceu assim; mas é muito triste e terrível.

"A quinta velha dama é a Sra. Grant. Ela é uma velhinha adorável; mas nunca diz nada que não seja bom sobre ninguém, então, é uma conversadora muito desinteressante.

"E agora vamos a Jonas, Anne.

"Naquele primeiro dia em que cheguei, vi um jovem sentado do outro lado da mesa, sorrindo para mim como se me conhecesse desde o berço. Eu sabia, pois Tio Mark havia me contado, que seu nome era Jonas Blake, que ele era um aluno de Teologia da St. Columbia e que era responsável pela Igreja Missionária de Point Prostect durante o verão.

"Ele é um rapaz muito feio — realmente, o rapaz mais feio que já vi. Ele tem uma figura grande e largada com pernas absurdamente longas. Seu cabelo é amarelo claro e liso, seus olhos são verdes, sua boca é grande e suas orelhas... mas nunca penso nas orelhas dele se eu puder evitar.

"Ele tem uma voz adorável — se você fechar seus olhos, ele é adorável — e certamente tem uma alma e uma disposição lindíssimas.

"Nós logo viramos bons amigos. Claro que ele se formou em Redmond e isso é algo em comum entre nós. Nós pescamos e andamos de barco juntos; e andamos pela praia sob o luar. Ele não pareceu tão sem graça sob luar e, oh, ele foi gentil. A gentileza praticamente exalava dele. As velhas damas — exceto a Sra. Grant — não aprovam Jonas, porque ele ri e faz piadas — e porque ele evidentemente gosta da minha companhia frívola mais que da companhia delas.

"De alguma forma, Anne, não quis que ele pensasse que eu era frívola. Isso é ridículo. Por que eu me importaria com o que uma pessoa de cabelo amarelo chamada Jonas, que eu nunca vi antes, pensa sobre mim?

"No domingo passado, Jonas pregou na igreja da vila. Eu fui, é claro, mas não sabia que Jonas faria o sermão. O fato de ele ser um pastor — ou se tornaria um pastor — continuou parecendo uma grande piada para mim.

"Bem, Jonas pregou. E, depois de ele ter pregado por dez minutos, eu me senti tão pequena e insignificante que pensei que deveria ser invisível a olho nu. Jonas em momento algum disse uma palavra sequer sobre mulheres, nem olhou para mim. Mas eu percebi, naquele instante, a borboletazinha patética, frívola e de alma pequena que eu era e como devia ser horrivelmente diferente da mulher ideal de Jonas. ELA seria grande, forte e nobre. Ele era tão fervoroso, carinhoso e verdadeiro. Ele era tudo que um pastor deveria ser. Eu me perguntei como poderia ter pensado que ele era feio — mas ele é! — com aqueles olhos inspirados e aquela expressão intelectual que o cabelo caindo bagunçado tinha escondido durante a semana.

"Foi um sermão esplêndido e eu poderia tê-lo ouvido para sempre. E fez eu me sentir completamente desprezível. Oh, eu queria ser como VOCÊ, Anne.

"Ele me alcançou na estrada ao voltarmos para casa e sorriu tão animado quanto sempre. Mas seu sorriso nunca mais poderia me enganar. Eu tinha visto o Jonas REAL. E me perguntei se ele algum dia poderia ver a PHIL REAL — que NINGUÉM, nem você, Anne, já viu.

"'Jonas', eu disse — eu esqueci de chamá-lo de Sr. Blake. Não foi terrível? Mas há momentos em que coisas assim não importam — 'Jonas, você nasceu para ser pastor. Você NÃO PODERIA ser qualquer outra coisa.'

"Não, não poderia', ele disse seriamente. 'Eu tentei ser outra coisa por muito tempo, não queria ser pastor. Mas finalmente vi que era o trabalho que me foi entregue e, com a ajuda de Deus, tentarei fazê-lo.'

"Sua voz estava baixa e reverente. Eu pensei que ele faria seu trabalho e o faria bem e nobremente; e feliz seria a mulher com a natureza e o treinamento adequados para ajudá-lo. ELA não seria uma pluma, soprada por qualquer vento caprichoso. ELA saberia sempre qual chapéu colocar. Provavelmente, teria apenas um. Os pastores nunca têm muito dinheiro. Mas ela não se importaria de ter apenas um chapéu ou chapéu nenhum, porque teria Jonas.

"Anne Shirley, não ouse dizer, insinuar ou pensar que me apaixonei pelo Sr. Blake. Poderia eu gostar de um teólogo magro, pobre e feio — chamado Jonas? Como Tio Mark diz, 'É impossível, e ainda mais, é improvável.'

"Boa noite, PHIL.

"Obs. É impossível — mas tenho um medo terrível de que seja verdade. Estou feliz, miserável e assustada. ELE NUNCA vai gostar de mim, eu sei. Você acha que eu poderia me transformar em uma esposa de pastor aceitável, Anne? E eles esperariam que eu liderasse as orações? P.G."

## CAPÍTULO XXV
# Entra o Príncipe Encantado

"Estou pensando sobre as possibilidades de ficar dentro ou fora de casa", disse Anne, olhando da janela da Casa da Patty para os pinheiros distantes do parque.

"Tenho uma tarde para gastar fazendo absolutamente nada, Tia Jimsie. Devo passá-las aqui onde há um fogo aconchegante, um prato cheio de maçãs deliciosas, três gatos ronronantes e harmoniosos e dois cachorros de porcelana impecáveis com narizes verdes? Ou devo ir ao parque onde há a sedução da floresta e da água cinzenta batendo contra as pedras do porto?"

"Se eu fosse jovem como você, decidiria a favor do parque", disse Tia Jamesina, fazendo cócegas na orelha amarela de Joseph com uma agulha de tricô.

"Pensei que alegasse ser a mais jovem de todas nós, titia", provocou Anne.

"Sim, na alma. Mas admito que minhas pernas não são tão jovens quanto as suas. Vá pegar um pouco de ar fresco, Anne. Você tem estado pálida ultimamente."

"Acho que vou até o parque", disse Anne incansável. "Não estou a fim de alegrias domésticas inofensivas hoje. Quero me sentir sozinha e livre e selvagem. O parque vai estar vazio, pois todos vão estar na partida de futebol."

"Por que você não foi?"

"'Ninguém me convidou, senhor, ela disse', pelo menos, ninguém além daquele horrendo Dan Ranger. Eu não iria a lugar nenhum com ele; mas, em vez de magoar seus pobres sentimentos delicados, disse que não iria ao jogo de jeito nenhum. Não me importo. Não estou com disposição para futebol hoje."

"Vá pegar um pouco de ar fresco", repetiu Tia Jamesina, "mas leve seu guarda-chuva, pois acredito que vá chover. Estou sentindo reumatismo na perna."

"Apenas pessoas velhas deviam ter reumatismo, Titia."

"Qualquer um está sujeito a ter reumatismo nas pernas, Anne. Mas apenas as pessoas velhas deviam ter reumatismo na alma. Graças a Deus, eu nunca tive. Quando você fica com reumatismo na alma, é melhor já escolher seu caixão."

Era novembro — o mês do pôr do sol carmim, da migração dos pássaros, dos hinos profundos e tristes do mar, dos cantos apaixonados do vento nos pinheiros. Anne vagou pelos corredores de pinheiros do parque e, como ela disse, deixou aquele belo vento arrebatador soprar a névoa de sua alma. Anne não tinha o costume de ficar perturbada com névoa da alma. Mas, de alguma forma, desde seu retorno a Redmond para aquele terceiro ano, a vida não havia espelhado seu espírito de volta para ela com sua velha, perfeita e brilhante clareza.

Externamente, a existência na Casa da Patty era a mesma rotina agradável de trabalho, estudo e recreação que sempre havia sido. Nas noites de sexta-feira, a grande sala de estar, com o fogo aceso, ficava cheia de visitantes e ecoava com alegria e risadas infinitas, enquanto Tia Jamesina sorria contente para todos. O "Jonas" da carta de Phil a visitava com frequência, vindo rapidamente de St. Columbia no primeiro trem e partindo no último. Ele era o favorito geral da Casa da Patty, embora Tia Jamesina balançasse a cabeça e opinasse que alunos da divindade não eram mais como costumavam ser.

"Ele é MUITO bom, minha querida", ela disse a Phil, "mas pastores devem ser mais sérios e mais dignos."

"Um homem não pode rir e ainda ser um cristão?", questionou Phil.

"Oh, HOMENS sim. Mas eu estava falando sobre PASTORES, minha querida", disse Tia Jamesina, repreendendo-a. "E você não deveria flertar tanto com o Sr. Blake... não deveria mesmo."

"Não estou flertando com ele", protestou Phil.

Ninguém acreditou nela, exceto Anne. Os outros pensaram que ela estava se divertindo como sempre e disseram a ela enfaticamente que estava se comportando muito mal.

"O Sr. Blake não é do tipo Alec e Alonzo, Phil", disse Stella com severidade. "Ele leva as coisas seriamente. Você pode partir seu coração."

"Você acha mesmo que eu poderia?", perguntou Phil. "Eu adoraria pensar que sim."

"Philippa Gordon! Nunca pensei que você fosse tão completamente insensível. A ideia de você dizer que adoraria partir o coração de um homem!"

"Eu não disse isso, querida. Faça a citação correta. Eu disse que gostaria de pensar que PODERIA parti-lo. Eu gostaria de saber que tenho o PODER de fazer isso."

"Eu não entendo você, Phil. Você está encorajando aquele rapaz deliberadamente... e sabe que isso não significa nada.'

"Quer dizer que eu quero que ele me peça em casamento", disse Phil calmamente.

"Eu desisto", disse Stella, perdendo as esperanças.

Gilbert vinha ocasionalmente nas tardes de sexta-feira. Ele parecia sempre de bom humor e conseguia se virar nas alegrias e conversas que corriam. Ele nunca procurava nem evitava Anne. Quando as circunstâncias os colocavam em contato, ele falava com ela agradável e educadamente, como se tivesse acabado de conhecê-la. O velho companheirismo havia desaparecido totalmente. Anne sentia aquilo profundamente, mas disse a si mesma que estava muito feliz e grata por Gilbert ter superado a decepção em relação a ela tão completamente. Ela tinha ficado muito assustada, naquela tarde de abril no pomar, que o houvesse magoado terrivelmente e que a ferida demorasse a sarar. Agora ela via que não precisava ter se preocupado. Homens haviam morrido e vermes os tinham devorado, mas não por amor. Gilbert claramente não estava em perigo de entrar em colapso. Ele estava aproveitando a vida e estava cheio de ambição e viço. Para ele não deveria haver desespero pelo fato de uma mulher ter sido indiferente e fria. Anne, enquanto escutava as brincadeiras incessantes que corriam entre ele e Phil, perguntava-se se tinha apenas imaginado a expressão nos olhos dele quando ela lhe disse que nunca poderia amá-lo.

Não faltavam aqueles que alegremente teriam tomado o lugar vago de Gilbert. Mas Anne os esnobava sem medo e sem recriminação. Se o verdadeiro Príncipe Encantado nunca viesse, ela não aceitaria um substituto. Foi o que ela disse a si mesma naquele dia cinzento no parque ventoso.

De repente, a chuva da profecia de Tia Jamesina chegou com pressa e barulho. Anne abriu seu guarda-chuva e correu. Enquanto virava a estrada do porto, uma rajada selvagem de vento rasgou seu guarda-chuva. Instantaneamente, ele virou do avesso. Anne o agarrou em desespero. E então surgiu uma voz ao lado dela.

"Perdoe-me... posso oferecer-lhe o abrigo do meu guarda-chuva?"

Anne olhou para cima. Alto, belo e de aparência distinta; olhos escuros, melancólicos, inescrutáveis; voz suave, musical, simpática — sim, o verdadeiro herói de seus sonhos estava diante dela em carne e osso. Ele não poderia ter sido mais parecido com o seu ideal se ela o tivesse encomendado.

"Obrigada", ela disse, confusa.

"É melhor corrermos até aquele pequeno pavilhão no pontão", sugeriu o desconhecido. "Podemos esperar lá até esta chuva parar. Não é provável que chova com tanta intensidade por muito tempo."

As palavras eram muito comuns, mas, oh, o tom! E o sorriso que as acompanhava! Anne sentiu seu coração batendo estranhamente.

Juntos, eles correram para o pavilhão e sentaram-se sem fôlego embaixo de seu teto amigável. Anne risonhamente abriu seu guarda-chuva falso.

"É quando meu guarda-chuva vira do avesso que fico convencida da depravação total das coisas inanimadas", ela disse alegremente.

As gotas de chuva reluziam em seu cabelo brilhoso; seus cachos soltos enrolavam-se em volta de seu pescoço e sua testa. Suas bochechas estavam vermelhas, seus olhos grandes e estrelados. Seu companheiro olhou para ela admirado. Ela sentiu-se corando sob seu olhar. Quem poderia ser ele? Ora, o vermelho e branco de Redmond estava preso à lapela de seu casaco. Ainda assim, ela pensou que conhecia, ao menos de vista, todos os alunos de Redmond, exceto os calouros. E aquele rapaz certamente não era um calouro.

"Vejo que somos colegas de escola", ele disse, sorrindo para as cores de Anne. "Isso deve servir como apresentação. Meu nome é Royal Gardner. E você é a Srta. Shirley que leu o texto de Tennyson na Filarmônica em uma tarde dessas, não é?"

"Sim, mas não consigo me lembrar de você", ela disse, francamente. "Por favor, de ONDE você é?"

"Sinto que ainda não sou de lugar nenhum. Eu cursei o primeiro e o segundo ano em Redmond há dois anos atrás. Estive na Europa desde então. Agora voltei para terminar meu curso de Artes."

"Este é o meu terceiro ano também", disse Anne.

"Então somos colegas de sala e de escola. Estou reconciliado com a perda dos anos que o gafanhoto devorou", disse seu companheiro com um mundo inteiro de significado naqueles olhos.

A chuva caiu incessantemente por quase uma hora. Mas o tempo pareceu realmente muito curto. Quando as nuvens se desfizeram e o brilho de um pálido sol de novembro caiu na direção do porto e dos pinheiros, Anne e seu companheiro andaram de volta para casa. Ao chegarem ao portão da Casa da Patty, ele pediu permissão para visitá-la, e recebeu. Anne entrou com as bochechas em chamas e seu coração batendo loucamente. Rusty, que pulou em seu colo e tentou beijá-la, foi recebido com saudações muito ausentes. Anne, com sua alma cheia de emoções românticas, não tinha atenção para dar a um gato de orelha carcomida.

Naquela tarde, uma encomenda foi deixada na Casa da Patty para a Senhorita Shirley. Era uma caixa contendo doze magníficas rosas. Phil avançou impertinentemente sobre o cartão que caiu dela, lendo o nome e a citação poética escritos no verso.

"Royal Gardner!", ela exclamou. "Ora, Anne, não sabia que você conhecia Roy Gardner!"

"Eu o encontrei no parque hoje à tarde durante a chuva, explicou Anne apressadamente. "Meu guarda-chuva virou do avesso e ele veio ao meu resgate com o dele."

"Oh!", Phil observou Anne curiosamente. "E esse incidente absurdamente comum é razão para ele nos enviar uma dúzia de rosas com uma rima tão sentimental? Ou para nós corarmos de um jeito divinamente rosado quando olhamos para o cartão dele? Anne, seu rosto a traiu."

"Não fale bobagem, Phil. Você conhece o Sr. Gardner?"

"Eu conheci suas duas irmãs e sei algo sobre ele. Assim como todo mundo que valha a pena conhecer em Kingsport. Os Gardner estão entre as mais ricas e mais tradicionais famílias de Nova Scotia. Roy é adoravelmente bonito e esperto. Dois anos atrás, a mãe dele ficou mal de saúde e ele precisou deixar a faculdade e ir para o exterior com ela — o pai dele está morto. Ele deve ter ficado muito desapontado por ter que desistir do curso, mas dizem que ele foi perfeitamente doce em relação a isso. Fe-fi-fo-fum, Anne. Sinto cheiro de romance. Eu quase estou com inveja de você, mas não muito. Afinal, Roy Gardner não é Jonas."

"Sua boba!", disse Anne arrogantemente. Mas, naquela noite, ela ficou acordada por muito tempo e não desejou o sono. Suas fantasias acordadas eram mais sedutoras do que qualquer visão da terra dos sonhos. O Príncipe Encantado havia finalmente chegado? Relembrando aqueles gloriosos olhos escuros que observaram os delas tão profundamente, Anne estava fortemente inclinada a pensar que sim.

## CAPÍTULO XXVI
# Entra Christine

As meninas na Casa da Patty estavam se vestindo para a recepção que os alunos do terceiro ano estavam dando aos veteranos em fevereiro. Anne examinou-se no espelho do quarto azul com uma satisfação feminina. Ela estava usando um traje particularmente bonito. Originalmente, tinha sido apenas uma combinaçãozinha simples de seda cor de creme com uma saia de chiffon. Mas Phil havia insistido em levá-lo para casa com ela durante o feriado de Natal para bordar pequenos botões de rosa por toda a saia. Os dedos de Phil eram hábeis e o resultado foi um vestido que era a inveja de todas as meninas de Redmond. Até mesmo Allie Boone, cujos vestidos vinham de Paris, costumava olhar com desejo para a mistura de botões de rosa enquanto Anne subia a escadaria principal de Redmond com ele.

Anne estava testando o efeito de uma orquídea branca em seu cabelo. Roy Gardner havia lhe enviado orquídeas brancas para a recepção e ela sabia que nenhuma outra garota de Redmond as teria naquela noite — quando Phil chegou com um olhar admirado.

"Anne, esta é certamente a sua noite para parecer bonita. Em nove a cada dez noites eu posso facilmente ofuscar você. Na décima você floresce de repente em algo que me cobre completamente como um eclipse. Como você faz isso?"

"É o vestido, querida. Belas penas."

"Não é. Da última vez em que você ardeu em chamas de beleza, estava vestindo a velha camisa azul de flanela que a Sra. Lynde fez para você. Se Roy já não tivesse perdido a cabeça e o coração por você, ele certamente perderia hoje à noite. Mas não gosto de orquídeas em você, Anne. Não; não é inveja. Orquídeas não parecem PERTENCER a você. Elas são exóticas demais... tropicais demais... insolentes demais. Não as coloque no seu cabelo, seja como for."

"Bem, não vou colocar. Admito que eu mesma não gosto de orquídeas. Não acho que elas combinam comigo. Roy não as envia com frequência... ele sabe que gosto de flores com as quais posso viver. Orquídeas são apenas coisas com as quais se pode visitar."

"Jonas me enviou alguns botões de rosa cor-de-rosa para hoje... mas... ele mesmo não virá. Ele disse que tinha que liderar um grupo de oração na favela! Eu não creio que ele quisesse vir. Anne, estou com um medo terrível de Jonas não gostar mesmo de mim. E estou tentando decidir se vou definhar e morrer, ou seguir em frente, pegar meu diploma e ser sensata e útil."

"Você não poderia ser sensata e útil de jeito nenhum, Phil, então é melhor definhar e morrer", disse Anne cruelmente.

"Anne sem coração!"

"Phil boba! Você sabe muito bem que Jonas a ama."

"Mas... ele não me DIZ que me ama. E eu não posso FORÇÁ-LO. Ele PARECE amar, eu admito. Mas falar comigo apenas com os olhos não é exatamente uma razão para bordar guardanapos e costurar toalhas de mesa. Eu não quero começar a fazer esse trabalho até estar realmente noiva. Seria desafiar o destino."

"O Sr. Blake está com medo de pedi-la em casamento, Phil. Ele é pobre e não pode lhe oferecer uma casa como a que você sempre teve. Você sabe que essa é a única razão para ele não ter pedido há muito tempo."

"Imagino que sim", concordou Phil dolorosamente. "Bem", animando-se, "se ele NÃO me pedir, eu mesma vou pedi-lo em casamento, só isso. Então está destinado a dar certo. Não vou me preocupar. A propósito, Gilbert Blythe está saindo constantemente com Christine Stuart. Você sabia?"

Anne estava tentando ajustar uma pequena corrente de ouro em seu pescoço. De repente, ela descobriu que era difícil lidar com o fecho. QUAL era o problema com ele — ou com os dedos dela?

"Não", ela disse despreocupadamente. "Quem é Christine Stuart?"

"A irmã de Ronald Stuart. Ela está em Kingsport neste inverno estudando música. Eu não a vi, mas dizem que ela é muito bonita e que Gilbert está louco por ela. Como fiquei brava quando você recusou Gilbert, Anne. Mas Roy Gardner foi predestinado a você. Posso ver agora. Você estava certa, no fim das contas."

Anne não corou, como normalmente acontecia quando as garotas presumiam que seu eventual casamento com Roy Gardner era coisa certa. De repente, ela sentiu-se bastante aborrecida. A conversa de Phil parecia trivial e a recepção uma chatice. Ela bateu nas orelhas do pobre Rusty.

"Saia dessa almofada imediatamente, seu gato! Por que você não fica no lugar de onde veio?"

Anne pegou suas orquídeas e desceu, onde Tia Jamesina estava vigiando uma fileira de casacos pendurados diante do fogo para esquentarem. Roy Gardner estava aguardando Anne e provocando a Gata-Sarah enquanto esperava. A Gata-Sarah não o aprovava. Ela sempre virava as costas para ele. Mas todos os outros na Casa da Patty gostavam muito dele. Tia Jamesina, influenciada pela sua cortesia infalível e respeitosa e pelos tons suplicantes de sua voz encantadora, declarou que ele era o jovem mais gentil que ela já tinha conhecido e que Anne era uma menina de muita sorte. Tais comentários deixavam Anne inquieta. Os galanteios de Roy tinham sido certamente tão românticos quanto um coração de menina poderia desejar, mas... ela desejava que Tia Jamesina e as meninas não tomassem as coisas como certas. Quando Roy murmurou um elogio poético enquanto a ajudava a colocar seu casaco, ela não corou e se emocionou como de costume; e ele a achou bastante silenciosa em sua breve caminhada até Redmond. Ele achou que ela parecia um pouco pálida quando saiu do vestiário feminino; mas, quando eles entraram no salão, sua cor e brilho subitamente voltaram. Ela virou-se para Roy com sua expressão mais alegre. Ele sorriu de volta para ela com o que Phil chamava de seu "profundo, misterioso e aveludado sorriso". Ainda assim ela nem mesmo estava vendo Roy. Ela estava profundamente consciente de que Gilbert estava em pé atrás das palmeiras do outro lado do salão, conversando com uma garota que deveria ser Christine Stuart.

Ela era muito bonita, do tipo imponente, destinada a tornar-se mais ainda imponente na meia-idade. Uma garota alta, com grandes olhos azuis, contornos de marfim e um brilho escuro em seu cabelo sedoso.

"Ela é exatamente como eu sempre quis ser", pensou Anne, miseravelmente. "Uma complexão rosada... olhos violeta estrelados... cabelo da cor da asa do corvo... sim, ela tem tudo. É uma surpresa seu nome não ser Cordelia Fitzgerald ainda por cima! Mas não creio que a figura dela seja tão boa quanto a minha, e o nariz certamente não é."

Anne sentiu-se um pouco reconfortada por aquela conclusão.

## CAPÍTULO XXVII
# Confidências mútuas

Março chegou naquele inverno como o mais manso e doce dos cordeiros, trazendo dias frescos, dourados e tilintantes, cada um seguido por um crepúsculo gelado e rosado que gradualmente se perdia na terra de elfos do luar.

Sobre as meninas na Casa da Patty caía a sombra dos exames de abril. Elas estavam estudando com afinco; até mesmo Phil tinha se agarrado aos textos e cadernos com uma perseverança que não se esperava dela.

"Vou conseguir a Bolsa de Estudos Johnson de matemática", ela anunciou calmamente. "Eu poderia conseguir a de Grego facilmente, mas prefiro a de matemática, porque quero provar para Jonas que sou mesmo imensamente inteligente".

"Jonas gosta mais de você pelos seus grandes olhos castanhos e seu sorriso torto do que por toda a inteligência que você carrega embaixo dos cachos", disse Anne.

"Quando eu era menina, não era considerado digno de uma dama saber nada sobre matemática", disse Tia Jamesina. "Mas os tempos mudaram. Não sei se para melhor. Você sabe cozinhar, Phil?"

"Não, nunca cozinhei nada na minha vida, exceto biscoito de gengibre e foi um desastre... afundou no meio e levantou nas bordas. Sabe como é. Mas, Titia, quando eu começar a aprender a cozinhar de boa vontade, a senhora não acha que a inteligência que me permite vencer uma bolsa de estudos de matemática também vai me permitir aprender a cozinhar igualmente bem?"

"Talvez", disse Tia Jamesina cautelosamente, "não estou condenando a educação superior das mulheres. Minha filha tem mestrado. E sabe cozinhar também. Mas eu a ensinei a cozinhar ANTES de deixar um professor de faculdade ensinar matemática a ela."

Na metade de março, chegou uma carta da Srta. Patty Spofford, dizendo que ela e a Srta. Maria tinham decidido permanecer no exterior por mais um ano.

"Então, podem ficar na Casa da Patty durante o próximo inverno também", escreveu ela. "Maria e eu vamos passar pelo Egito. Quero ver a Esfinge uma vez antes de morrer."

"Imagine só aquelas duas damas 'passando pelo Egito'! Eu me pergunto se elas vão olhar para a Esfinge e tricotar", riu Priscilla.

"Fico tão feliz por podermos ficar com a Casa da Patty por mais um ano", disse Stella. "Eu fiquei com medo de elas voltarem. E, então, nosso pequeno e alegre ninho aqui seria partido... e nós, pobres passarinhos implumes, seríamos jogadas no mundo cruel das pensões novamente."

"Vou sair para dar um passeio no parque", anunciou Phil, deixando seu livro de lado. "Acho que quando tiver 80 anos, vou ficar feliz por ter passeado no parque hoje à noite."

"O que você quer dizer?", perguntou Anne.

"Venha comigo e vou lhe dizer, querida."

Elas capturaram em sua caminhada todos os mistérios e magias de uma tarde de março. Ela estava muito calma e suave, embrulhada em um grande silêncio, branco e pensativo — um silêncio que ainda estava entrelaçado com diversos pequenos sons prateados que você poderia ouvir se lhes desse ouvidos tanto com sua alma quanto com seus ouvidos. As meninas perambularam por um corredor longo de pinheiros que parecia levar diretamente ao coração do pôr do sol vermelho vivo e transbordante de inverno.

"Eu iria para casa e escreveria um poema neste minuto abençoado se apenas soubesse como", declarou Phil, parando em um espaço aberto onde uma luz rosada estava manchando as pontas verdes dos pinheiros. "É tudo tão maravilhoso aqui... esta grande e branca calmaria e aquelas árvores escuras que sempre parecem estar pensando."

"'Os bosques foram os primeiros templos de Deus'", citou Anne suavemente. "Uma pessoa não pode evitar uma sensação de reverência e adoração em um lugar desses. Eu sempre me sinto tão perto Dele quando ando entre os pinheiros."

"Anne, sou a garota mais feliz do mundo", confessou Phil, de repente.

"Então, o Sr. Blake finalmente pediu você em casamento?", disse Anne calmamente.

"Sim. E eu espirrei três vezes enquanto ele estava me pedindo. Não foi horrendo? Mas disse 'sim' quase antes de ele ter terminado... eu estava com tanto medo de ele mudar de ideia e desistir. Estou absurdamente feliz. Eu não conseguia acreditar antes que Jonas gostaria de uma frívola como eu."

"Phil, você não é frívola de verdade", disse Anne seriamente. "Bem no fundo, embaixo desse seu exterior frívolo, você tem uma alma querida, leal e feminina. Por que você a esconde tanto?"

"Não consigo evitar, Rainha Anne. Você tem razão: não sou frívola de coração. Mas há uma certa pele frívola sobre a minha alma e não posso tirá-la. Como a Sra. Poyser diz, eu teria que nascer de novo para poder mudar isso. Mas Jonas conhece meu verdadeiro eu e me ama, com frivolidade e tudo. E eu o amo. Nunca fiquei tão surpresa em minha vida como quando descobri que o amava. Nunca pensei que fosse possível se apaixonar por um homem feio. Imagine eu chegando a um único pretendente. E um chamado Jonas! Mas pretendo chamá-lo de Jo. É um nomezinho tão bonito e revigorante. Eu não poderia dar um apelido a Alonzo."

"E quanto a Alec e Alonzo?"

"Oh, eu contei a eles no Natal que nunca poderia me casar com nenhum dos dois. Parece tão engraçado agora lembrar que algum dia pensei que seria possível. Eles se sentiram tão mal que eu apenas chorei pelos dois... solucei. Mas eu sabia que havia apenas um homem no mundo com quem eu poderia me casar. Eu tinha me decidido pela primeira vez e acabou sendo muito fácil. É encantador sentir tanta certeza e saber que é sua própria certeza e não a de outra pessoa."

"Você acha que vai ser capaz de se manter assim?"

"Capaz de me decidir, você quer dizer? Não sei, mas Jo me deu uma regra esplêndida. Ele disse que, quando eu estiver perplexa, tenho apenas que fazer o que gostaria de ter feito quando chegar aos 80 anos. De qualquer forma, Jo consegue se decidir rápido o suficiente e seria desconfortável ter muita decisão na mesma casa."

"O que seu pai e sua mãe vão falar?"

"Meu pai não vai falar muito. Ele acha que tudo o que eu faço é certo. Mas minha mãe VAI falar. Ah, a língua dela vai ser tão Byrne quanto o nariz dela. Mas, no fim, vai ficar tudo bem."

"Você vai ter que desistir de muitas das coisas que sempre teve, quando se casar com o Sr. Blake, Phil."

"Mas vou tê-lo. Não vou sentir falta das outras coisas. Vamos nos casar em um ano, contando a partir de junho. Jo vai se formar na St. Columbia nesta primavera, sabe. Depois, ele vai assumir uma pequena igreja missionária na Rua Patterson na favela. Imagine só, eu na favela! Mas eu iria até as montanhas geladas da Groenlândia com ele."

"E esta é a garota que NUNCA se casaria com um homem que não fosse rico", comentou Anne com um jovem pinheiro.

"Oh, não lance as tolices da minha juventude em mim. Serei pobre tão alegremente quanto tenho sido rica. Você vai ver. Vou aprender a cozinhar e a fazer vestidos. Aprendi a fazer compras desde que passei a morar na casa da Patty; e uma vez ensinei uma turma da escola dominical durante um verão inteiro. Tia Jamesina diz que vou arruinar a carreira de Jo se me casar com ele. Mas não vou. Eu sei que não tenho muita sensatez ou seriedade, mas eu tenho algo que é muito melhor: o jeito de fazer com que as pessoas gostem de mim. Há um homem em Bolingbroke que tem a língua presa e sempre dá testemunho nos grupos de oração. Ele diz 'se *vofê* não pode *bilhar* como uma *esfela*, *bilhe* como uma vela'. Eu serei a pequena vela de Jo."

"Phil, você é incorrigível. Bem, eu a amo tanto que não consigo fazer discursos bonitos e leves de felicitações. Mas estou feliz, de coração, pela sua felicidade."

"Eu sei. Esses seus grandes olhos cinzentos estão transbordando de amizade verdadeira, Anne. Algum dia vou olhar para você do mesmo jeito. Você vai se casar com Roy, não vai, Anne?"

"Minha querida, Philippa, você já ouviu sobre a famosa Betty Baxter, que 'recusou um homem antes mesmo que ele pedisse'? Não vou imitar essa famosa dama recusando ou aceitando qualquer um antes de terem me pedido."

"Redmond inteira sabe que Roy é maluco por você", disse Phil candidamente. "E você o AMA, não ama, Anne?"

"Eu... eu acho que sim", disse Anne relutantemente. Ela sentiu que deveria estar corando ao fazer tal confissão; mas não estava. Por outro lado, ela sempre tinha corado de um jeito quente quando alguém dizia qualquer coisa sobre Gilbert Blythe ou Christine Stuart em sua presença. Gilbert Blythe e Christine Stuart não eram nada para ela — absolutamente nada. Mas Anne havia desistido de tentar analisar a razão de ficar tão corada. Quanto a Roy, é claro que ela o amava — loucamente. Como poderia evitar? Ele não era seu ideal? Quem poderia resistir àqueles gloriosos olhos escuros e aquela voz suplicante? Metade das garotas de Redmond não estavam morrendo de inveja? E que soneto charmoso ele tinha enviado a ela, com um buquê de violetas, no aniversário dela! Anne sabia cada palavra de cor. Era muito bom, de sua própria maneira, também. Não exatamente ao nível de Keats ou Shakespeare — até mesmo Anne não estava tão profundamente apaixonada a ponto de pensar isso. Mas era um verso muito tolerável de revista. E estava endereçado a ela — não a Laura ou Beatriz ou à Donzela de Atenas, mas a ela, Anne Shirley. Ser informada em cadências rítmicas de que seus olhos eram estrelas da manhã, suas bochechas tinham o rubor roubado do nascer do sol, seus lábios eram mais vermelhos que as rosas do Paraíso, era algo emocionantemente romântico. Gilbert nunca teria sonhando em escrever um soneto sobre suas sobrancelhas. Porém, Gilbert conseguiria enxergar uma piada ali. Ela tinha contado uma história engraçada a Roy e ele não tinha entendido o sentido dela. Ela lembrou-se da risada amigável que ela e Gilbert tinham dado por causa daquela história e perguntou-se desconfortavelmente se a vida com um homem que não tinha senso de humor não seria de alguma forma desinteressante a longo prazo. Mas quem poderia esperar que um herói melancólico e inescrutável visse o lado humorístico das coisas? Seria simplesmente irracional.

## CAPÍTULO XXVIII
# Uma tarde de junho

"Eu me pergunto como seria viver em um mundo onde sempre fosse junho", disse Anne enquanto atravessava o perfume e o desabrochar do pomar ao anoitecer até os degraus da frente, onde Marilla e a Sra. Rachel estavam sentadas, falando sobre o funeral da Sra. Samson Coates, ao qual elas tinham comparecido naquele dia. Dora estava sentada entre elas, diligentemente estudando suas lições, mas Davy estava sentado com as pernas cruzadas na grama, parecendo tão melancólico e depressivo quanto sua única covinha o permitia.

"Você se cansaria dele", disse Marilla, com um suspiro.

"Acredito que sim, mas neste momento sinto que levaria um bom tempo para me cansar dele, se fosse sempre tão charmoso quanto hoje. Todas as coisas amam o mês de junho. Davyzinho, por que essa cara de melancolia de novembro quando é tempo de florescer?"

"Estou cansado de viver", disse o jovem, pessimista.

"Aos 10 anos? Deus do céu, que triste!"

"Não estou fazendo graça", disse Davy com dignidade. "Estou des... desen... desencorajado", enunciando a grande palavra com um esforço valente.

"Por que e pelo quê?", perguntou Anne, sentando-se ao lado dele.

"Porque a nova professora que veio quando o Sr. Holmes ficou doente me deu dez contas para resolver até segunda-feira. Vou levar o dia inteiro amanhã para fazer isso. Não é justo ter que trabalhar aos sábados. Milty Boulter disse que não vai fazer, mas Marilla disse que eu não tenho opção. Eu não gosto da Srta. Carson nem um pouco."

"Não fale assim sobre a sua professora, Davy Keith", disse a Sra. Rachel severamente. "A Srta. Carson é uma garota muito boa. Não há nenhum tipo de bobagem nela."

"Isso não soa muito atraente", riu Anne. "Eu gosto quando as pessoas têm um pouco de bobagem nelas, mas estou inclinada a ter uma opinião melhor da Srta. Carson. Eu a vi no grupo de oração na noite passada e ela tem um par de olhos que não podem parecer sempre sensatos. Agora, Davyzinho, tome posse da bênção. 'O amanhã vai trazer um novo dia', e vou ajudá-lo com as contas tanto quanto puder. Não desperdice este momento adorável entre a luz e a escuridão se preocupando com aritmética."

"Bem, não vou desperdiçar", disse Davy, animando-se. "Se você me ajudar com as contas, vou terminar a tempo de ir pescar com Milty. Gostaria que o enterro da velha Tia Atossa fosse amanhã em vez de hoje. Eu queria ir porque Milty disse que a mãe dele disse que Tia Atossa levantaria do caixão e diria coisas sarcásticas ao pessoal que tinha vindo para o seu enterro, mas Marilla disse que ela não levantou."

"A pobre Atossa estava deitada em seu caixão bastante serena", disse a Sra. Lynde solenemente. "Nunca a vi parecer tão agradável antes, isso sim. Bem, não derramaram muitas lágrimas por ela, pobre velha alma.

Os parentes de Elisha Wright estão gratos por terem se livrado dela, e não posso dizer que os culpo por isso."

"Parece terrível sair deste mundo sem deixar uma pessoa para trás triste por você ter partido", disse Anne, estremecendo.

"Ninguém além dos pais amou a pobre Atossa, isso é certo, nem o marido", assegurou a Sra. Lynde. "Ela foi a quarta esposa dele. Ele pegou o hábito de se casar. Ele viveu apenas alguns anos depois de se casar com ela. O médico disse que ele morreu de dispepsia, mas sempre vou afirmar que ele morreu pela língua de Atossa, isso sim. Pobre alma, sempre sabia tudo sobre os vizinhos, mas nunca conheceu a si mesma muito bem. Bem, ela se foi, afinal; e imagino que o próximo evento seja o casamento de Diana."

"Parece engraçado e horrível pensar em Diana se casando", suspirou Anne, abraçando seus joelhos e olhando para o vão da Floresta Assombrada em direção à luz que estava brilhando no quarto de Diana.

"Não sei o que há de horrível, uma vez que ela está se saindo tão bem", disse a Sra. Lynde enfaticamente. "Fred Wright tem uma bela fazenda e é um modelo de rapaz."

"Ele certamente não é o rapaz selvagem, arrojado e mau com quem Diana já quis se casar", sorriu Anne. "Fred é extremamente bondoso."

"E é exatamente o que ele deve ser. Você gostaria que Diana se casasse com um homem mau? Ou gostaria você mesma de se casar com um?"

"Oh, não. Eu não gostaria de me casar com ninguém que fosse mau, mas acho que gostaria se ele PUDESSE ser mau e não fosse. Agora, Fred é desamparadamente bondoso."

"Você vai ter mais bom senso algum dia, eu espero", disse Marilla.

Marilla falou bastante amargurada. Ela estava gravemente desapontada. Ela sabia que Anne tinha recusado Gilbert Blythe. As fofocas de Avonlea zumbiam com esse assunto, que havia vazado ninguém sabia como. Talvez Charlie Sloane tivesse adivinhado e contado suas suposições como se fossem verdade. Talvez Diana tivesse cometido uma traição contando a Fred e ele tivesse sido indiscreto. Em todos os eventos já se sabia; a Sra. Blythe parou de perguntar a Anne, em público ou em particular, se ela tinha tido notícias de Gilbert, mas a cumprimentava de um jeito frio ao passar por ela. Anne, que tinha sempre gostado da mãe alegre e de coração jovem de Gilbert, ficou secretamente triste por causa daquilo. Marilla não disse nada; mas a Sra. Lynde deu muitas indiretas exasperadas sobre aquilo, até que uma fofoca fresca chegasse àquela digna dama, através da mãe de Moody Spurgeon MacPherson, de que Anne tinha outro "pretendente" na faculdade, que era rico, bonito e gentil, tudo em um só. Depois daquilo, a Sra. Rachel segurou a língua, embora ainda desejasse do fundo do coração que Anne tivesse aceitado Gilbert. Ricos eram muito bons; mas até a Sra. Rachel, com a alma prática que tinha, não os considerava essenciais. Se Anne "gostasse" do Belo Desconhecido mais do que de Gilbert, não havia mais nada a dizer; mas a Sra. Rachel temia terrivelmente que Anne cometesse o erro de se casar por dinheiro. Marilla conhecia Anne bem demais para ter esse medo, porém sentia que algo no esquema universal das coisas tinha tristemente dado errado.

"O que tiver de ser, será", disse a Sra. Rachel melancolicamente, "e o que não é para ser acontece às vezes. Não consigo deixar de achar que vai acontecer no caso de Anne, se a Divina Providência não interferir, isso sim." A Sra. Rachel suspirou. Ela tinha medo de que a Divina Providência não interferisse; e ela não ousava fazer isso.

Anne havia descido até as Borbulhas da Dríade e estava encolhida entre as samambaias ao pé da grande bétula branca onde ela e Gilbert tinham se sentado com tanta frequência nos verões passados. Ele tinha ido para o escritório do jornal novamente quando as aulas terminaram e Avonlea parecia muito entediante sem ele. Ele não escreveu para ela nenhuma vez e Anne sentia falta das cartas que nunca vieram. É claro que Roy escrevia duas vezes por semana; suas cartas eram composições requintadas que teriam sido lindas para ler em um livro de memórias ou uma biografia. Anne sentiu-se ainda mais apaixonada por ele quando leu aquelas cartas; mas seu coração nunca tinha dado aquele pulo esquisito, rápido e doloroso ao ver suas cartas como tinha acontecido em um dia quando a Sra. Hiram Sloane entregou a ela um envelope endereçado com a letra reta de Gilbert em tinta preta. Anne tinha corrido para casa até o frontão leste para abri-la ansiosamente — para encontrar uma cópia datilografada de um relatório da sociedade da faculdade, "apenas aquilo e nada mais". Anne atirou o documento inofensivo do outro lado do quarto e sentou-se para escrever uma epístola especialmente bonita para Roy.

Diana se casaria em cinco dias. A casa cinzenta do Pomar Slope estava em um tumulto de assados, fermentação, fervura e cozidos, pois haveria um grande e tradicional casamento. Anne, é claro, seria a madrinha, como tinha sido combinado desde que elas tinham 12 anos, e Gilbert estava vindo de Kingsport para ser o padrinho. Anne estava aproveitando a empolgação das diversas preparações, mas por baixo de tudo aquilo ela carregava uma pequena angústia. Ela estava, de certa forma, perdendo sua querida e velha amiga; a nova casa de Diana seria a mais de três quilômetros de Green Gables e o velho e constante companheirismo nunca mais seria o mesmo. Anne olhou para a luz de Diana e pensou em como ela tinha sinalizado para ela por tantos anos, no entanto, em breve, ela não brilharia mais através do crepúsculo de verão. Duas grandes e dolorosas lágrimas se formaram em seus olhos cinzentos.

"Oh", ela pensou, "como é terrível que as pessoas tenham que crescer — e se casar — e MUDAR!"

## CAPÍTULO XXIX
# O casamento de Diana

"Afinal, as únicas rosas verdadeiras são as cor-de-rosa", disse Anne, enquanto amarrava a fita branca ao redor do buquê de Diana no frontão oeste do Pomar Slope. "Elas são as flores do amor e da fé."

Diana estava em pé nervosamente no meio do quarto, vestida com o branco das noivas, seus cachos negros congelados embaixo da película de seu véu. Anne havia colocado aquele véu, de acordo com o pacto sentimental de anos antes.

"É tudo do jeito que eu costumava imaginar há tanto tempo, quando chorava pelo seu casamento inevitável e nossa subsequente separação", ela riu. "Você é a noiva dos meus sonhos, Diana, com o 'adorável véu de bruma'; e eu sou SUA madrinha. Mas, ai de mim! Não tenho mangas bufantes, embora essas de renda curta sejam ainda mais bonitas. Meu coração não está completamente partido e também não cheguei a odiar Fred."

"Nós não estamos nos separando de verdade, Anne", protestou Diana. "Não estou indo para longe. Vamos nos amar tanto quanto antes. Sempre mantivemos aquele 'juramento' de amizade que fizemos tanto tempo atrás, não é?"

"Sim. Nós o mantivemos fielmente. Nós tivemos uma amizade linda, Diana. Nós nunca a estragamos com uma briga, uma frieza ou uma palavra cruel; e eu espero que seja sempre assim. Mas as coisas não podem ser exatamente iguais depois disso. Você vai ter outros interesses. Eu ficarei de fora. Mas 'é a vida', como a Sra. Rachel diz. Ela deu a você uma de suas amadas colchas de tricô com o padrão de 'linha de tabaco' e ela sempre diz que, quando eu me casar, vai me dar uma também."

"A parte triste sobre você se casar é que eu não vou poder ser sua madrinha", lamentou Diana.

"Vou ser madrinha de Phil em junho do ano que vem, quando ela se casar com o Sr. Blake e depois devo parar, pois você conhece o provérbio 'três vezes madrinha, nunca noiva'", disse Anne, espiando o rosado e a neve do pomar florido embaixo da janela. "Aí vem o pastor, Diana."

"Oh, Anne", ofegou Diana, ficando muito pálida de repente e começando a tremer. "Oh, Anne! Estou tão nervosa, não posso continuar, sei que vou desmaiar."

"Se desmaiar, vou arrastar você até o barril de água da chuva e jogar você lá dentro", disse Anne, sem simpatia. "Anime-se, querida. Casar-se não pode ser tão terrível, já que tantas pessoas sobrevivem à cerimônia. Veja como estou calma e composta, e tome coragem."

"Espere até chegar sua vez, Srta. Anne. Oh, Anne, estou ouvindo papai subindo a escada. Dê o meu buquê aqui. Meu véu está reto? Estou muito pálida?"

"Você está adorável. Di, querida, me dê um beijo de adeus pela última vez. Diana Barry nunca mais vai me beijar."

"Mas Diana Wright vai. Vamos, mamãe está me chamando. Venha."

De acordo com o jeito simples e tradicional da moda daquela época, Anne desceu até o salão de braço dado com Gilbert. Eles se encontraram no topo da escada pela primeira vez desde que tinham saído de Kingsport, pois Gilbert tinha chegado apenas naquele dia. Gilbert apertou a mão dela de um jeito cortês. Ele parecia muito bem, embora, como Anne percebeu imediatamente, bastante magro. Ele não estava pálido; havia um rubor nas suas bochechas que as queimou quando Anne veio pelo corredor na direção dele, em seu vestido branco e macio, com lírios-do-vale em seu cabelo brilhoso. Quando eles entraram no salão lotado juntos, um pequeno murmúrio de admiração correu pelo cômodo. "Que belo par eles são", sussurrou a impressionável Sra. Rachel para Marilla.

Fred chegou sozinho, com um rosto muito vermelho, e depois Diana veio nos braços do pai. Ela não desmaiou e nada desagradável ocorreu para interromper a cerimônia. Em seguida, aconteceram o banquete e as festividades; e então, enquanto a tarde desvanecia, Fred e Diana foram embora através do luar para sua nova casa. E Gilbert caminhou com Anne até Green Gables.

Algo de seu velho companheirismo tinha retornado durante a alegria informal da tarde. Oh, era tão bom estar andando por aquela estrada bem conhecida com Gilbert novamente!

A noite estava tão calma que teria sido possível ouvir o sussurro das rosas florescendo... a risada das margaridas... o assovio da grama... muitos doces sons, todos misturados. A beleza do luar nos campos familiares irradiava o mundo.

"Não podemos dar uma volta na Estrada dos Amantes antes de você entrar?", perguntou Gilbert enquanto eles atravessavam a ponte sobre o Lago das Águas Brilhantes, no qual a lua se deitava como uma grande flor dourada e submersa.

Anne rapidamente concordou. A Estrada dos Amantes era um verdadeiro caminho para a terra das fadas naquela noite — um lugar brilhante, misterioso, cheio de magia sob o encantamento trançado de branco do luar. Houve um tempo em que um passeio daqueles com Gilbert pela Estrada dos Amantes teria sido perigoso demais. Mas Roy e Christine o tornavam muito seguro naquele momento. Anne pegou-se pensando bastante sobre Christine enquanto conversava levemente com Gilbert. Ela a tinha encontrado diversas vezes antes de sair de Kingsport e tinha sido charmosamente doce com ela. Christine também tinha sido. Na verdade, elas eram o par mais cordial. Ainda assim, sua apresentação não tinha amadurecido em uma amizade. Evidentemente, Christine não era uma alma amiga.

"Você vai ficar em Avonlea durante o verão inteiro?", perguntou Gilbert.

"Não. Vou para o leste até Valley Road na semana que vem. Esther Haythorne quer que eu lecione para ela de julho até agosto. Não tem aula durante o verão naquela escola e Esther não está se sentindo bem. Então, vou substituí-la. De certa forma, não me importo. Sabe, estou começando a me sentir um pouco como uma estranha em Avonlea agora. Isso me deixa triste, mas é verdade. É assustador ver o número de crianças que se transformaram em meninos e meninas crescidos — jovens homens e mulheres de verdade — nestes últimos dois anos. Metade dos meus pupilos já está crescida. Eu me sinto terrivelmente velha por vê-los nos lugares que você, eu e nossos colegas costumávamos preencher."

Anne riu e suspirou. Ela se sentia muito velha, madura e sábia — o que mostrava como ela era jovem. Ela disse a si mesma que desejava voltar àqueles queridos dias felizes em que a vida era vista através de uma névoa rosada de esperança e ilusão e possuía algo indefinível que havia partido para sempre. Onde estavam agora a glória e o sonho?

"'E assim caminha a humanidade'", citou Gilbert, um tanto distraído. Anne se perguntou se ele estava pensando em Christine. Oh, Avonlea seria tão solitária agora sem Diana!

## CAPÍTULO XXX
# O romance da Sra. Skinner

Anne saiu do trem na estação de Valley Road e olhou ao redor para verificar se alguém tinha vindo encontrá-la. Ela ficaria hospedada com uma certa Srta. Janet Sweet, mas não via ninguém que correspondesse à descrição daquela dama, formada a partir da carta de Esther. A única pessoa à vista era uma mulher idosa sentada em uma carroça com malas de correspondência empilhadas perto dela. Cem seria um palpite caridoso para o seu peso; seu rosto era redondo e vermelho como a lua da colheita e quase tão inexpressivo quanto. Ela usava um vestido de caxemira preto e apertado, feito na moda de dez anos atrás, um pequeno chapéu de palha preta com laços de fita amarela e luvas pretas desbotadas.

"Aqui, você", ela chamou, acenando com seu chicote para Anne. "Você é a nova professora de Valley Road?"

"Sim."

"Bem, foi o que pensei. Valley Road é famosa por suas professoras bonitas, assim como Millersville é famosa pelas feias. Janet Sweet me pediu hoje de manhã para buscá-la. Eu disse: 'Claro que posso, se ela não se importar de ficar um pouco apertada. Essa minha carroça é meio pequena para as malas do correio e eu sou maior que Thomas!'. Apenas espere, senhorita, até eu arrumar essas malas um pouco e vou encaixar você aqui de algum jeito. São só três quilômetros até a casa da Janet. O menino do vizinho da casa ao lado vai vir buscar suas malas hoje à noite. Meu nome é Skinner, Amelia Skinner."

Anne foi devidamente encaixada, trocando sorrisos divertidos consigo mesma durante o processo.

"Pode correr, égua preta", comandou a Sra. Skinner, recolhendo as rédeas em suas mãos rechonchudas. "Esta é a minha primeira viagem na rota do correio. Thomas queria colher os nabos hoje, então me pediu para vir. Eu apenas me sentei, peguei um lanchinho e vim. Eu meio que gostei. Claro que é um pouco entediante. Eu fico sentada e penso na metade do tempo; na outra metade, só fico sentada. Pode correr, égua preta. Quero chegar em casa logo. Thomas fica terrivelmente solitário quando estou fora. Sabe, não estamos casados há muito tempo."

"Oh!", disse Anne educadamente.

"Apenas um mês. Mas Thomas me cortejou por um certo tempo. Foi muito romântico." Anne tentou imaginar a Sra. Skinner em termos de romance e falhou.

"Oh?", ela disse de novo.

"Sim. Sabe, tinha outro homem atrás de mim. Pode correr, égua preta. Fui viúva por tanto tempo que o pessoal tinha desistido de esperar eu me casar de novo. Quando minha filha, que é professora, como você, foi para o oeste ensinar, eu me senti muito sozinha e não fiquei tão contrária à ideia. Aos poucos, Thomas começou a me visitar e o outro rapaz também; o nome dele era William Obadiah Seaman. Por muito tempo, não consegui decidir com qual deles ficar, eles continuaram vindo e vindo e continuei me preocupando. Sabe, W.O. era rico, ele tinha uma bela casa e levava um estilo de vida considerável. Ele era, de longe, a melhor opção. Pode correr, égua preta."

"Por que você não se casou com ele?", perguntou Anne.

"Bem, sabe, ele não me amava", respondeu a Sra. Skinner solenemente.

Anne abriu bem os olhos e olhou para a Sra. Skinner. Não havia nenhum indício de humor no rosto daquela dama. Evidentemente, a Sra. Skinner não via nada de divertido em seu próprio caso.

"Ele estava viúvo havia três anos, e a irmã dele cuidava da casa para ele. Depois, ela se casou e ele queria alguém para cuidar da casa. Bem que valeria a pena cuidar, saiba disso. É uma bela casa. Pode correr, égua preta. Quanto a Thomas, ele era pobre e o fato de sua casa não ter vazamentos quando o tempo estava seco era tudo que se podia dizer a favor dela, embora pareça um tanto pitoresca. Mas, sabe, eu amava Thomas e não me importava nem um pouco com W.O. Então, discuti comigo mesma. 'Sarah Crowe', disse eu — meu primeiro marido era Crowe —, 'você pode se casar com um homem rico se quiser, mas não vai ser feliz. As pessoas não conseguem viver juntas neste mundo sem um pouquinho de amor. É melhor você ficar com Thomas, pois ele ama você e você o ama e não adianta pensar em outra coisa'. Pode correr, égua preta. Então, disse a Thomas que eu o aceitaria. O tempo todo em que estava me preparando, não ousei passar pela casa de W.O. por medo de que ver aquela bela casa dele me deixasse indecisa de novo. Agora nunca penso nela e estou bem confortável e feliz com Thomas. Pode correr, égua preta."

"Como William Obadiah lidou com isso?", questionou Anne.

"Oh, ele tumultuou um pouco, mas agora ele está indo ver uma velha dama bem magrinha em Millersville, e acho que ela vai aceitá-lo bem depressa. Ela vai ser uma esposa melhor que a primeira esposa dele. W.O. nunca quis se casar com ela. Ele só a pediu em casamento porque o pai dele queria isso, imaginando que ela diria 'não'. Mas, veja só, ela disse 'sim'. Aí está um dilema para você. Pode correr, égua preta. Ela era uma ótima dona de casa, mas muito mesquinha. Ela usou o mesmo gorro por dezoito anos. Depois, arranjou um novo e W.O. a encontrou na estrada e não a reconheceu. Pode correr, égua preta. Eu sinto que escapei por pouco. Eu poderia ter me casado com ele e sido terrivelmente infeliz, como minha pobre prima, Jane Ann. Ela se casou com um homem rico de quem não gostava, mas não chega a ter uma vida de cão. Ela veio me visitar na semana passada e disse: 'Sarah Skinner, eu invejo você. Eu preferiria viver em uma pequena cabana ao lado da estrada com um homem de quem eu gostasse a morar em uma casa enorme com o homem que eu tenho'. O marido de Jane Ann não é do tipo ruim, embora ele seja tão do contra que veste o casaco de pele quando o termômetro está no trinta. O único jeito de conseguir que ele faça alguma coisa é convencê-lo a fazer o contrário. Mas não há amor para suavizar as coisas, e é um jeito pobre de viver. Pode correr, égua preta. Aí está a casa de Janet, 'Wayside', ela a chama. Bastante pitoresca, não é? Imagino que você vá ficar feliz de sair daqui, com todas essas malas do correio batendo em você."

"Sim, mas gostei muito da minha viagem com você", disse Anne sinceramente.

"Não diga!", disse a Sra. Skinner, muito lisonjeada. "Espere até eu contar isso a Thomas. Ele sempre fica muito empolgado quando recebo um elogio. Pode correr, égua preta. Bem, aqui vamos nós. Espero que você se dê bem na escola, senhorita. Há um atalho até lá pelo brejo atrás da casa de Janet. Se pegar esse caminho, tenha cuidado. Se ficar presa naquela lama preta, vai ser sugada para dentro e nunca mais vão ver ou ouvir você de novo até o dia do Julgamento, como a vaca de Adam Palmer. Pode correr, égua preta."

CAPÍTULO XXXI

# De Anne para Philippa

"De Anne Shirley para Philippa Gordon, saudações.

"Bem-amada, já era tempo de eu escrever para você. Aqui estou eu, estabelecida mais uma vez como uma professora do interior em Valley Road, hospedada em Wayside, a casa da Srta. Janet Sweet. Janet é uma velha alma querida e muito bonita de ver; alta, mas não demais; robusta, mas ainda assim com uma certa restrição de figura sugestiva de uma alma econômica que não seria exagerada nem mesmo no caso de excesso de peso. Ela tem um coque de cabelo macio, ondulado e castanho com alguns fios brancos, um rosto ensolarado com bochechas rosadas, e grandes, gentis olhos tão azuis quanto o miosótis. Além disso, ela é uma daquelas maravilhosas e tradicionais cozinheiras que não se importam nem um pouco de destruírem sua digestão, contanto que possam lhe dar banquetes de coisas gordurosas.

"Gosto dela; e ela gosta de mim — principalmente, parece, porque teve uma irmã chamada Anne, que morreu jovem.

"'Fico muito feliz em ver você', disse ela rapidamente, quando cheguei em seu quintal. 'Ora, você não parece nem um pouco com o que eu esperava. Eu tinha certeza de que você teria cabelo escuro. Minha irmã Anne tinha. E aqui está você, uma ruiva!'.

"Por alguns minutos, pensei que não gostaria de Janet tanto quanto tinha esperado à primeira vista. Depois, lembrei a mim mesma de que deveria ser mais sensata em vez de preconceituosa com alguém simplesmente porque a pessoa me chamou de ruiva. Provavelmente o termo 'castanho-avermelhado' não estava no vocabulário de Janet de jeito nenhum.

"Wayside é um lugarzinho adorável. A casa é pequena e branca, posicionada em um valezinho encantador que sai da estrada. Entre a estrada e a casa, há um pomar e um jardim de flores, todos misturados. O caminho até a porta da frente é cercado de conchas de amêijoas — 'amêndoas', como Janet as chama; há hera-americana sobre a varanda e musgo no telhado. Meu quarto é um lugarzinho bem arrumado 'longe do salão' — tem espaço suficiente apenas para mim e para a cama. Sobre a cabeceira da minha cama, há um quadro de Robby Burns sobre o túmulo de Highland Mary, sombreado por um enorme salgueiro chorão. O rosto de Robby está tão lúgubre que não é nenhuma surpresa eu ter sonhos ruins. Ora, na primeira noite em que passei aqui, sonhei que NÃO CONSEGUIA RIR.

"O salão é pequeno e arrumado. A única janela é tão sombreada por um grande salgueiro que o lugar tem um efeito de gruta com um brilho esmeralda. Há toalhinhas maravilhosas sobre as cadeiras, belos tapetes no chão, livros e cartões cuidadosamente organizados em uma mesa redonda e vasos de grama seca na cornija da lareira. Entre os vasos há uma decoração alegre de placas funerárias — cinco ao todo, que pertencem, respectivamente, ao pai e à mãe de Janet, a um irmão, à sua irmã Anne e a um empregado que morreu aqui um dia! Se eu ficar maluca algum dia desses 'saibam todos os homens por meio desta' que as placas funerárias causaram isso.

"Mas é tudo encantador e eu disse que era. Janet me amou por isso, assim como tinha detestado a pobre Esther porque ela tinha dito que tanta sombra era anti-higiênico e tinha feito objeção a dormir em um colchão de penas. Eu, por minha vez, glorifico os colchões de penas, e, quanto mais anti-higiênicos e penosos eles forem, maior a glória. Janet diz que é uma alegria me ver comer; ela tinha medo de que eu fosse como a Srta. Haythorne, que não come nada além de fruta e água quente no café da manhã e tentou fazer Janet desistir das frituras. Esther é uma garota muito querida, mas é cheia de manias. O problema é que ela não tem imaginação suficiente e TEM uma tendência à indigestão.

"Janet me disse que eu poderia usar o salão quando algum rapaz me visitasse! Eu não acho que haja muitos para me visitar. Não vi um só rapaz em Valley Road ainda, exceto o menino que trabalha para a vizinha — Sam Toliver, muito alto, magro e de cabelo amarelo. Ele nos visitou à tarde recentemente, quando Janet e eu estávamos costurando. Os únicos comentários que ele forneceu durante todo o tempo foram 'Toma uma bala de hortelã, moça! Elas são muito boas pro catarro, as balas', e 'Tem bastante gafanhoto aqui hoje à noite. É'.

"Mas há um caso de amor acontecendo aqui. Parecer ser meu destino me envolver, mais ou menos ativamente, com casos de amor entre pessoas mais velhas. O Sr. e a Sra. Irving sempre dizem que eu causei o casamento deles. A Sra. Stephen Clark de Carmody continua sendo muito grata a mim por uma sugestão que alguma outra pessoa provavelmente teria dado se eu não tivesse feito isso. Mas eu realmente acho que Ludovic Speed nunca teria ido além do cortejo plácido se eu não o tivesse ajudado com Theodora Dix.

"No caso atual, sou apenas uma espectadora passiva. Tentei uma vez ajudar com as coisas e fiz uma bagunça terrível. Então, não vou me intrometer de novo. Vou lhe contar sobre isso quando nos encontrarmos."

## CAPÍTULO XXXII
# Chá com a Sra. Douglas

Na primeira quinta-feira da estada de Anne em Valley Road, Janet pediu que ela fosse ao grupo de oração. Janet floresceu como uma rosa para comparecer ao grupo de oração. Ela usou um vestido de musselina azul-claro, salpicado de amores-perfeitos, com mais pregas, alguém teria pensado, do que a econômica Janet estava acostumada e um chapéu Leghorn branco com rosas brancas e três penas de avestruz. Anne ficou bastante impressionada. Mais tarde, ela descobriu o motivo pelo qual Janet estava se arrumando — um motivo tão antigo quanto o Jardim do Éden.

Os grupos de oração de Valley Road pareciam ser essencialmente femininos. Havia trinta e duas mulheres presentes, dois meninos meio crescidos e um homem solitário, ao lado do pastor. Anne descobriu-se estudando aquele homem. Ele não era bonito, nem jovem, nem gracioso; tinha pernas notavelmente longas — tão longas que ele tinha que encolhê-las embaixo da cadeira para se livrar delas — e ombros caídos. Suas mãos eram grandes, seu cabelo precisava de um barbeiro e seu bigode estava desgrenhado. Mas Anne considerou que gostava do rosto dele; era gentil, honesto e carinhoso; mas havia alguma outra coisa ali também — exatamente o que, Anne achou difícil definir. Ela finalmente concluiu que aquele homem tinha sofrido e sido forte e que aquilo tinha se manifestado em seu rosto. Havia uma certa resistência paciente e bem-humorada em sua expressão que indicava que ele enfrentaria a fogueira se fosse necessário, mas continuaria parecendo agradável até realmente precisar começar a se contorcer.

Quando o grupo de oração terminou, aquele homem veio até Janet e disse: "Posso levá-la para casa, Janet?"

Janet aceitou o braço dele — "tão formal e timidamente como se não tivesse mais de 16 anos, sendo levada para casa pelo seu primeiro acompanhante", Anne contou às meninas da Casa da Patty mais tarde.

"Srta. Shirley, permita-me apresentá-la ao Sr. Douglas", ela disse rigidamente.

O Sr. Douglas assentiu e disse: "Eu estava olhando para você durante o grupo de oração, senhorita, e pensando que bela garotinha você é".

Tal discurso vindo de noventa entre cem pessoas teria irritado Anne profundamente; mas o jeito que o Sr. Douglas disse aquilo a fez sentir que tinha recebido um elogio muito real e agradável. Ela sorriu com apreciação para ele e foi gentilmente atrás deles pela estrada enluarada.

Então, Janet tinha um pretendente! Anne estava encantada. Janet seria uma esposa modelo — animada, econômica, tolerante e a rainha das cozinheiras. Seria um desperdício flagrante da parte da natureza mantê-la permanentemente solteira.

"John Douglas me pediu para levá-la para conhecer a mãe dele", disse Janet no dia seguinte. "Ela fica acamada na maior parte do tempo e nunca sai de casa. Mas gosta muito de companhia e sempre quer ver meus hóspedes. Pode vir hoje à tarde?"

Anne assentiu. Porém, mais tarde naquele dia, o Sr. Douglas as visitou, a pedido de sua mãe, para convidá-las para o chá no sábado à tarde.

"Oh, por que não colocou seu lindo vestido de amores-perfeitos?", perguntou Anne, quando saíram de casa. Era um dia quente, e a pobre Janet, entre sua empolgação e seu pesado vestido de caxemira preta, parecia estar sendo cozida viva.

"A velha Sra. Douglas acharia terrivelmente frívolo e inapropriado, eu receio. Apesar de que John gosta daquele vestido", ela acrescentou melancolicamente.

A velha casa dos Douglas era a um quilômetro de Wayside, alcançando uma colina ventosa. A casa em si era grande e confortável, velha o suficiente para ser digna e rodeada por bosques de bordos e pomares. Havia grandes e asseados celeiros atrás dela e tudo indicava prosperidade. O que quer que a resistência paciente no rosto do Sr. Douglas significasse, não estava, assim refletiu Anne, relacionada a dívidas e despesas.

John Douglas as encontrou na porta e as levou para a sala de estar, onde sua mãe estava entronizada em uma poltrona.

Anne havia esperado que a velha Sra. Douglas fosse alta e magra, assim como o Sr. Douglas. Em vez disso, era uma mulherzinha bem pequena, com bochechas rosadas, olhos azuis suaves e uma boca de bebê. Usava um lindo e elegante vestido de seda preta com um xale branco e fofo sobre os ombros e com seu cabelo da cor da neve arrematado com um delicado chapéu de renda, ela poderia ter posado como uma boneca de avó.

"Como vai, Janet querida?", ela disse docemente. "Fico tão feliz por vê-la de novo, querida." Ela levantou seu belo e velho rosto para ser beijado. "E esta é a nossa nova professora. Fico encantada por conhecê-la. Meu filho a estava elogiando a ponto de eu quase sentir inveja e tenho certeza de que Janet deve sentir muita."

A pobre Janet corou, Anne disse algo educado e convencional e, então, todos sentaram-se para conversar. Foi trabalho duro, até mesmo para Anne, pois ninguém parecia à vontade, exceto a velha Sra. Douglas, que certamente não encontrava nenhuma dificuldade em falar. Ela fez Janet sentar-se a seu lado e acariciava sua mão ocasionalmente. Janet sentou-se e sorriu, parecendo terrivelmente desconfortável em seu vestido horroroso, e John Douglas sentou-se sem sorrir.

À mesa de chá, a Sra. Douglas graciosamente pediu a Janet para servir o chá. Janet ficou ainda mais vermelha, mas assim o fez. Anne escreveu uma descrição daquela refeição para Stella.

"Nós comemos língua, frango, compotas de morango, tortas de limão, tortinhas, bolo de chocolate, biscoitos de uva-passa, pão de ló e bolo de frutas — e algumas outras coisas, incluindo mais torta, de caramelo, acho que era. Depois de eu ter comido duas vezes mais do que o suficiente para mim, a Sra. Douglas suspirou e disse que sentia por não ter nada que tentasse meu apetite.

"Receio que a comida da querida Janet tenha arruinado seu apetite para qualquer outra", ela disse docemente. "É claro que ninguém em Valley Road tem a intenção de rivalizar com ELA. Você não vai comer outro pedaço de torta, Srta. Shirley? Você não comeu NADA."

"Stella, eu tinha comido uma porção de língua e uma de frango, três biscoitos, uma generosa quantidade de compota, uma fatia de torta, uma tortinha e um pedaço de bolo de chocolate!"

Depois do chá, a Sra. Douglas sorriu benevolentemente e disse a John para levar a "querida Janet" para o jardim e dar algumas rosas a ela. "A Srta. Shirley vai me fazer companhia enquanto vocês estiverem fora, não vai?", ela disse queixosamente. Ela sossegou em sua poltrona com um suspiro.

"Sou uma velha muito frágil, Srta. Shirley. Por mais de vinte anos tenho sofrido muito. Por vinte longos e cansativos anos estive morrendo aos poucos."

"Como deve ser doloroso!", disse Anne, tentando ser solidária e conseguindo apenas sentir-se estúpida.

"Houve noites em que pensei que não viveria para ver o dia seguinte", continuou a Sra. Douglas solenemente. "Ninguém sabe o que eu passei. Ninguém além de mim mesma. Bem, não pode durar muito mais agora. Minha cansativa peregrinação logo chegará ao fim, Srta. Shirley. É um grande conforto para mim que John tenha uma boa esposa para cuidar dele depois de sua mãe ter partido, é um grande conforto, Srta. Shirley."

"Janet é uma mulher adorável", disse Anne afetuosamente.

"Adorável! Uma personalidade maravilhosa", concordou a Sra. Douglas. "E uma dona de casa perfeita, algo que nunca fui. Minha saúde não permitiria, Srta. Shirley. Fico verdadeiramente grata por John ter feito uma escolha tão sábia. Eu espero e acredito que ele será feliz. Ele é meu único filho, Srta. Shirley e sua felicidade é muito preciosa para o meu coração."

"Claro", disse Anne estupidamente. Pela primeira vez na vida, ela foi estúpida. Ainda assim ela não poderia imaginar por quê. Ela parecia não ter absolutamente nada a dizer para aquela doce, sorridente e angélica velha senhora que estava dando batidinhas na sua mão tão gentilmente.

"Volte logo para me ver, querida Janet", disse a Sra. Douglas amavelmente quando saíam. "Você não vem com tanta frequência quanto deveria. Mas imagino que John vá trazê-la para cá para ficar de vez um dia desses."

Anne, que por acaso olhou para John Douglas enquanto sua mãe falava, tomou um susto e ficou perplexa. Ele parecia um homem que estava sendo torturado, como se seus atormentadores tivessem acabado de lhe dar o último golpe ao qual seria possível resistir. Ela teve certeza de que ele devia estar doente e apressou-se para sair com a pobre e corada Janet.

"A velha Sra. Douglas não é um doce de mulher?", perguntou Janet, enquanto elas desciam a estrada.

"Uhum", respondeu Anne distraidamente. Ela estava imaginando por que John Douglas tinha ficado daquele jeito.

"Ela tem sofrido terrivelmente", disse Janet, emocionada. "Ela tem crises terríveis. John fica sempre preocupado. Ele tem receio de sair de casa por medo de sua mãe ter uma crise e não ter ninguém lá além da criada."

## CAPÍTULO XXXIII
# "Ele continuou vindo e vindo"

Três dias mais tarde, Anne voltou da escola para casa e encontrou Janet chorando. Lágrimas e Janet pareciam tão incongruentes que Anne ficou honestamente alarmada.

"Oh, qual é o problema?", ela perguntou ansiosamente.

"Eu faço... eu faço 40 anos hoje", soluçou Janet.

"Bem, você tinha quase isso ontem e não estava doendo", confortou-a Anne, tentando não sorrir.

"Mas... mas", continuou Janet com um grande soluço, "John Douglas não vai me pedir em casamento."

"Oh, vai sim", disse Anne, sem convicção. "Você precisa lhe dar tempo, Janet."

"Tempo!", disse Jane com um desprezo indescritível. "Ele teve vinte anos. Quanto tempo ele quer?"

"Você está querendo dizer que John Douglas tem vindo visitá-la há vinte anos?"

"Sim. E nunca nem mencionou casamento para mim. E não creio que vá fazer isso algum dia. Eu nunca disse uma palavra a uma alma sequer sobre isso, mas parece que preciso colocar para fora ou vou enlouquecer. John Douglas começou a sair comigo há vinte anos, antes de minha mãe morrer. Bem, ele continuou vindo e vindo e, depois de um tempo, eu comecei a fazer colchas e outras coisas; mas ele nunca disse nada sobre casamento, apenas continuou vindo e vindo. Não havia nada que eu pudesse fazer. Mamãe morreu quando nós estávamos saindo juntos, há oito anos. Eu pensei que naquele momento ele fosse falar, vendo que eu tinha sido deixada sozinha no mundo. Ele foi muito gentil e prestativo e fez tudo que podia por mim, mas nunca falou sobre casamento. E é assim que tem sido desde então. As pessoas ME culpam por isso. Elas dizem que não me caso com ele porque sua mãe é tão doente e não quero me incomodar em cuidar dela. Ora, eu ADORARIA cuidar da mãe de John! Mas deixo eles pensarem assim. Eu prefiro que eles me culpem a sentirem pena de mim! É tão terrivelmente humilhante John não me pedir. E POR QUE ele não pede? Sinto que, se apenas soubesse o motivo, não me importaria tanto."

"Talvez a mãe dele não queira que ele se case com ninguém", sugeriu Anne.

"Oh, ela quer. Ela me disse várias vezes que adoraria ver John bem cuidado antes de a hora dela chegar. Ela está sempre dando indiretas para ele, você mesma ouviu um dia desses. Eu pensei que morreria de vergonha."

"Isso está além das minhas habilidades", disse Anne, impotente. Ela pensou em Ludovic Speed. Mas os casos não eram paralelos. John Douglas não era um homem daquele tipo.

"Você deveria ter mais coragem, Janet", ela continuou, resoluta. "Por que não mandou ele cuidar da própria vida há muito tempo?"

“Eu não poderia”, disse a pobre Janet pateticamente “Sabe, Anne, sempre gostei muito de John. Ele poderia ter continuado vindo ou não e ainda assim nunca haveria outra pessoa que eu quisesse, então não importava.”

“Mas talvez o fizesse falar como um homem”, insistiu Anne.

Janet balançou a cabeça.

“Não, acho que não. Eu tinha medo de tentar, de qualquer forma, por medo de que ele pensasse que eu estava falando sério e fosse embora. Imagino que eu seja uma criatura de espírito pobre, mas é como me sinto. Não posso evitar.”

“Oh, você PODERIA evitar, Janet. Ainda não é tarde demais. Seja firme. Deixe aquele homem saber que não vai mais suportar esse vai não vai dele. EU vou ajudar você.”

“Não sei”, disse Janet, sem esperanças. “Não sei se poderia criar coragem suficiente. As coisas desandaram há tanto tempo. Mas vou pensar nisso.”

Anne sentiu que estava decepcionada com John Douglas. Ela tinha gostado tanto dele e não tinha pensado que ele seria o tipo de homem que brincaria tanto com os sentimentos de uma mulher por vinte anos. Ele certamente deveria aprender uma lição e Anne sentia vingativamente que gostaria de ver aquilo acontecer. Portanto, ela ficou encantada quando Janet disse a ela, enquanto estavam indo para o grupo de oração na noite seguinte, que ela mostraria um pouco de coragem.

“Vou mostrar a John Douglas que não vou ser mais desprezada.”

“Você está completamente certa”, disse Anne enfaticamente.

Quando a reunião do grupo de oração acabou, John Douglas veio com seu pedido habitual. Janet parecia assustada, mas firme.

“Não, obrigada”, ela disse friamente. “Conheço o caminho para casa muito bem sozinha. Tenho que conhecer, já que estive passando por ele há quarenta anos. Então, não precisa se dar ao trabalho, SR. Douglas.”

Anne estava olhando para John Douglas e, naquele luar brilhante, ela viu aquela expressão de sofrimento novamente. Sem uma palavra, ele virou-se e saiu andando pela estrada.

“Pare! Pare!”, Anne o chamou loucamente, sem se preocupar com os outros observadores espantados. “Sr. Douglas, pare! Volte.”

John Douglas parou, mas não voltou. Anne voou pela estrada, pegou o braço dele e praticamente o arrastou de volta para Janet.

"Você precisa voltar", ela disse, implorando. "Foi tudo um erro, Sr. Douglas, tudo culpa minha. Eu fiz Janet agir assim. Ela não queria, mas está tudo bem agora, não está, Janet?"

Sem uma palavra, Janet pegou o braço dele e caminhou. Anne os seguiu humildemente para casa e entrou pela porta dos fundos.

"Bem, você foi muito boa em me ajudar", disse Janet sarcasticamente.

"Não pude evitar, Janet", disse Anne, arrependida. "Eu senti que tinha acabado de assistir a um assassinato sendo cometido. Eu TIVE que correr atrás dele."

"Oh, fico feliz por ter feito isso. Quando vi John Douglas indo embora pela estrada, senti que cada pedacinho de alegria e felicidade que havia na minha vida estava indo com ele. Foi um sentimento horrível."

"Ele perguntou a você por que fez aquilo?", indagou Anne.

"Não, não disse uma só palavra sobre aquilo", respondeu Janet, de um jeito entorpecido.

## CAPÍTULO XXXIV
# John Douglas finalmente fala

Anne sentia uma esperança ínfima de que algo aconteceria depois daquilo. Mas nada aconteceu. John Douglas veio, levou Janet para passear e a trouxe para casa depois do grupo de oração, como tinha feito por vinte anos e como parecia provável continuar fazendo por mais vinte anos. O verão minguou. Anne deu suas aulas, escreveu cartas e estudou um pouco. Suas caminhadas indo e voltando da escola eram agradáveis. Ela sempre ia pelo caminho do brejo; era um lugar adorável — um solo lamacento, verde, com os mais verdes tufos de musgo; um riacho prateado serpenteava por ele e os espruces erguiam-se imponentes, com seus ramos marcados por musgos cinza-esverdeados, suas raízes cobertas com todo tipo de adoráveis gramíneas.

Entretanto, Anne achava a vida em Valley Road um pouco monótona. Na verdade, houve um incidente divertido.

Ela não tinha visto Samuel, o rapaz magro e de cabelo amarelo das balas de hortelã desde a tarde em que ele as visitou. Mas em uma tarde quente de agosto ele apareceu e sentou-se solenemente no banco rústico da varanda. Ele estava usando seus trajes comuns de trabalho, que consistiam em calças remendadas, uma camisa jeans azul, com mangas até os cotovelos, e um chapéu de palha esfarrapado. Ele estava mordendo um palito de palha e continuou fazendo aquilo enquanto olhava solenemente para Anne. Anne deixou seu livro de lado com um suspiro e pegou seu bordado. A conversa com Sam estava realmente fora de questão.

Depois de um longo silêncio, Sam o cortou de repente:

"Estou saindo dali", ele disse abruptamente, acenando com seu palito na direção da casa vizinha.

"Oh, está?", disse Anne educadamente.

"É."

"E para onde está indo agora?"

"Bem, estive pensando em arranjar meu próprio lugar. Tem um que seria bom para mim em Millersville. Mas se eu alugar lá, vou querer uma mulher."

"Imagino que sim", disse Anne vagamente.

"É."

Houve outro longo silêncio. Finalmente, Sam removeu o palito novamente e disse:

"Casa comigo?"

"O... o... o quê?", engasgou Anne.

"Casa comigo?"

"Você quer dizer me CASAR com você?", questionou a pobre Anne debilmente.

"É."

"Ora, eu mal conheço você", exclamou Anne, indignada.

"Mas vai conhecer depois que a gente casar", disse Sam.

Anne recolheu sua pobre dignidade.

"Certamente não vou me casar com você", ela disse arrogantemente.

"Bem, podia arranjar alguém pior", repreendeu Sam. "Sou um bom trabalhador e tenho um pouco de dinheiro no banco."

"Não fale assim comigo novamente. O que colocou uma ideia dessas na sua cabeça?", disse Anne, com seu senso de humor vencendo sua ira. Era uma situação tão absurda.

"Você é uma garota bonita e tem um jeito esperto de andar", disse Sam. "Não quero uma mulher preguiçosa. Pense bem. Não vou mudar de ideia por enquanto. Bem, preciso ir. Tenho que ordenhar as vacas."

As ilusões de Anne envolvendo pedidos de casamento tinham sofrido tanto nos últimos anos que poucos haviam sobrado. Então, ela pôde rir com vontade daquela, sem sentir nenhuma dor secreta. Ela imitou o pobre Sam para Janet naquela noite e as duas riram sem moderação daquela declaração sentimental.

Em uma certa tarde, quando a estadia de Anne em Valley Road estava chegando ao fim, Alec Ward veio até Wayside em uma busca apressada por Janet.

"Eles a querem na casa dos Douglas depressa", ele disse. "Realmente acho que a velha Sra. Douglas vai enfim morrer, depois de fingir por vinte anos."

Janet correu para pegar seu chapéu. Anne perguntou se a Sra. Douglas estava pior do que de costume.

"Ela não está tão mal", disse Alec solenemente, "e é isso que me faz pensar que deve ser sério. Das outras vezes, ela gritava e se jogava por todo lado. Desta vez, ela está deitada bem quietinha. Quando a Sra. Douglas fica quieta é porque está bem doente, pode apostar."

"Você não gosta da Sra. Douglas?", perguntou Anne curiosamente.

"Gosto de gatos porque SÃO gatos. Não gosto de gatos por serem mulheres", foi a resposta enigmática de Alec.

Janet chegou em casa ao anoitecer.

"A Sra. Douglas está morta", ela disse, exausta. "Ela morreu logo depois de eu chegar lá. Ela só falou comigo uma vez, 'imagino que vai se casar com John agora?', ela disse. Foi de partir o coração, Anne. E pensar que a própria mãe de John achava que eu não me casei com ele por causa dela! Eu também não consegui dizer nada, havia outras mulheres lá. Eu fiquei grata por John ter saído."

Janet começou a chorar inconsolavelmente. Anne fez um chá de gengibre quente para confortá-la. Na verdade, Anne descobriu mais tarde que tinha usado pimenta-branca no lugar do gengibre, mas Janet nunca percebeu a diferença.

Na tarde depois do funeral, Janet e Anne estavam sentadas nos degraus da varanda da frente ao pôr do sol. O vento tinha adormecido nos pinheiros e camadas lúgubres de relâmpago faiscavam através do céu do norte. Janet usava seu vestido preto feio e estava com sua pior aparência, seus olhos e nariz vermelhos de tanto chorar. Elas conversaram pouco, pois Janet parecia ligeiramente ressentida com os esforços de Anne em animá-la. Ela claramente preferia sentir-se miserável.

De repente, o fecho do portão se abriu e John Douglas entrou no jardim. Ele andou na direção delas diretamente sobre o canteiro de gerânios. Janet se levantou. Anne também. Anne era uma menina alta e usava um vestido branco, mas John Douglas não a viu.

"Jane", ele disse, "você aceita se casar comigo?"

As palavras explodiram como se quisessem ter sido ditas há vinte anos e PRECISASSEM ser pronunciadas naquele momento, antes de qualquer coisa.

O rosto de Janet estava tão vermelho pelo choro que não poderia ter ficado mais vermelho ainda, então ficou de um tom roxo desagradável.

"Por que não me pediu antes?", ela disse lentamente.

"Não podia. Ela me fez prometer não pedir, minha mãe me fez prometer não pedir. Há dezenove anos, ela teve uma crise terrível. Pensamos que ela não sobreviveria. Ela me implorou para não pedir você em casamento enquanto ela estivesse viva. Eu não queria prometer uma coisa dessas, ainda que todos pensássemos que ela não viveria muito. O médico deu a ela apenas seis meses. Mas ela me implorou de joelhos, doente e sofrendo. Eu tive que prometer."

"O que sua mãe tinha contra mim?", perguntou Janet.

"Nada... nada. Ela só não queria outra mulher, QUALQUER outra mulher, lá enquanto estivesse viva. Ela disse que, se eu não prometesse, ela morreria ali mesmo e eu a teria matado. Então, prometi. E ela me fez manter a promessa desde então, embora eu tenha me ajoelhado diante dela e implorado para me libertar."

"Por que não me disse isso?", perguntou Janet, engasgada. "Se ao menos eu SOUBESSE! Por que não me disse?"

"Ela me fez prometer. Eu não podia contar a uma alma sequer", disse John, com a voz rouca. "Ela me fez jurar pela *Bíblia*. Janet, eu nunca teria feito aquilo se tivesse sonhado que demoraria tanto. Janet, você nunca saberá o que eu sofri nesses dezenove anos. Sei que a fiz sofrer também, mas você vai se casar comigo, não vai, Janet? Oh, Janet, não vai? Eu vim assim que pude para pedi-la em casamento."

Naquele momento, a estupefata Anne caiu em si e percebeu que não devia estar ali. Ela saiu e não viu Janet até a manhã seguinte, quando esta lhe contou o resto da história.

"Aquela velha cruel, impiedosa e traiçoeira!", exclamou Anne.

"Chiu, ela está morta", disse Janet solenemente. "Se não estivesse... mas ESTÁ. Então, não devemos falar mal dela. Finalmente, estou feliz, Anne. E não teria me importado nem um pouco de esperar tanto se apenas soubesse o motivo."

"Quando você vai se casar?"

"No próximo mês. É claro que será muito simples. Imagino que as pessoas vão falar coisas terríveis. Eles vão dizer que eu corri para fisgar John assim que sua pobre mãe ficou fora do caminho. John queria contar a verdade, mas eu disse: 'Não, John; afinal, ela era sua mãe e devemos manter o segredo entre nós, sem lançar uma sombra sobre a memória dela. Não me importo com o que as pessoas dizem, agora que eu mesma sei a verdade. Não me importo nem um pouco. Vamos deixar tudo ser enterrado com os mortos'. Então, eu o convenci a concordar comigo."

"Você é muito mais misericordiosa do que eu jamais poderia ser", disse Anne, bastante contrariada.

"Você vai pensar de um jeito diferente sobre muitas coisas quando tiver a minha idade", disse Janet tolerantemente. "Essa é uma das coisas que aprendemos quando envelhecemos, como perdoar. Fica mais fácil aos 40 do que era aos 20."

## CAPÍTULO XXXV
# Começa o último ano em Redmond

"Aqui estamos nós, todas de volta, bem bronzeadas e exultantes como um homem forte prestes a participar de uma corrida", disse Phil, sentando-se em uma mala com um suspiro de prazer. "Não é uma beleza ver esta bela Casa da Patty de novo, e titia, e os gatos? Rusty perdeu outro pedaço da orelha, não é?"

"Rusty seria o melhor gato do mundo mesmo se não tivesse orelha nenhuma", declarou Anne lealmente de sua mala, enquanto Rusty se contorcia em seu colo em um frenesi de boas-vindas.

"Você não está feliz por nos ver de volta, titia?", quis saber Phil.

"Sim. Mas gostaria que vocês arrumassem as coisas", disse Tia Jamesina queixosamente, olhando para a selvageria de malas que cercava as quatro meninas risonhas e falantes. "Vocês podem muito bem conversar mais tarde. 'Trabalho primeiro e depois diversão' costumava ser meu lema quando eu era menina."

"Oh, nós invertemos isso nesta geração, titia. NOSSO lema é 'brinque quanto quiser para depois cair dentro'. Podemos fazer nosso trabalho muito melhor se tivermos uma boa diversão primeiro."

'Se você for se casar com um pastor", disse Tia Jamesina, pegando Joseph e seu tricô e resignando-se ao inevitável com a graça charmosa que a tornava a rainha das governantas, "vai ter que deixar de falar coisas com 'cair dentro'."

"Por quê?", perguntou Phil. "Oh, por que a esposa de um pastor tem que ser tão recatada? Eu não vou ser assim. Todos na Rua Patterson usam gírias, quero dizer, linguagem metafórica, e se eu não usasse, eles me achariam insuportavelmente orgulhosa e convencida."

"Já deu a notícia à sua família?", perguntou Priscilla, dando à Gata-Sarah pedacinhos de sua lancheira.

Phil assentiu.

"Como eles reagiram?"

"Oh, minha mãe ficou furiosa, mas me mantive firme como uma rocha, eu, Philippa Gordon, que nunca consegui me prender a nada. Meu pai ficou mais calmo. O próprio pai dele era pastor, então podem ver que ele tem um ponto fraco em seu coração pela batina. Eu levei Jo até Mount Holly, depois que a minha mãe ficou mais calma, e os dois o amaram. Mas minha mãe deu a ele algumas indiretas assustadoras em cada conversa sobre o que ela esperava para mim. Oh, minhas férias não foram exatamente um mar de rosas, meninas queridas. Mas... eu venci e fiquei com Jo. Nada mais importa."

"Para você", disse Tia Jamesina sombriamente.

"Nem para Jo também", retrucou Phil. "A senhora continua com pena dele. Por quê? Acho que ele deveria ser invejado. Ele está ficando com inteligência, beleza e um coração de ouro COMIGO."

"É bom nós sabermos como lidar com os seus discursos", disse Tia Jamesina pacientemente. "Espero que não fale assim na frente de estranhos. O que eles pensariam?"

"Oh, não quero saber o que eles pensam. Não quero me ver como os outros me veem. Tenho certeza de que seria horrivelmente desconfortável na maior parte do tempo. Também não acredito que Burns foi realmente sincero naquela oração."

"Oh, ouso dizer que todos nós rezamos por coisas que não queremos de verdade, se fôssemos honestos o suficiente para enxergar nossos corações", reconheceu Tia Jamesina candidamente. "Tenho alguma noção de que tais orações não chegam muito alto. EU costumava rezar para ser capaz de perdoar uma certa pessoa, mas sei agora que eu não queria realmente perdoá-la. Quando finalmente QUIS, eu a perdoei sem precisar rezar por aquilo."

"Não consigo imaginá-la sem perdoar alguém por tanto tempo", disse Stella.

"Oh, eu costumava fazer assim. Mas guardar rancor não parece valer a pena conforme a idade vai chegando."

"Isso me faz lembrar", disse Anne, e contou a história de John e Janet.

"E agora nos conte sobre a cena romântica que você insinuou tão obscuramente em uma das suas cartas", exigiu Phil.

Anne encenou o pedido de Samuel com muita animação. As meninas deram gritos de alegria e Tia Jamesina sorriu.

"Não é de bom-tom zombar de seus pretendentes", ela disse severamente, "mas", ela acrescentou calmamente, "eu mesma sempre fiz isso."

"Conte-nos sobre seus pretendentes, titia", suplicou Phil. "Você deve ter tido inúmeros deles."

"Eles não estão no passado", retrucou Tia Jamesina. "Eu ainda tenho. Há três viúvos na minha cidade que estão com olhos de carneirinho em cima de mim há muito tempo. Vocês, crianças, não precisam achar que possuem todo o romance do mundo."

"Viúvos e olhos de carneirinho não soam muito românticos, titia."

"Bem, não, mas vocês jovens também não são sempre românticos. Alguns dos meus pretendentes certamente não eram. Eu costumava rir deles escandalosamente, pobres garotos. Havia Jim Elmwood, ele estava sempre sonhando acordado, parecia nunca saber o que estava acontecendo. Ele não acordou para o fato de eu ter dito 'não' até um ano depois de eu ter dito. Quando ele se casou, a esposa dele caiu do trenó em uma noite, quando eles estavam voltando para da igreja para casa, e ele nunca sentiu falta dela. Havia Dan Winston também. Ele sabia muito. Sabia tudo sobre esse mundo e quase tudo sobre o mundo depois desse. Ele podia responder a qualquer pergunta, mesmo se você quisesse saber o Dia do Julgamento. Milton Edwards era muito gentil e eu gostava dele, mas não me casei com ele. Em primeiro lugar, ele precisava de uma semana para entender uma piada, e em segundo, ele nunca me pediu. Horatio Reeve foi o pretendente mais interessante que eu tive. Mas quando ele contava uma história, ele a mascarava para ninguém perceber os exageros. Eu nunca conseguia descobrir se ele estava mentindo ou deixando a imaginação correr solta."

"E os outros, titia?"

"Vão logo desfazer as malas", disse Tia Jamesina, brandindo Joseph na direção delas no lugar da agulha. "Os outros foram bons demais para eu zombar deles. Devo respeitar sua memória. Há um buquê de flores no seu quarto, Anne. Chegou há mais ou menos uma hora."

Depois da primeira semana, as meninas da Casa da Patty sossegaram e chegaram a um ritmo firme de estudos; pois aquele era o último ano em Redmond e a formatura com honras deveria ser conquistada com persistência. Anne dedicou-se ao inglês. Priscilla debruçou-se sobre os clássicos e Philippa martelou a matemática. Às vezes elas ficavam cansadas, às vezes desencorajadas, às vezes nada parecia valer a pena. Em um estado de espírito desses, Stella foi até o quarto azul em uma tarde chuvosa de novembro. Anne estava sentada no chão em um círculo de luz produzido pela lamparina ao seu lado, em meio à brancura envolvente de um manuscrito amassado.

"O que é que você está fazendo?"

"Só estou olhando umas histórias velhas do Clube de Histórias. Queria algo para me animar E inebriar. Estudei até o mundo parecer deprimente. Então, vim aqui e cacei essas histórias dentro da minha mala. Elas estão tão encharcadas de lágrimas e tragédias que são extremamente engraçadas."

"Eu mesma estou deprimida e desencorajada", disse Stella, atirando-se no sofá. "Nada parece valer a pena. Meus próprios pensamentos estão velhos. Já pensei em todos eles antes. De que adianta viver, afinal, Anne?"

"Querida, é apenas o cansaço mental que está nos fazendo sentir desse jeito, e o clima. Uma noite de chuva torrencial como esta, depois de um longo dia de estudos, acabaria com qualquer um que não fosse Mark Tapley. Você sabe que VALE a pena viver por ele."

"Oh, imagino que sim. Mas não consigo provar isso a mim mesma nesse momento."

"Apenas pense nas grandes e nobre almas que viveram e trabalharam neste mundo", disse Anne sonhadoramente. "Não vale a pena vir depois delas e herdar o que elas ganharam e ensinaram? Não vale a pena pensar que podemos compartilhar da sua inspiração? E depois, todas as grandes almas que virão no futuro? Não vale a pena trabalhar um pouco e preparar o caminho para elas, tornar apenas um passo do seu caminho mais fácil?"

"Oh, minha mente concorda com você, Anne. Mas minha alma continua sombria e sem inspiração. Sempre fico desprezível e deprimida em noites chuvosas."

"Em algumas noites, eu gosto da chuva, gosto de deitar na cama e ouvi-la tamborilando no telhado e flutuando através dos pinheiros."

"Gosto quando ela fica no telhado", disse Stella. "Nem sempre isso acontece. Eu passei uma noite horrenda em uma velha casa de fazenda no verão passado. O telhado vazou e a chuva veio tamborilar na minha cama. Não havia poesia nenhuma NAQUILO. Eu precisei me levantar no meio da noite e me matar para arrastar a cama para longe da goteira, e era uma daquelas camas pesadas, antigas, que pesam uma tonelada mais ou menos. Depois, aquele pinga-pinga continuou a noite toda até os meus nervos ficarem em frangalhos. Você não faz ideia do barulho assustador que uma grande gota de chuva faz com um baque surdo no chão gelado à noite. Parecem pegadas de fantasmas e esse tipo de coisa. Por que está rindo, Anne?"

"Essas histórias. Como Phil diria, são de matar... em mais de um sentido, pois todo mundo morre nelas. Que heroínas mais deslumbrantes e adoráveis nós tínhamos, e como nós as vestíamos! Seda... cetim... veludo... joias... rendas... elas nunca usavam outra coisa. Aqui está uma das histórias de Jane Andrews, descrevendo sua heroína dormindo em uma linda camisola de cetim branco enfeitada com pérolas."

"Continue", disse Stella. "Estou começando a sentir que a vida vale a pena, contanto que eu possa rir."

"Aqui está a que eu escrevi. Minha heroína está se divertindo em um baile 'brilhando da cabeça aos pés com grandes diamantes dos maiores quilates'. Mas o que causou isso, a beleza ou os belos trajes? 'Os caminhos da glória levam apenas ao túmulo.' Elas deviam ser assassinados ou morrer de um coração partido. Não havia escapatória para elas."

"Deixe-me ler uma de suas histórias."

"Bem, aqui está minha obra de arte. Observe seu título alegre, 'Meus Túmulos'. Eu derramei muitas lágrimas escrevendo isso e as outras meninas derramaram mais lágrimas ainda enquanto eu a lia. A mãe de Jane Andrews deu uma bronca terrível nela por ter que lavar tantos lenços naquela semana. É um conto angustiante sobre as viagens da esposa de um pastor metodista. Eu a fiz metodista porque era necessário que ela viajasse. Ela enterrou uma criança em todo lugar em que morou. Havia nove delas e seus túmulos estavam muito distantes uns dos outros, de Newfoundland a Vancouver. Eu descrevi as crianças, imaginei seus leitos de morte e detalhei suas lápides e epitáfios. Eu pretendia enterrar todos os nove, porém, quando tinha me disposto de oito, minha invenção de horrores falhou e permiti que o nono vivesse como um inválido, sem nenhuma esperança."

Enquanto Stella lia 'Meus Túmulos', pontuando seus parágrafos trágicos com risadas, e Rusty dormia o sono justo de um gato que tinha passado a noite inteira fora, enroscado em cima de um conto de Jane Andrews sobre uma bela donzela de 15 anos que se tornou enfermeira em uma colônia de leprosos — é claro, morrendo da abominável doença no final —, Anne olhou para os manuscritos e relembrou dos velhos dias na escola de Avonlea, quando os membros do Clube de Histórias, sentados sob as árvores de espruces ou embaixo das samambaias perto do riacho, tinham escrito aquilo. Como tinham se divertido! Como a luz do sol e a alegria daqueles antigos verões retornaram enquanto ela lia. Nem toda a glória da Grécia, nem toda a grandeza de Roma poderiam tecer tanta fantasia quanto aqueles contos engraçados, chorosos do Clube de Histórias. Entre os manuscritos, Anne encontrou um escrito em uma folha de papel de embrulho. Uma onda de risos encheu seus olhos cinzentos enquanto ela se lembrava do momento e do lugar de sua origem. Era o rascunho que ela tinha escrito no dia em que ficou entalada no telhado da casa de patos das Cobb na Estrada Tory.

Anne olhou para ele, depois começou a lê-lo intensamente. Era um pequeno diálogo entre ásteres e ervilhas-de-cheiro, canários silvestres no arbusto lilás e o espírito guardião do jardim. Depois de ter lido, ela sentou-se, observando o espaço, e, quando Stella saiu, ela alisou o manuscrito amassado.

"Acredito que vou conseguir", ela disse resolutamente.

## CAPÍTULO XXXVI

# A visita dos Gardner

"Aqui está uma carta com um selo indiano para você, Tia Jimsie", disse Phil. "Aqui estão três para Stella, duas para Pris e uma gloriosa e gorda carta de Jo para mim. Não tem nada para você, Anne, exceto uma circular."

Ninguém notou como Anne ficou vermelha ao pegar a fina carta que Phil jogou para ela descuidadamente. Mas alguns minutos depois, Phil levantou os olhos para ver uma Anne transfigurada.

"Querida, qual é a coisa boa que aconteceu?"

"O Youth's Friend aceitou um pequeno rascunho que enviei a eles duas semanas atrás", disse Anne, fazendo um esforço para falar como se estivesse acostumada a ter rascunhos aceitos em toda a correspondência, mas sem sucesso.

"Anne Shirley! Isso é glorioso! Qual foi? Quando vai ser publicado? Eles pagaram por isso?"

"Sim; eles mandaram um cheque de dez dólares e o editor disse que gostaria de ver mais do meu trabalho. Querido homem, ele vai ver. Era um velho rascunho que encontrei na minha mala. Eu o reescrevi e enviei, mas nunca pensei realmente que seria aceito, porque não tinha enredo", disse Anne, lembrando da amarga experiência com "A Reparação de Averil".

"O que você vai fazer com esses dez dólares, Anne? Vamos todas para a cidade celebrar", sugeriu Phil.

"EU vou esbanjar em alguma diversão rebelde e sem alma", declarou Anne. "Seja como for, não é dinheiro sujo como o cheque que recebi por aquela história horrível sobre o fermento em pó Rollings. Eu gastei aquele dinheiro em roupas úteis que odiei todas as vezes em que as vesti."

"Imaginem só termos um verdadeiro escritor em carne e osso na Casa da Patty", disse Priscilla.

"É uma grande responsabilidade", disse Tia Jamesina solenemente.

"Certamente é", concordou Pris com a mesma solenidade. "Escritores são caprichosos. Nunca sabemos quando ou como eles vão agir. Anne pode fazer uma cópia de nós."

"Eu quis dizer que a habilidade de escrever para a imprensa é uma grande responsabilidade", disse Tia Jamesina severamente, "e espero que Anne perceba isso. Minha filha costumava escrever histórias antes de ir para o campo estrangeiro, mas agora ela tem sua atenção voltada para assuntos mais elevados. Ela costumava dizer que seu lema era 'Nunca escreva uma frase que teria vergonha de ler em seu próprio velório'. Você deveria assumir esse lema também, Anne, se vai embarcar na literatura. Embora, para dizer a verdade", acrescentou Tia Jamesina perplexamente, "Elizabeth sempre costumava rir quando dizia isso. Ela sempre ria tanto que não sei como acabou decidindo ser missionária. Fico grata por isso, rezei para que ela fizesse isso, mas gostaria que não tivesse feito."

Então, Tia Jamesina se perguntou por que todas aquelas garotas tontas estavam rindo.

Os olhos de Anne brilharam o dia inteiro; ambições literárias brotaram e floresceram em seu cérebro; sua empolgação a acompanhou até a festa de Jennie Cooper e nem mesmo a visão de Gilbert e Christine, que estavam bem na frente dela, e a de Roy poderiam diminuir o brilho de suas esperanças estreladas. Entretanto, ela não tinha sido tão arrebatada para longe da terra a ponto de ser incapaz de perceber que Christine andava de um jeito decididamente desajeitado.

"Mas imagino que Gilbert olhe apenas para o rosto dela. É bem típico dos homens", pensou Anne desdenhosamente.

"Você vai estar em casa no sábado à tarde?", perguntou Roy.

"Sim."

"Minha mãe e minhas irmãs vão visitá-la", disse Roy calmamente.

Algo passou por Anne, que poderia ter sido descrito como uma emoção, mas dificilmente uma que pudesse ser considerada agradável. Ela nunca tinha conhecido ninguém da família de Roy e percebeu o significado daquela declaração. Aquilo tinha, de alguma forma, uma irrevogabilidade que a fez estremecer.

"Ficarei feliz em vê-las", ela disse, categoricamente, e depois se perguntou se ficaria mesmo feliz. Ela deveria ficar, é claro. Mas não seria uma espécie de tormento? A fofoca tinha chegado até Anne em relação à luz sob a qual os Gardner viam a "paixão" do filho e irmão. Roy devia ter exercido alguma pressão na questão daquela visita. Anne sabia que ela seria pesada na balança. Pelo fato de elas terem consentido em visitá-la, Anne entendeu que, voluntária ou involuntariamente, elas a consideravam como um possível membro de seu clã.

"Devo apenas ser eu mesma. Não devo TENTAR fazer uma boa impressão", pensou Anne imponentemente. Mas ela estava se perguntando qual vestido deveria usar na tarde de sábado e se o novo estilo de penteado combinaria mais com ela que o antigo; e aquela festa foi, de certa forma, arruinada para ela. À noite, ela decidiu que usaria seu vestido de chiffon marrom no sábado, mas que arrumaria o cabelo em um penteado baixo.

Na sexta-feira à tarde, nenhuma das garotas tinha aulas em Redmond. Stella aproveitou a oportunidade para escrever um texto para a Sociedade Filomática e estava sentada à mesa do canto da sala de estar, com um desorganizado conjunto de anotações e manuscritos jogados no chão ao seu redor. Stella sempre jurava que nunca conseguia escrever nada a não ser que jogasse cada folha no chão assim que a completasse. Anne, em sua blusa de flanela e saia de sarja, com seu cabelo soprado pelo vento do caminho de volta para casa, estava sentada exatamente no meio do chão, provocando a Gata-Sarah com um ossinho de frango. Joseph e Rusty estavam enrolados em seu colo. Um cheiro quente e saboroso enchia a cozinha, pois Priscilla estava cozinhando. Naquele momento, ela entrou, encoberta por um avental enorme, com uma mancha de farinha no nariz, para mostrar a Tia Jamesina o bolo de chocolate que tinha acabado de confeitar.

Naquele momento auspicioso, elas ouviram uma batida na porta. Ninguém prestou atenção naquilo, a não ser Phil, que levantou num salto e abriu a porta, esperando que fosse algum rapaz com o chapéu que ela tinha comprado naquela manhã. Na soleira da porta, estavam a Sra. Gardner e suas filhas.

Anne encontrou um jeito de se levantar, descarregando dois gatos indignados de seu colo ao fazer aquilo e mecanicamente trocando seu ossinho da mão direita para a esquerda. Priscilla, que teria precisado atravessar a sala para alcançar a porta da cozinha, perdeu a cabeça, enfiando descontroladamente o bolo de chocolate embaixo de uma almofada no sofá e correndo para cima. Stella começou a recolher seu manuscrito freneticamente. Apenas Tia Jamesina e Phil continuaram normais. Graças a elas, todos logo ficaram à vontade, até mesmo Anne. Priscilla desceu, sem avental e sem manchas, Stella recuperou a decência de seu canto e Phil salvou a situação com um fluxo de conversa bem preparado.

A Sra. Gardner era alta, magra e bonita, refinadamente vestida, cordial com uma cordialidade que parecia um pouco forçada. Aline Gardner era uma versão mais jovem de sua mãe, sem a cordialidade. Ela esforçava-se para ser gentil, mas tinha sucesso apenas em ser soberba e condescendente. Dorothy Gardner era esguia, alegre e tinha um jeito de moleque. Anne sabia que ela era a irmã preferida de Roy e simpatizou com ela. Ela teria se parecido muito com Roy se tivesse olhos escuros e sonhadores em vez de olhos cor de avelã e travessos. Graças a ela e a Phil, a visita prosseguiu bastante bem, exceto por uma leve sensação de tensão na atmosfera e dois incidentes bastante desagradáveis. Rusty e Joseph, deixados sozinhos, começaram um jogo de pega-pega e pularam loucamente no colo de seda da Sra. Gardner em sua trajetória selvagem. A Sra. Gardner colocou seus óculos e observou suas formas voadoras como se nunca tivesse visto gatos antes e Anne, sufocando uma risada ligeiramente nervosa, desculpou-se da melhor maneira que pôde.

"Você gosta de gatos?", disse a Sra. Gardner, com uma leve entonação de surpresa tolerante.

Anne, apesar de seu afeto por Rusty, não gostava especialmente de gatos, mas o tom da Sra. Gardner a irritou. Inconsequentemente, ela lembrou-se de que a Sra. John Blythe gostava tanto de gatos que tinha tantos quantos o seu marido lhe permitia.

"Eles SÃO animais adoráveis, não são?", ela disse maliciosamente.

"Nunca gostei de gatos", disse a Sra. Gardner remotamente.

"Eu os amo", disse Dorothy. "Eles são tão bonitos e egoístas. Cachorros são bons e generosos DEMAIS. Eles me deixam desconfortável. Mas gatos são gloriosamente humanos."

"Você tem dois encantadores cachorros de porcelana antiga aqui. Posso observá-los de perto?", disse Aline, atravessando a sala em direção à lareira e, portanto, tornando-se a causa inconsciente do outro acidente. Pegando Magog, ela sentou-se na almofada embaixo da qual Priscilla tinha escondido o bolo de chocolate. Priscilla e Anne trocaram olhares agonizantes, mas não podiam fazer nada. A imponente Aline continuou sentada na almofada, discutindo cachorros de porcelana até o momento de sua partida.

Dorothy ficou para trás por um instante para apertar a mão de Anne e sussurrar impulsivamente:

"Eu SEI que você e eu vamos ser amigas. Oh, Roy me contou tudo sobre você. Sou a única pessoa da família para quem ele conta as coisas, pobre rapaz, ninguém PODERIA confiar em mamãe e em Aline, sabe. Que momentos gloriosos vocês devem ter aqui! Você me deixaria vir aqui mais vezes para compartilhar deles?"

"Venha sempre que quiser", Anne respondeu de todo o coração, grata por uma das irmãs de Roy ser amável. Ela nunca gostaria de Aline, aquilo era certo; e Aline nunca gostaria dela, embora a Sra. Gardner pudesse ser conquistada. De modo geral, Anne suspirou de alívio quando tudo acabou.

*"'De todas as palavras tristes da língua ou da caneta*
*As mais tristes são as que poderiam ter sido'",*

citou Priscilla tragicamente, levantando a almofada. "Este bolo é agora o que poderíamos chamar de um fracasso total. E a almofada está provavelmente arruinada. Nunca me digam que as sextas-feiras não são de má sorte."

"As pessoas que avisam que virão no sábado não deveriam vir na sexta-feira", disse Tia Jamesina.

"Imagino que tenha sido um erro de Roy", disse Phil. "Aquele menino não é realmente responsável pelo que diz quando conversa com Anne. Onde ESTÁ Anne?"

Anne tinha subido as escadas. Ela sentia uma vontade esquisita de chorar. Mas ela se forçou a rir. Rusty e Joseph tinham sido terríveis DEMAIS! E Dorothy ERA uma querida.

## CAPÍTULO XXXVII
# Verdadeiras bacharéis

"Eu gostaria de estar morta, ou que já fosse amanhã à noite", gemeu Phil.

"Se viver o suficiente, os dois desejos vão se tornar realidade", disse Anne calmamente.

"É fácil para você ficar calma. Você se sente em casa na aula de filosofia. Eu não. E quando penso naquela prova horrível de amanhã, eu me sinto fraquejar. Se eu for reprovada, o que Jo vai dizer?"

"Você não vai ser reprovada. Como você se saiu na prova de grego hoje?"

"Não sei. Talvez tenha sido um texto bom e talvez tenha sido ruim o suficiente para fazer Homero se revirar no túmulo. Eu estudei e esmiucei os meus cadernos até ser incapaz de formar uma opinião sobre qualquer coisa. Como a pequena Phil vai ficar grata quando todas essas examinações acabarem."

"Examinações? Nunca ouvi uma palavra dessas."

"Ora, não tenho tanto direito de inventar uma palavra como qualquer outra pessoa?", perguntou Phil.

"Palavras não são inventadas, elas florescem", disse Anne.

"Deixe para lá, eu começo vagamente a discernir uma água clara à frente onde nenhuma onda de avaliação espreita. Meninas, vocês... vocês conseguem perceber que nossa vida em Redmond está quase chegando ao fim?"

"Não consigo", disse Anne, dolorosamente. "Parece que foi ontem que Pris e eu estávamos sozinhas naquela multidão de calouros em Redmond. E agora somos veteranas prestes a realizar os exames finais."

"'Poderosos, sábios e respeitáveis veteranos'", citou Phil. "Você acha que estamos mesmo mais sábias do que quando viemos para Redmond?"

"Você não age como se fosse tão sábia às vezes", disse Tia Jamesina severamente.

"Oh, Tia Jimsie, nós não fomos garotas muito boas, de um modo geral, nesses três invernos em que cuidou de nós?", suplicou Phil.

"Vocês quatro foram as meninas mais adoráveis, doces e gentis que já foram para a faculdade juntas", afirmou Tia Jamesina, que nunca estragava um elogio com economias equivocadas.

"Mas desconfio que vocês ainda não tenham muito juízo. Não era de esperar, é claro. A experiência ensina o juízo. Vocês não podem aprendê-lo em um curso de faculdade. Vocês foram para a faculdade durante quatro anos e eu nunca fui, mas sei muito mais que vocês, mocinhas."

*"'Há muitas coisas que não seguem as regras,*
*Há uma poderosa pilha de velha sabedoria*
*Que a faculdade jamais teria*
*Há uma pilha de coisas que não se aprende na escola'",*

citou Stella.

"Vocês aprenderam alguma coisa em Redmond além de línguas mortas, geometria e outras porcarias do tipo?", questionou Tia Jamesina.

"Oh, sim. Acho que aprendemos, titia", protestou Anne.

"Nós aprendemos a verdade sobre o que o professor Woodleigh nos disse na última aula de filomática", disse Phil. "Ele disse: 'O humor é o condimento mais picante no banquete da existência. Riam de seus erros, mas aprendam com eles, zombem de seus problemas, mas tirem forças deles, façam graça de suas dificuldades, mas as superem'. Não é algo que valha a pena aprender, Tia Jimsie?"

"Sim, é, querida. Quando você tiver aprendido a rir das coisas das quais deve rir, e não rir das coisas das quais não deve, você vai ter sabedoria e entendimento."

"O que você tirou do seu curso em Redmond, Anne?", murmurou Priscilla de lado.

"Eu acho", disse Anne lentamente, "que eu realmente aprendi a olhar para cada pequeno obstáculo pequeno como uma graça, e para cada grande obstáculo como um prenúncio da vitória. Resumindo, acho que foi isso que Redmond me deu."

"Vou ter que recorrer a uma outra citação do professor Woodleigh para expressar o que Redmond fez por mim", disse Priscilla. "Vocês se lembram do que ele disse em seu discurso, 'Há tanto no mundo para todos nós se apenas tivermos os olhos para enxergar, o coração para amar e a mão para pegar o que queremos — tanto nos homens e mulheres, tanto na arte e na literatura, tanto em todos os lugares com que se encantar e ser grato'. Acho que Redmond me ensinou isso de alguma forma, Anne."

"Julgando pelo que vocês todas dizem", comentou Tia Jamesina, "a soma e o conteúdo é que uma pessoa pode aprender, se tiver iniciativa suficiente, em quatro anos de faculdade o que vinte anos de vida levariam para ensinar. Bem, isso justifica a educação superior, na minha opinião. É uma questão da qual sempre duvidei antes."

"Mas e as pessoas que não têm iniciativa, Tia Jimsie?"

"Pessoas que não têm iniciativa nunca aprendem", retrucou Tia Jamesina, "nem na faculdade, nem na vida. Se elas vivem até os 100 anos de idade, continuam sem saber mais do que quando nasceram. É sua má sorte e não sua culpa, pobres almas. Mas aqueles que têm alguma iniciativa devem agradecer devidamente a Deus por ela."

"A senhora poderia fazer a gentileza de definir o que é iniciativa, Tia Jimsie?", perguntou Phil.

"Não, não poderia, jovenzinha. Qualquer um que tem iniciativa sabe o que é e quem não tem nunca vai saber o que é. Então não há necessidade de defini-la."

Os dias atarefados voaram e os exames acabaram. Anne recebeu Altas Honras em inglês. Priscilla recebeu Honras nos clássicos e Phil, em matemática. E depois veio a formatura.

"Isso foi o que eu um dia teria chamado de uma fase na minha vida", disse Anne, enquanto tirava as violetas de Roy da caixa e olhava para elas pensativamente. Ela queria usá-las, é claro, mas seus olhos vagaram até outra caixa na mesa. Estava cheia de lírios-do-vale, tão frescos e perfumados quanto aqueles que floresciam no quintal de Green Gables quando junho chegava a Avonlea. O cartão de Gilbert Blythe estava ao lado dela.

Anne se perguntou por que Gilbert teria lhe enviado flores para a formatura. Ela o tinha visto muito pouco durante o inverno passado. Ele tinha ido até a Casa da Patty apenas em uma tarde de sexta-feira desde o feriado de Natal e eles raramente se encontravam em outros lugares. Ela sabia que ele estava estudando muito, com o objetivo de obter Altas Honras e o Prêmio Cooper, e não aparecia muito nos eventos sociais de Redmond. O inverno da própria Anne tinha sido bastante alegre socialmente. Ela tinha visto os Gardner com frequência; ela e Dorothy eram muito íntimas. Os grupos da faculdade esperavam o anúncio de seu noivado com Roy a qualquer momento. A própria Anne o esperava. Ainda assim, logo antes de sair da Casa da Patty para a formatura, ela deixou as violetas de Roy de lado e colocou os lírios-do-vale de Gilbert em seu lugar. Ela não poderia ter explicado por que fez aquilo. De alguma forma, os velhos dias, sonhos e amizades de Avonlea pareciam muito próximos dela durante aquela realização de ambições há muito acalentadas. Ela e Gilbert por muito tempo tinham imaginado alegremente o dia em que estariam formados, de beca e capelo, em artes. O maravilhoso dia tinha chegado e as violetas de Roy não tinham lugar nele. Apenas as flores de seu velho amigo pareciam pertencer àquela fruição de esperanças há muito florescidas das quais eles um dia tinham compartilhado.

Por anos aquele dia tinha acenado para ela e a seduzido; mas quando ele chegava, a única memória forte e permanente que deixava com ela não era daquele momento sem fôlego quando o imponente presidente de Redmond lhe deu seu capelo e diploma e saudou seu bacharelado, não era do brilho nos olhos de Gilbert quando viu seus lírios, nem do olhar confuso e doloroso de Roy quando passava por ela na plataforma. Não era o cumprimento condescendente de Aline Gardner nem os votos ardentes e impulsivos de Dorothy. Era uma dor estranha e inexplicável que arruinou aquele dia que havia muito era esperado por ela e deixou um certo vago, mas persistente, sabor amargo.

Os formandos de artes tiveram um baile de formatura naquela noite. Quando Anne estava se vestindo para ele, deixou de lado as pérolas que normalmente usava e pegou em sua mala a pequena caixa que tinha vindo de Green Gables no dia de Natal. Era uma corrente de ouro filiforme com um pequeno coração esmaltado de rosa como pingente. No cartão que a acompanhava, estava escrito: "Com todos os melhores desejos de seu velho amigo, Gilbert". Anne, rindo da memória do coração esmaltado conjurada com o dia fatal em que Gilbert a havia chamado de "Cenoura" e, em vão, tinha tentado fazer as pazes com um pequeno doce cor-de-rosa em formato de coração, tinha escrito para ele uma pequena nota de agradecimento. Mas ela nunca tinha usado a joia. Naquela noite, ela a prendeu ao redor de seu pescoço alvo com um sorriso sonhador.

Ela e Phil andaram por Redmond juntas. Anne andava em silêncio; Phil conversava sobre muitas coisas. De repente, ela disse:

"Eu ouvi dizer hoje que o noivado de Gilbert Blythe e Christine Stuart seria anunciado assim que a formatura acabasse. Você ouviu alguma coisa sobre isso?"

"Não", disse Anne.

"Acho que é verdade", disse Phil levemente.

Anne não falou. Na escuridão, ela sentiu seu rosto queimando. Ela colocou a mão dentro da gola e pegou a corrente dourada. Com um puxão enérgico, ela cedeu. Anne empurrou a joia quebrada para dentro do bolso. Suas mãos estavam tremendo e seus olhos estavam ardendo.

Mas ela foi a mais alegre das convidadas naquela noite e disse a Gilbert sem nenhum arrependimento que não estava disponível quando ele veio convidá-la para uma dança. Depois de tudo, quando ela se sentou com as meninas diante da lareira na Casa da Patty, tirando o frio da primavera de suas peles de seda, nenhuma conversou mais despreocupadamente que ela sobre os eventos do dia.

"Moody Spurgeon MacPherson veio aqui hoje à noite depois de vocês saírem", disse Tia Jamesina, que tinha se levantado para manter o fogo aceso. "Ele não sabia sobre o baile de formatura. Aquele menino devia dormir com uma faixa de borracha em volta da cabeça para treinar suas orelhas a não pular para fora. Eu tive um pretendente que fez isso e melhorou imensamente. Fui eu que sugeri a ele e ele aceitou meu conselho, mas nunca me perdoou por isso."

"Moody Spurgeon é um rapaz muito sério", bocejou Priscilla. "Ele está preocupado com assuntos mais graves do que as orelhas dele. Ele vai ser pastor, sabe."

"Bem, imagino que o Senhor não se preocupe com as orelhas de um homem", disse Tia Jamesina seriamente, abandonando quaisquer outras críticas a Moody Spurgeon. Tia Jamesina tinha o devido respeito pela batina, mesmo no caso de um pastor em formação.

## CAPÍTULO XXXVIII
# Falso amanhecer

"Apenas imagine, ainda nesta semana vou estar em Avonlea. Que pensamento encantador!", disse Anne, curvando-se sobre a caixa na qual estava guardando as colchas da Sra. Rachel. "Mas, apenas imagine, ainda nesta semana terei partido para sempre da Casa da Patty. Que pensamento horrível!"

"Eu me pergunto se os fantasmas de todas as nossas risadas vão ecoar através dos sonhos de donzela da Srta. Patty e da Srta. Maria", especulou Phil.

A Srta. Patty e a Srta. Maria estavam voltando para casa, depois de terem passeado pela maior parte habitável do globo.

"Estaremos de volta na segunda semana de maio", escreveu a Srta. Patty. "Imagino que a Casa da Patty vai parecer bastante pequena depois do Templo de Karnak, mas nunca gostei de morar em lugares grandes. E ficarei bastante feliz por estar em casa novamente. Quando começamos a viajar tarde na vida, ficamos propensos a viajar demais porque sabemos que não temos muito tempo sobrando e é algo que toma conta de nós. Receio que Maria nunca mais vá se contentar novamente."

"Devo deixar aqui minhas fantasias e sonhos para abençoar o próximo a vir", disse Anne, olhando para o quarto saudosamente — seu belo quarto azul onde ela tinha passado três anos tão felizes. Ela havia se ajoelhado em sua janela para rezar e tinha se inclinado nela para assistir ao pôr do sol atrás dos pinheiros. Ela tinha ouvido as gotas de chuva de outono tamborilando nela e tinha dado boas-vindas aos tordos em seu parapeito. Ela estava imaginando se os velhos sonhos podiam assombrar os quartos — se, quando deixasse para sempre o quarto onde tinha se alegrado e sofrido, rido e chorado, algo dela, intangível e invisível, e ainda assim real, não ficavam para trás como uma memória cheia de voz.

"Eu acho", disse Phil, "que um quarto onde alguém sonha, sofre, diverte-se e vive, torna-se inseparavelmente conectado àqueles processos e adquire uma personalidade própria. Tenho certeza de que, se eu entrasse neste quarto daqui a cinquenta anos, ele diria 'Anne, Anne' para mim. Que belos momentos tivemos aqui, querida! Quantas conversas, brincadeiras e boas farras! Oh, céus! Vou me casar com Jo em junho e sei que vou ser absurdamente feliz. Mas agora eu me sinto como se quisesse que esta vida adorável em Redmond continuasse para sempre."

"Eu estou irracional o suficiente neste instante para desejar isso também", admitiu Anne. "Não importam quais alegrias venham para nós mais tarde, nunca mais teremos a mesma existência encantadora e irresponsável que tivemos aqui. Acabou para sempre, Phil."

"O que você vai fazer com Rusty?", perguntou Phil, no momento em que aquele gato privilegiado entrou no quarto.

"Vou levá-lo para casa comigo, com Joseph e a Gata-Sarah", anunciou Tia Jamesina, seguindo Rusty. "Seria uma pena separar esses gatos agora que aprenderam a viver juntos. É uma lição difícil para gatos e humanos aprenderem."

"Sinto muito por me separar de Rusty", disse Anne, arrependida, "mas não adiantaria levá-lo para Green Gables. Marilla detesta gatos e Davy perturbaria a vida dele. Além disso, não creio que eu vá ficar em casa por muito tempo. Recebi uma oferta para o cargo de diretora na escola de Summerside."

"Você vai aceitar?", perguntou Phil.

"Eu... eu ainda não decidi", respondeu Anne, ficando vermelha e confusa.

Phil assentiu compreensivamente. Naturalmente, os planos de Anne não poderiam ser decididos até Roy fazer o pedido. Ele o faria em breve — não havia dúvida daquilo. E não havia dúvida de que Anne diria "sim" quando ele pedisse "por favor". A própria Anne pensava sobre o estado daquele assunto com uma complacência raramente perturbada. Ela estava profundamente apaixonada por Roy. Verdade seja dita, não era exatamente o que ela tinha imaginado que o amor seria. Mas alguma coisa na vida era, Anne perguntou-se, cansada, como na imaginação? Era a velha desilusão repetida do diamante em sua infância — a mesma decepção que ela tinha sentido quando tinha visto pela primeira vez o brilho gelado em vez do esplendor púrpura que tinha antecipado. "Não era a minha ideia de um diamante", ela tinha dito. Mas Roy era um rapaz querido e eles seriam muito felizes juntos, mesmo que aquela graça indefinida estivesse faltando na vida. Quando Roy veio naquela noite e convidou Anne para caminhar no parque, todos na Casa da Patty sabiam o que ele tinha vindo dizer; e todos sabiam, ou achavam que sabiam, qual seria a resposta de Anne.

"Anne é uma garota de muita sorte", disse Tia Jamesina.

"Imagino que sim", disse Stella, encolhendo os ombros. "Roy é um bom rapaz e tudo o mais, porém não há nada de especial nele."

"Isso se parece muito com um comentário invejoso, Stella Maynard", disse Tia Jamesina para repreendê-la.

"Parece, mas não estou com inveja", disse Stella calmamente. "Eu amo Anne e gosto de Roy. Todos dizem que ela arranjou um partido excelente e até a Sra. Gardner a acha charmosa agora. Tudo parece ser perfeito, mas eu tenho minhas dúvidas. Aproveite isso ao máximo, Tia Jamesina."

Roy pediu Anne em casamento no pequeno pavilhão na margem do porto onde eles tinham conversado no dia chuvoso de seu primeiro encontro. Anne pensou que era muito romântico ele ter escolhido aquele lugar. E seu pedido foi pronunciado lindamente, como se tivesse sido copiado, como um dos pretendentes de Ruby Gillis tinha feito, usando a Conduta da Corte e do Casamento. Todo o efeito foi impecável. Não havia uma nota falsa para desafinar a sinfonia. Anne sentiu que deveria estar emocionada da cabeça aos pés. Mas não estava; ela estava terrivelmente calma. Quando Roy parou para esperar a resposta, ela abriu os lábios para pronunciar o fatídico sim. E, então, ela viu-se tremendo como se estivesse cambaleando para longe de um precipício. Um daqueles momentos veio até ela, quando se compreende, como que por um raio de iluminação, mais do que todos os anos anteriores ensinaram. Ela tirou sua mão da mão de Roy.

"Oh, não posso me casar com você... não posso... não posso", ela chorou loucamente.

Roy ficou pálido, e também parecia bastante tolo. Ele tinha — e ninguém poderia culpá-lo — se sentido muito seguro.

"O que você quer dizer?", ele gaguejou.

"Quero dizer que não posso me casar com você", repetiu Anne desesperadamente. "Pensei que pudesse... mas não posso."

"Por que não?" Roy perguntou mais calmamente.

"Porque... não gosto de você o suficiente."

Um rubor escarlate surgiu no rosto de Roy.

"Então, você esteve apenas se divertindo durante esses dois anos?", ele disse lentamente.

"Não, não estive", ofegou a pobre Anne. Oh, como ela poderia explicar? Ela NÃO PODIA explicar. Existem algumas coisas que não podem ser explicadas. "Eu pensei que gostasse... pensei mesmo... mas agora sei que não."

"Você arruinou a minha vida", disse Roy amargamente.

"Me perdoe", implorou Anne miseravelmente, com as bochechas quentes e os olhos ardendo.

Roy afastou-se e ficou por alguns minutos olhando na direção do mar. Quando ele se voltou para Anne, estava muito pálido outra vez.

"Você não pode me dar nenhuma esperança?", perguntou ele.

Anne balançou a cabeça, muda.

"Então, adeus", disse Roy. "Não consigo entender. Não consigo acreditar que você não seja a mulher que acreditei que fosse. Repreensões são inúteis entre nós. Você é a única mulher que eu poderia amar. Agradeço ao menos por sua amizade. Adeus, Anne."

"Adeus", vacilou Anne. Quando Roy se foi, ela sentou-se por um longo tempo no pavilhão, assistindo a uma bruma branca arrastar-se sutil e impiedosamente em direção ao porto. Foi sua hora de humilhação, autodesprezo e vergonha. Suas ondas passaram por ela. E ainda assim, sob tudo aquilo, havia uma sensação esquisita de liberdade recuperada.

Ela entrou sorrateiramente na Casa da Patty ao anoitecer e fugiu para seu quarto. Mas Phil estava lá no assento da janela.

"Espere", disse Anne, apressando-se para antecipar a cena. "Espere até ouvir o que eu tenho a dizer. Phil, Roy me pediu em casamento, e eu recusei."

"Você... você RECUSOU?", disse Phil vagamente.

"Sim."

"Anne Shirley, você está em pleno juízo?"

"Acho que sim", disse Anne, exausta. "Oh, Phil, não brigue comigo. Você não entende."

"Eu certamente não entendo. Você encorajou Roy Gardner de todas as formas por dois anos, e agora me diz que recusou o pedido dele. Então, você esteve apenas flertando escandalosamente com ele. Anne, eu não teria esperado isso de VOCÊ."

"Eu NÃO ESTAVA flertando com ele, eu honestamente pensei que gostasse dele até o último minuto... depois... bem, eu apenas soube que NUNCA poderia me casar com ele."

"Imagino", disse Phil cruelmente, "que você pretendia se casar com ele pelo dinheiro, depois sua melhor versão surgiu e a impediu."

"NÃO FOI isso. Eu nunca pensei no dinheiro dele. Oh, não posso explicar a você melhor do que pude explicar a ele."

"Bem, eu realmente acho que você tratou Roy vergonhosamente", disse Phil, exasperada. "Ele é bonito, inteligente, rico e gentil. O que mais você quer?"

"Quero alguém que PERTENÇA à minha vida Ele não pertence. Eu fui arrebatada logo no início pela boa aparência dele e seu jeito de fazer elogios românticos; depois pensei que DEVIA estar apaixonada por ele porque ele correspondia ao meu ideal de olhos escuros."

"Eu sou ruim o suficiente por não ter minhas próprias opiniões, mas você é pior", disse Phil.

"Eu TENHO minhas próprias opiniões", protestou Anne. "O problema é que as minhas opiniões mudam e então eu preciso conhecê-las de novo."

"Bem, eu imagino que não vá adiantar dizer nada a você."

"Não é necessário, Phil. Eu estou na pior. Isso estragou tudo de vez. Nunca mais vou poder pensar nos meus dias em Redmond sem me lembrar da humilhação desta tarde. Roy me despreza, você me despreza, eu mesma me desprezo."

"Minha pobre querida", disse Phil, derretendo. "Venha aqui e me deixe confortar você. Não tenho direito de brigar com você. Eu teria me casado com Alec ou Alonzo se não tivesse conhecido Jo. Oh, Anne, as coisas são tão confusas na vida real. Elas não são claras nem bem definidas como são nos romances."

"Eu espero que NINGUÉM me peça em casamento de novo enquanto eu viver", soluçou a pobre Anne, devotamente acreditando que estava sendo sincera.

## CAPÍTULO XXXIX
# Assuntos de casamento

Anne sentiu que a vida assumiu uma natureza de anticlímax durante as primeiras semanas depois de seu retorno a Green Gables. Ela sentia falta do companheirismo alegre da Casa da Patty. Ela tinha sonhado alguns sonhos brilhantes durante o inverno anterior e agora eles estavam empoeirados em volta dela. Em seu atual estado de autodesprezo, ela não poderia começar imediatamente a sonhar de novo. E ela descobriu que, ainda que a solidão com sonhos fosse gloriosa, a solidão sem eles tinha poucos atrativos.

Ela não tinha visto Roy novamente depois de sua despedida dolorosa no pavilhão; mas Dorothy veio vê-la antes que ela deixasse Kingsport.

"Eu sinto muito mesmo por você não se casar com Roy", ela disse. "Eu queria que você fosse minha irmã. Mas você está certa. Ele mataria você de tédio. Eu o amo e ele é um garoto maravilhoso, mas não é nem um pouco interessante. Ele até parece ser, mas não é."

"Isso não vai estragar a NOSSA amizade, vai, Dorothy?", Anne perguntou melancolicamente.

"Não, de jeito nenhum. Você é boa demais para perder. Já que não posso tê-la como irmã, quero mantê-la como amiga mesmo assim. E não se aflija por causa de Roy. Ele está se sentindo muito mal agora, eu tenho que ouvir suas lamentações todos os dias, mas ele vai superar. Ele sempre supera."

"Oh... SEMPRE?", disse Anne com uma leve mudança de voz. "Então ele já 'superou' antes?"

"Meu Deus, sim", disse Dorothy francamente. "Duas vezes antes. E ele delirou do mesmo jeito das duas vezes. Não que as outras tenham realmente recusado o pedido dele, elas simplesmente anunciaram o noivado com outra pessoa. Claro que, quando ele conheceu você, ele jurou para mim que nunca tinha amado de verdade antes, disse que os casos anteriores tinham sido meras fantasias de menino. Mas não acho que você precise se preocupar."

Anne decidiu não se preocupar. Seus sentimentos eram uma mistura de alívio e ressentimento. Roy certamente tinha dito a ela que ela era a única garota que ele já tinha amado. Sem dúvida ele acreditava naquilo. Mas era um conforto sentir que ela não tinha, muito provavelmente, arruinado a vida dele. Haveria outras deusas e Roy, de acordo com Dorothy, precisava necessariamente venerar algum templo. Contudo, a vida foi despojada de muitas outras ilusões e Anne começou a pensar sombriamente que ela estava parecendo bastante vazia.

Ela desceu do frontão na tarde de seu retorno com um rosto melancólico.

"O que aconteceu com a velha Rainha Branca, Marilla?"

"Oh, eu sabia que você se sentiria mal por isso", disse Marilla. "Eu mesma me senti. Aquela árvore estava ali desde que eu era menina. Ela foi soprada no grande vendaval que tivemos em março. Estava podre até o cerne."

"Vou sentir tanta falta dela", lamentou Anne. "O meu quarto não parece o mesmo sem ela. Nunca mais vou olhar para a janela de novo sem uma sensação de perda. E, oh, eu nunca voltei para Green Gables antes sem Diana aqui para me dar as boas-vindas."

"Diana tem outras coisas em que pensar agora", disse a Sra. Lynde.

"Bem, me contem todas as novidades de Avonlea", pediu Anne, sentando-se nos degraus da varanda, onde o sol da tarde caía sobre seu cabelo como uma fina chuva dourada.

"Não há muito que contar além do que escrevemos para você", disse a Sra. Lynde. "Imagino que você não tenha ficado sabendo que Simon Fletcher quebrou a perna na semana passada. É um grande acontecimento para a família dele. Eles estão fazendo centenas de coisas que sempre quiseram fazer, mas não podiam com ele por perto, o velho excêntrico."

"Ele veio de uma família irritadiça", comentou Marilla.

"Irritadiça? Ora, sem dúvida! A mãe dele costumava se levantar durante o grupo de oração e contar todos os defeitos dos filhos dela e pedir orações para eles. É claro que isso os deixou irritados e piores do que nunca."

"Você não contou a Anne as notícias sobre Jane", sugeriu Marilla.

"Oh, Jane", bufou a Sra. Lynde. "Bem, ela cedeu de má vontade, "Jane Andrews está de volta do oeste, chegou na semana passada, e vai se casar com um milionário de Winnipeg. Pode ter certeza de que a Sra. Harmon não perdeu tempo em contar para todo mundo."

"A boa e velha Jane, fico tão feliz", disse Anne sinceramente. Ela merece as coisas boas da vida."

"Oh, não estou dizendo nada contra Jane. Ela é uma boa menina, mas não é da classe dos milionários, e você vai descobrir que não há muito para elogiar naquele homem além do seu dinheiro, isso sim. A Sra. Harmon diz que ele é um inglês que ganhou dinheiro nas minas, mas EU acredito que ele deve ser um ianque. Ele certamente deve ter dinheiro, pois deu um banho de joias em Jane. O anel de noivado dela tem diamantes tão grandes que parecem um gesso na mão gorda de Jane."

A Sra. Lynde não conseguia retirar uma certa de amargura de seu tom. Lá estava Jane Andrews, aquela coisinha sem graça, noiva de um milionário, enquanto Anne, ao que parecia, ainda não estava prometida a ninguém, fosse rico ou pobre. E a Sra. Harmon Andrews estava se gabando insuportavelmente.

"O que Gilbert Blythe esteve fazendo na faculdade?", perguntou Marilla. "Eu o vi quando voltou para casa na semana passada e ele estava tão pálido e magro que eu mal o reconheci."

"Ele estudou muito no último inverno", disse Anne. "Você sabe que ele recebeu Altas Honras em clássicos e o Prêmio Cooper. Ele não tinha sido dado a ninguém fazia cinco anos! Então, acho que ele deve estar exausto. Nós todos estamos um pouco cansados."

"De qualquer forma, agora você é bacharel e Jane Andrews não é e nunca vai ser", disse a Sra. Lynde com uma satisfação sombria.

Alguns dias mais tarde, Anne foi visitar Jane, mas ela estava em Charlottetown "preparando o enxoval", a Sra. Harmon disse a Anne orgulhosamente. "É claro que uma costureira de Avonlea não serviria para Jane devido às circunstâncias."

"Eu ouvi algo muito bom sobre Jane", disse Anne.

"Sim, Jane se saiu muito bem, ainda que não seja bacharel", disse a Sra. Harmon, jogando a cabeça ligeiramente para trás. "O Sr. Inglis vale milhões e eles vão para a Europa na lua de mel. Quando voltarem, vão viver em uma perfeita mansão de mármore em Winnipeg. Jane só tem um problema: ela cozinha muito bem, mas o marido não a deixa cozinhar. Ele é tão rico que contrata cozinheiras. Eles vão manter uma cozinheira, duas criadas, um cocheiro e um ajudante-geral. Mas e VOCÊ, Anne? Eu não soube nada sobre você se casar, depois de todos os seus anos na faculdade."

"Oh", riu Anne, "vou ser uma velha solteirona. Não consigo arranjar ninguém que sirva para mim." Foi terrível da parte dela. Ela deliberadamente quis lembrar a Sra. Andrews de que, caso se tornasse uma velha solteira, não seria por não ter a menor chance de se casar. A Sra. Harmon, por sua vez, vingou-se rapidamente.

"Bem, as meninas muito exigentes normalmente sobram, creio eu. E essa história de Gilbert Blythe estar noivo de uma tal Srta. Stuart? Charlie Sloane me disse que ela é simplesmente linda. É verdade?"

"Não sei se é verdade que ele está noivo da Srta. Stuart", respondeu Anne, com uma compostura espartana, "mas certamente é verdade que ela é adorável."

"Eu costumava pensar que você e Gilbert seriam um casal", disse a Sra. Harmon. "Se não tomar cuidado, Anne, todos os seus pretendentes vão lhe escorrer pelos dedos."

Anne decidiu não continuar seu duelo com a Sra. Harmon. Não seria possível esgrimir com um antagonista que tomasse um impulso mais letal com um golpe de um machado de guerra.

"Já que Jane não está", ela disse, levantando-se imponentemente, "acho que não posso ficar por mais tempo hoje. Virei quando ela voltar para casa."

"Venha", disse a Sra. Harmon efusivamente. "Jane não é nem um pouco orgulhosa. Ela pretende se associar aos seus velhos amigos do mesmo jeito de sempre. Ela vai ficar muito feliz em ver você."

O milionário de Jane chegou no final de maio e a levou para longe em um brilho esplendoroso. A Sra. Lynde ficou maldosamente grata por descobrir que o Sr. Inglis já tinha 40 anos, era baixo, magro e grisalho. A Sra. Lynde não o poupou ao enumerar seus defeitos, com certeza.

"Vai ser preciso todo o ouro dele para dourar uma pílula como aquela, isso sim", disse a Sra. Rachel solenemente.

"Ele parece gentil e de bom coração", disse Anne lealmente, "e tenho certeza de que ele gosta muito de Jane."

"Hunf!", disse a Sra. Rachel.

Phil Gordon casou-se na semana seguinte e Anne foi até Bolingbroke para ser sua madrinha. Phil parecia uma fada delicada vestida de noiva e o pastor Jo estava tão radiante em sua felicidade que ninguém o achou sem graça.

"Nós vamos para um passeio romântico pela terra de Evangeline", disse Phil, "e depois vamos nos estabelecer na Rua Patterson. Mamãe acha terrível, ela acha que Jo poderia ao menos assumir uma igreja em um lugar decente. Mas a selvageria das favelas de Patterson vai florescer como uma rosa para mim se Jo estiver lá. Oh, Anne, estou tão feliz que meu coração chega a doer."

Anne ficava sempre alegre com a felicidade de seus amigos; mas às vezes era um pouco solitário estar cercada por todos os lados de uma felicidade que não era a sua. E foi do mesmo jeito quando ela retornou a Avonlea. Daquela vez, era Diana quem estava banhada na glória maravilhosa que chega para uma mulher quando seu primeiro filho está deitado ao lado dela. Anne olhou para a jovem e alva mãe com uma reverência que nunca antes havia feito parte de seus sentimentos por Diana. Poderia aquela mulher pálida com um arrebatamento no olhar ser a pequena Diana de cachos negros e bochechas rosadas com quem ela tinha brincado nos velhos tempos de escola? Ela teve um estranho sentimento de desolação de que ela própria, de alguma forma, pertencia apenas àqueles velhos tempos e não tinha lugar nenhum no presente.

"Ele não é simplesmente lindo?", disse Diana orgulhosamente.

O pequeno gorducho era absurdamente parecido com Fred, tão redondo e tão vermelho quanto ele. Anne realmente não poderia dizer conscientemente que o achava lindo, mas jurou solenemente que ele era doce, beijável e encantador.

"Antes de ele chegar, eu queria uma menina para poder chamá-la de ANNE", disse Diana. "Mas agora que o pequeno Fred está aqui, eu não poderia trocá-lo por um milhão de meninas. Ele não PODERIA ter sido nada além de sua própria e preciosa versão."

"'Cada bebezinho é o mais doce e o melhor'", citou a Sra. Allan alegremente. "Se a pequena Anne TIVESSE vindo, você pensaria o mesmo sobre ela."

A Sra. Allan estava visitando Avonlea pela primeira vez desde sua partida. Ela estava tão alegre, doce e simpática como sempre. Suas velhas amigas a tinham recebido com muito entusiasmo. A esposa do pastor atual era uma dama respeitável, mas não era exatamente uma alma amiga.

"Mal posso esperar até ele ser crescido o suficiente para falar", suspirou Diana. "Estou ansiosa para ouvi-lo dizer 'mãe'. E, oh, estou determinada a garantir que sua primeira lembrança de mim seja boa, pois a minha é da minha mãe me batendo por alguma coisa que eu tinha feito. Tenho certeza de que mereci, mamãe foi sempre uma boa mãe e eu a amo muito, mas gostaria que a minha primeira lembrança fosse melhor."

"Eu tenho apenas uma lembrança da minha mãe e é a mais doce de todas as minhas lembranças", disse a Sra. Allan. "Eu tinha 5 anos e tinha recebido permissão para ir à escola um dia com as minhas duas irmãs mais velhas. Quando a aula acabou, minhas irmãs foram embora para casa em grupos diferentes, cada uma achando que eu estava com a outra. Em vez disso, eu tinha fugido com uma menininha com quem tinha brincado no intervalo. Nós fomos para a casa dela, que era perto da escola, e começamos a fazer tortas de lama. Nós nos divertimos muito até a minha irmã mais velha chegar, sem fôlego e irritada.

"'Sua menina má!', ela exclamou, agarrando minha mão relutante e me arrastando atrás dela. 'Venha neste minuto. Oh, você vai ver só! Mamãe está muito brava. Ela vai dar uma boa surra em você'."

"Eu nunca tinha levado uma surra. Medo e pavor encheram o meu pobre coraçãozinho. Eu nunca me senti tão infeliz na minha vida como naquele dia indo para casa. Eu não queria ter sido má. Phemy Cameron tinha me pedido para ir para casa com ela e eu não sabia que era errado fazer isso. E por esse motivo eu levaria uma surra. Quando cheguei em casa, minha irmã me arrastou até a cozinha, onde minha mãe estava sentada, perto do fogo, ao anoitecer. Minhas pobres perninhas estavam tremendo tanto que eu mal conseguia ficar em pé. E mamãe... mamãe apenas me pegou nos braços, sem uma palavra de repreensão ou rispidez, me beijou e me segurou perto do coração dela. 'Eu fiquei com tanto medo por você ter se perdido, querida', ela disse carinhosamente. Eu podia ver o amor brilhando nos olhos dela enquanto ela olhava para mim. Ela nunca me deu uma bronca ou me repreendeu pelo que eu fiz, apenas me disse que eu nunca mais deveria ir embora de novo sem pedir permissão. Ela morreu logo depois. Essa é a única lembrança que tenho dela. Não é linda?"

Anne sentiu-se mais solitária do que nunca ao andar para casa, indo pelo Caminho das Bétulas e pelo Salgueiral. Ela não tinha andando por aquele caminho fazia muito tempo. Era uma noite florida e púrpura. O ar estava pesado com a fragrância das flores, quase pesado demais. Os sentidos saturados recuavam dela como se fossem uma xícara transbordando. As bétulas do caminho tinham crescido, de pequenas mudas de fada para velhas e grandes árvores. Tudo tinha mudado. Anne sentiu que ficaria feliz quando o verão acabasse e ela estivesse longe, trabalhando novamente. Talvez a vida não parecesse tão vazia.

"'Eu experimentei o mundo — ele não veste mais
O colorido do romance de tempos atrás'",

suspirou Anne, que ficou imediatamente mais reconfortada pelo romance na ideia do mundo sendo despido de romance!

## CAPÍTULO XL
# Um livro da revelação

Os Irving voltaram para a Cabana do Eco naquele verão e Anne passou três felizes semanas lá no mês de julho. A Srta. Lavendar não tinha mudado; Charlotta, a Quarta, era uma jovem dama crescida agora, mas ainda adorava Anne com sinceridade.

"No fim das contas, Srta. Shirley, madame, não vi ninguém em Boston que fosse igual à senhorita", ela disse francamente.

Paul também estava praticamente crescido. Ele tinha 16 anos, seus cachos castanhos tinham dado lugar a madeixas bem aparadas e ele estava mais interessado em futebol do que em fadas. Mas a ligação entre ele e sua antiga professora ainda se mantinha. Almas amigas não mudam com o passar dos anos.

Foi em uma tarde úmida, soturna e cruel que Anne voltou para Green Gables. Uma das ferozes tempestades de verão que às vezes varriam o golfo estava devastando o mar. Quando Anne chegou, as primeiras gotas de chuva pontilhavam as vidraças.

"Foi Paul quem a trouxe para casa?", perguntou Marilla. "Por que não pediu a ele para passar a noite aqui? Vai ser uma noite terrível."

"Ele vai chegar à Cabana do Eco antes da chuva ficar muito pesada, eu acho. De qualquer forma, ele queria voltar hoje à noite. Bem, eu fiz uma visita esplêndida, mas fico feliz em ver todos vocês de novo. 'Para cá e para lá, nada como o lar.' Davy, você andou crescendo de novo ultimamente?"

"Eu cresci mais de dois centímetros desde que você foi embora", disse Davy orgulhosamente. "Estou tão alto quanto Milty Boulter agora. Como estou feliz. Ele vai ter que parar de se gabar por ser maior. Diga, Anne, você sabia que Gilbert Blythe está morrendo?"

Anne ficou muito silenciosa e imóvel, olhando para Davy. Seu rosto tinha ficado tão branco que Marilla achou que ela desmaiaria.

"Davy, segure a língua", disse a Sra. Rachel com raiva. "Anne, não fique assim, NÃO FIQUE ASSIM! Não queríamos lhe contar tão de repente."

"É... é... verdade?", perguntou Anne com uma voz que não era sua.

"Gilbert está muito doente", disse a Sra. Lynde seriamente. "Ele teve febre tifoide logo depois de você ir para a Cabana do Eco. Você não soube?"

"Não", disse aquela voz desconhecida.

"Foi um caso muito feio desde o início. O médico disse que ele estava completamente abatido. Eles estão com uma enfermeira treinada e tudo já foi feito. NÃO me olhe desse jeito, Anne. Enquanto há vida, há esperança."

"O Sr. Harrison estava aqui hoje à tarde e disse que eles não tinham nenhuma esperança para ele", reiterou Davy.

Marilla, parecendo velha, vencida e cansada, levantou e arrastou Davy severamente para fora da cozinha.

"Oh, NÃO fique assim, querida", disse a Sra. Rachel, colocando seus velhos e gentis braços em volta da pálida garota. "Eu não perdi as esperanças, não mesmo. Ele tem a constituição dos Blythe a seu favor, isso sim."

Anne gentilmente tirou os braços da Sra. Lynde de cima dela, andou cegamente pela cozinha, atravessou o corredor e subiu as escadas até seu velho quarto. Ao chegar perto da janela, ela ajoelhou-se, olhando para fora sem enxergar. Estava muito escuro. A chuva estava batendo nos campos trêmulos. A Floresta Encantada estava cheia dos gemidos das árvores poderosas retorcidas pela tempestade e o ar latejava com o choque estrondoso das ondas na praia distante. E Gilbert estava morrendo!

Há um livro da Revelação na vida de todos nós e há um na *Bíblia*. Anne leu o dela naquela noite amarga e manteve sua vigília agonizante através de horas de tempestade e escuridão. Ela amava Gilbert, sempre tinha amado! Ela sabia aquilo agora. Ela sabia que não poderia mais expulsá-lo de sua vida sem agonia tanto quanto não poderia ter cortado fora sua mão direita. E o entendimento tinha chegado tarde demais — tarde demais até para o amargo consolo de estar com ele no fim. Se ela não tivesse sido tão cega, tão tola, ela teria o direito de ir até ele agora. Mas ele nunca saberia que ela o amava — ele partiria daquela vida pensando que ela não se importava. Oh, os negros anos de vazio que se estendiam diante dela! Ela não poderia vivê-los — não poderia! Ela encolheu-se diante da janela e desejou, pela primeira vez em sua jovem e alegre vida, que pudesse morrer também. Se Gilbert fosse para longe dela, sem uma palavra, um sinal ou uma mensagem, ela não poderia viver. Nada valia a pena sem ele. Ela pertencia a ele, e ele a ela. Em seu momento de agonia extrema, ela não tinha dúvidas sobre aquilo. Ele não amava Christine Stuart — nunca tinha amado Christine Stuart. Oh, como ela foi tola por não perceber qual era o laço que a atava a Gilbert — e pensar que a fantasia de bajulação que ela sentia por Roy Gardner tinha sido amor. E agora ela deveria pagar por sua tolice como se fosse um crime.

A Sra. Lynde e Marilla foram sorrateiramente até a sua porta antes de dormir, balançaram a cabeça duvidosamente uma para a outra através do silêncio e foram embora. A tempestade durou a noite inteira, mas quando o amanhecer chegou, tinha passado. Anne viu uma faixa de luz de fadas nas saias da escuridão. Em um instante, os topos das colinas do leste tinham um arco de rubi em chamas. As nuvens rolaram para longe em massas grandes, macias e brancas pelo horizonte; o céu brilhava azul e prateado. Uma calmaria recaiu sobre o mundo.

Anne ergueu-se de seus joelhos e desceu. O frescor do vento da chuva soprou contra seu rosto branco enquanto ela saía para o quintal e refrescava seus olhos secos e ardentes. Um assovio alegre estava soando pela estrada acima. Um momento depois, Pacifique Buote surgiu.

A força física de Anne falhou de repente. Se ela não tivesse agarrado um galho baixo de salgueiro, teria caído. Pacifique trabalhava na casa de George Fletcher e George Fletcher morava ao lado dos Blythe. A Sra. Fletcher era tia de Gilbert. Pacifique saberia se... se... Ele saberia o que havia para saber.

Pacifique caminhava vigorosamente pela estrada vermelha, assoviando. Ele não tinha visto Anne. Ela fez três tentativas inúteis de chamá-lo. Ele tinha quase passado quando ela conseguiu fazer seus lábios trêmulos chamar: "Pacifique!"

Pacifique virou-se com um sorriso e um alegre bom-dia.

"Pacifique", disse Anne fracamente, "você está vindo da casa de George Fletcher?"

"Claro", disse Pacifique amigavelmente. "Fiquei sabendo ontem à noite que meu pai estava doente. O tempo estava tão feio que não consegui vir, então saí hoje cedo. Vou pelo bosque para cortar caminho."

"Você ficou sabendo como Gilbert Blythe estava hoje de manhã?", o desespero de Anne a levou a perguntar. Até mesmo o pior seria mais suportável que aquele suspense terrível.

"Ele está melhor", disse Pacifique. "Ele teve uma mudança ontem à noite. O médico disse que ele vai ficar bom logo, logo. Escapou por pouco! Aquele menino, ele se matou na faculdade. Bem, preciso ir. O meu velho, ele está com pressa em me ver."

Pacifique continuou a caminhar e a assoviar. Anne o observou com olhos em que a alegria estava expulsando a aflição sofrida da noite. Ele era um jovem muito magro, esfarrapado e sem graça. Mas, aos olhos dela, ele era tão lindo quanto aqueles que trazem boas novas nas montanhas. Nunca, enquanto ela vivesse, Anne veria o rosto bronzeado, redondo e de olhos negros de Pacifique sem uma lembrança calorosa do momento em que ele tinha lhe dado a bênção da alegria para curar o pranto.

Depois que o assovio alegre de Pacifique tinha desaparecido sob a forma do fantasma da música e depois sob a forma do silêncio embaixo dos bordos na Estrada dos Amantes, Anne permaneceu embaixo dos salgueiros, provando da doçura pungente da vida quando um grande terror é removido dela. A manhã era uma xícara cheia de bruma e deslumbramento. A um passo dela estava uma rica surpresa de rosas recém-desabrochadas, cobertas de orvalho cristalino. Os trinados e assovios da música dos pássaros na grande árvore acima dela pareciam estar em perfeita sintonia com seu humor. Uma frase de um livro muito velho, muito verdadeiro e muito maravilhoso veio até seus lábios.

"'O choro pode durar uma noite, mas a alegria vem pela manhã'."

## CAPÍTULO XLI
# O amor assume a ampulheta do tempo

"Eu vim convidar você para um de nossos velhos passeios pelos bosques de setembro e 'pelas colinas onde as especiarias crescem' hoje à tarde", disse Gilbert, surgindo de repente, dando a volta na varanda. "Podemos visitar o jardim de Hester Gray."

Anne, sentada no degrau de pedra com seu colo cheio de um material pálido, delicado e verde, olhou para cima vagamente.

"Oh, eu gostaria de poder ir", ela disse lentamente, "mas realmente não posso, Gilbert. Vou ao casamento de Alice Penhallow hoje à noite, sabe. Preciso fazer alguma coisa com este vestido e, até eu terminar, já vai estar na hora de me arrumar. Sinto muito mesmo. Adoraria ir."

"Bem, podemos ir amanhã à tarde, então?", perguntou Gilbert, aparentemente não muito desapontado.

"Sim, acho que sim."

"Nesse caso, vou correr para casa de uma vez e fazer uma coisa que eu teria que fazer amanhã. Então, Alice Penhallow vai se casar hoje à noite. Três casamentos para você em um verão, Anne: o de Phil, o de Alice e o de Jane. Nunca vou perdoar Jane por não me convidar para o casamento dela."

"Você não pode culpá-la se pensar na quantidade tremenda de parentes dos Andrews que tinham que ser convidados. A casa mal conseguia suportar todos. Eu apenas fui convidada pela sorte de ser uma velha amiga de Jane, ao menos da parte de Jane. Acho que o motivo da Sra. Harmon em me convidar foi para me fazer contemplar a magnificência insuperável de Jane."

"É verdade que ela usou tantos diamantes que não se podia dizer onde os diamantes terminavam e Jane começava?"

Anne riu.

"Ela certamente usou muitos. Com todos os diamantes, cetim branco, tule, renda, rosas e flores de laranjeira, a pobre Jane foi quase perdida de vista. Mas ela estava MUITO feliz, o Sr. Inglis também, e a Sra. Harmon também."

"Esse é o vestido que você vai usar hoje à noite?", perguntou Gilbert, olhando para os babados e franzidos.

"Sim. Não é lindo? Eu vou usar flores de borragem no meu cabelo. A Floresta Assombrada está cheia deles neste verão."

Gilbert teve uma repentina visão de Anne, vestida com um traje de babados verde, com as curvas virginais dos braços e do pescoço à mostra e as estrelas brancas brilhando contra os cachos de seu cabelo acobreado. A visão o fez perder o fôlego. Mas ele afastou-se levemente.

"Bem, vou estar aqui amanhã. Espero que você se divirta hoje."

Anne o observou enquanto partia e suspirou. Gilbert era amigável — muito amigável — amigável demais. Ele tinha vindo com frequência até Green Gables depois de sua recuperação e algo de seu velho companheirismo tinha retornado, mas Anne não achava mais aquilo satisfatório. A rosa do amor deixou o botão da amizade pálido e sem perfume em contraste. E Anne tinha mais uma vez começado a duvidar se Gilbert sentia alguma coisa por ela além de amizade. Sob a luz comum do dia comum, sua certeza radiante daquela manhã extasiada tinha desaparecido. Ela era assombrada por um medo terrível de que seu erro nunca poderia ser retificado. Era provável que Gilbert amasse Christine no fim das contas. Talvez ele estivesse até noivo dela. Anne tentou tirar todas as expectativas perturbadoras de seu coração e reconciliar-se com um futuro onde o trabalho e a ambição deveriam assumir o lugar do amor. Ela poderia fazer um bom trabalho, ainda que não fosse nobre, como professora; e o sucesso que seus pequenos rascunhos estavam começando a encontrar em certos santuários editoriais dava bons prenúncios a seus sonhos literários em ascensão. Mas... mas... Anne pegou seu vestido verde e suspirou novamente.

Quando Gilbert veio na tarde seguinte, encontrou Anne esperando por ele, revigorada como a aurora e bela como uma estrela, depois de toda a diversão da noite anterior. Ela usava um vestido verde — não o que tinha usado para o casamento, mas um velho do qual Gilbert gostava, ele havia dito a ela em uma das festas de Redmond. Era o tom de verde exato que destacava as ricas tonalidades de seu cabelo, o cinza estrelado de seus olhos e a delicadeza de íris de sua pele. Gilbert, olhando para ela de lado enquanto caminhavam por uma trilha cheia de sombras, pensou que ela nunca tinha parecido tão adorável. Anne, olhando para Gilbert de lado, de vez em quando, pensou em como ele parecia mais velho desde sua doença. Era como se ele tivesse deixado a fase de menino para trás para sempre.

O dia estava lindo e o caminho era lindo. Anne ficou quase triste quando chegaram ao jardim de Hester Gray e sentaram-se no velho banco. Mas ali também era lindo — tão lindo quanto tinha sido no dia do excelente piquenique, quando Diana, Jane, Priscilla e ela o tinham encontrado. No dia do piquenique, estava adorável; havia narcisos e violetas, mas, naquele dia, as varas-de-ouro tinham acendido suas tochas encantadas pelos cantos e os ásteres as pontilhavam de azul. O chamado do riacho veio através dos bosques, pelo vale de bétulas, com sua antiga sedução; o ar suave estava cheio do som do mar; adiante, os campos bordados com cercas estavam tingidos de prata pelos sóis de muitos verões e as longas colinas, cercadas pelas sombras de nuvens outonais; com o sopro do vento do oeste, os velhos sonhos retornavam.

"Eu acho", disse Anne suavemente, "que 'a terra onde os sonhos se realizam' fica na névoa azul adiante, sobre aquele pequeno vale."

"Você tem algum sonho que não se realizou, Anne?", perguntou Gilbert.

Algo naquela voz — algo que ela não tinha ouvido desde aquela tarde miserável no pomar da Casa da Patty — fez o coração de Anne bater loucamente. Mas ela respondeu suavemente.

"É claro. Todo mundo tem. Não seria bom realizarmos todos os nossos sonhos. Nós estaríamos praticamente mortos se não tivéssemos mais nada com que sonhar. Que aroma delicioso o sol poente está extraindo dos ásteres e das samambaias. Gostaria de poder ver perfumes tão bem quanto posso cheirá-los. Tenho certeza de que seriam muito lindos."

Gilbert não seria distraído daquela forma.

"Eu tenho um sonho", ele disse lentamente. "Eu insisto em sonhá-lo, embora com frequência me pareça que nunca poderia se realizar. Eu sonho com uma casa com uma lareira, um gato e um cachorro, as pegadas dos meus amigos... e VOCÊ!"

Anne queria falar, mas não conseguia encontrar as palavras. A felicidade estava tomando conta dela como uma onda. Chegava quase a assustá-la.

"Eu fiz uma pergunta a você há mais de dois anos, Anne. Se eu pedir de novo hoje, você vai me dar uma resposta diferente?"

Ainda assim, Anne não conseguia falar. Mas ergueu os olhos, brilhando com todo o êxtase do amor de inúmeras gerações e olhou nos olhos dele por um momento. Ele não queria outra resposta.

Eles permaneceram no velho jardim até que o crepúsculo, doce como o anoitecer no Éden deveria ter sido, surgisse. Havia tanto para conversar e relembrar — coisas ditas, faladas, ouvidas, pensadas, sentidas e mal-entendidas.

"Eu pensei que você amasse Christine Stuart", Anne disse a ele, de um jeito tão reprovador como se não tivesse dado a ele todos os motivos para pensar que ela amava Roy Gardner.

Gilbert riu como um menino.

"Christine estava noiva de outro na cidade dela. Eu sabia e ela sabia que eu sabia. Quando o irmão dela se formou, ele me contou que a irmã dele estava vindo para Kingsport no inverno seguinte. Ele me pediu para cuidar um pouco dela, já que ela não conhecia ninguém e ficaria muito solitária. E foi o que eu fiz. E, então, gostei de Christine por ela mesma. Ela é uma das garotas mais gentis que já conheci. Eu sabia que a fofoca da faculdade nos daria o crédito de estar apaixonados um pelo outro. Eu não me importei. Nada importou muito para mim durante um tempo lá, depois de você ter me dito que nunca poderia me amar, Anne. Não havia mais ninguém, nunca poderia haver ninguém para mim além de você. Eu a amei desde aquele dia em que você partiu sua lousa na minha cabeça na escola."

"Não vejo como você pôde continuar me amando quando eu fui tão tola", disse Anne.

"Bem, eu tentei parar", disse Gilbert francamente, "não por pensar que você era tola, mas porque eu tinha certeza de que não havia a menor chance para mim depois de Gardner entrar em cena. Mas eu não consegui. Também não posso lhe dizer o que significou para mim nesses dois anos acreditar que você se casaria com ele e ouvir de algum intrometido toda semana que o seu noivado estava quase sendo anunciado. Eu acreditei nisso até um dia abençoado em que estava sentado depois da febre. Recebi uma carta de Phil Gordon, Phil Blake, na verdade, na qual ela me contou que não havia nada entre você e Roy e me aconselhou a 'tentar de novo'. Bem, o médico ficou surpreso com a minha rápida recuperação depois disso."

Anne riu. E depois estremeceu.

"Nunca vou me esquecer da noite em que pensei que você estava morrendo, Gilbert. Oh, eu sabia... eu SOUBE naquele instante... e pensei que seria tarde demais."

"Mas não era, querida. Oh, Anne, isso compensa tudo, não é? Vamos decidir manter este dia sagrado em perfeita beleza por todas a nossa vida pelo presente que ele nos deu."

"É o aniversário de nossa felicidade", disse Anne suavemente. "Eu sempre amei este velho jardim de Hester Gray e agora ele será mais querido do que nunca."

"Mas vou ter que pedir que você espere por muito tempo, Anne", disse Gilbert tristemente. "Vou demorar três anos para terminar o curso de medicina. E mesmo depois não vai haver brilho de diamantes e salões de mármore."

Anne riu.

"'Não quero diamantes nem salões de mármore. Eu só quero VOCÊ. Pode ver que estou tão descarada quanto Phil em relação a isso. Diamantes e salões de mármore podem ser muito bons, mas há mais 'oportunidade para a imaginação' sem eles. E quanto à espera, isso não importa. Vamos apenas ser felizes, esperando e trabalhando um pelo outro, e sonhando. Oh, os sonhos serão muito doces agora."

Gilbert a trouxe para perto dele e a beijou. Então, eles andaram para casa juntos sob o crepúsculo, rei e rainha coroados no reino nupcial do amor, por caminhos sinuosos, cercados pelas flores mais doces que já floresceram e por prados assombrados, onde os ventos da esperança e da memória sopravam.